РУССКИЙ ШАНСОН

Читайте остросюжетные романы Владимира Колычева в серии «Русский шансон»

Владимир КОЛЫЧЕВ

Не жди меня, мама, хорошего сына

МОСКВА
ЭКСМО
2008

УДК 82-3
ББК 84(2Рос-Рус)6-4
К 60

Оформление серии *Н. Никоновой*

Колычев В.Г.

К 60   Не жди меня, мама, хорошего сына: Роман /
В.Г. Колычев. — М.: Эксмо, 2008. — 352 с. — (Русский
шансон).

ISBN 978-5-699-28525-9

В одной комнате — труп, в другой — сейф с золотом и драгоценны-
ми камнями. Оперу Степану Круче сразу ясно, что золотишко принадлежит бандитскому авторитету Битку. Но тот отпирается: и труп — не
моих рук дело, и золото не мое. Но Круча уверен: Биток промышляет
контрабандой презренного металла с сибирских приисков. А труп принадлежит хозяину квартиры, подельнику Битка. Кто же его замочил?
Может, крутой авторитет Сафрон, который хочет прибрать к рукам «золотую жилу»? Вот и разберись, Степан, кто самый алчный из бандитов...

УДК 82-3
ББК 84(2Рос-Рус)6-4

ISBN 978-5-699-28525-9

Часть первая

ГЛАВА 1

Параллельные миры существуют. Сеня Балабакин убедился в том, оказавшись в камере временного задержания. Каких-то десять-пятнадцать минут назад он освежался коньячком в элитном баре, обольщал случайную знакомую, фееричную милашку с пухлыми губками, и вдруг пассаж — опера из угрозыска, наручники, телепортация в сером «уазике» из яркой иллюзии в мрачную реальность отдела милиции.

Дежурный сержант не деликатничал — втолкнул Сеню в камеру, с шумом закрыл решетчатую дверь. Мир сузился до размеров грязной каталажки, населенной живыми существами.

Их было трое. Кривоносый, наголо бритый персонаж в спортивных брюках с полоской и рваной черной майке-борцовке; рельефные плечи сплошь в татуировках — густой раскраски кресты, черепа, женские прелести; пальцы в чернильных перстнях, на шее толстая латунная цепь. Он сидел, на восточный манер подобрав под себя ноги; руки уперты в коленки, локти широко разведены. Взгляд мутный, тусклый, безразличный. Зрачки суженные, щеки впалые и бледные, на локтевых сгибах следы от инъекций. Уголовник плюс наркоман со стажем, подумал Сеня... Второй обитатель камеры смотрел на новичка более живо и с интересом. Косматые волосы, лохматая одежда: широкие штаны, мешко-

ватая майка с номером, блинг-блинг — серебряная цепь
с кулоном в виде долларового знака. Широкий выпук-
лый лоб, скальным выступом нависший над беспокойными глазами, клубневый нос — крупный, рыхлый, с
серым оттенком, рот наискосок. Похож на рэпера...
Третий — квелый очкарик с рахитичной головой; волосы жиденькие, но длинные, стянутые на затылке резин-
кой. Правое ухо пунцово-красное, щека под ним рас-
царапана, губа разбита, светлая в полоску рубашка
грязная, карман оторван — видно, что досталось ему
порядком. Но парень не унывал. Он смотрел на Сеню
гонористо; губы его кривились в насмешливой ухмыл-
ке... «Типичный компьютерный червь...»

— Ку! — гулко ухнул он.

— Не понял? — Сеня удивленно приподнял брови.

— Кисакуку, киса, ты с какова города?

Рэпер крутнул пальцем у виска, глянув на очкарика.
И махнул рукой новичку — похоже, в знак приветствия.

— Yo dude!

— Сам ты удод! — нахраписто выдал Сеня.

Уголовник прыснул, провел рукой по животу. Но не
обронил ни слова: молча проглотил смешинку.

— Да не удод... — скривился рэпер. — Это я поздоровался с тобой.

— И я, — кивнул очкарик.

Он уже не гоношился. Сеня показал зубы и этим
стер с него спесивый налет.

— Что — ты?

— Поздоровался.

— С кем?

— С тобой.

— Ты идиот?

— Ф топку!

— Значит, идиот...

— Я с него угораю! — широко улыбнулся рэпер. — Коры мочит, ваще!.. Сакс, короче!

— Выпей йаду, сцука! — огрызнулся очкарик.

— Я те ща набуцкаю, чмо!

Рэпер вскочил со своего места, сжимая кулаки, но уголовник осадил его.

— Ша! Не вмачивай рога, баклан!.. И ты, чертила очкастая, будешь пургу мести, я тебе шнифты выкручу!

Выплеснув эмоции, уголовник затих — спиной откинулся к стене, закинул руки за голову, закрыл глаза. Успокоились и остальные. Рэпер вернулся на место, опустил голову, разглядывая долларовый знак на цепи. Очкарик молча теребил подол своей рубахи.

На Сеню никто не смотрел. Да он и не нуждался ни в чьем внимании. Он с горечью думал о том, что, возможно, свобода потеряна для него навсегда. И если так, то матерые уголовники с их устрашающим жаргоном станут для него чудовищной повседневностью...

* * *

Майор Комов не был уверен в том, что теща — друг человека. Сосуществовал он с матерью своей жены относительно мирно, но иногда подмывало поцеловать вагон, в котором она уезжала домой. Но, похоже, Алевтина Михайловна застряла в Битове надолго: один автолихач познакомил ее с бампером своей машины, после чего женщина отправилась на больничную койку с черепно-мозговой травмой и переломом ноги.

Лихач удрал с места происшествия. Розыском преступника занялись в ГИБДД, но и Федот Комов не бездействовал, подключил к делу своих сыскарей из уголовного розыска — общими усилиями злодей был доставлен в отдел внутренних дел города Битово. Им оказался молодой человек, владелец автомобиля «Ниссан». Балабакин Арсений Викторович.

Задержанного доставили в кабинет, но Комов как будто и не замечал этого; суровый и невозмутимый, он наводил порядок на своем рабочем столе, раскладывал скопившиеся на нем папки с делами по ящикам. Парень ждал недолго — пожал плечами, выдвинул стул из-за приставного стола, сел.

— А вот это ты зря, — немедленно среагировал Комов. — Сесть тебе никто не предлагал... Но раз ты настаиваешь, будешь сидеть.

Парень прытко встал со стула, вытянулся в струнку.

— Что, не хочешь сидеть? — сурово спросил Федот.

— Нет, — потерянно мотнул головой парень.

Ему было двадцать четыре года. Среднего роста, худощавый, но мускулистый. Ухоженные волосы, стильная бородка а-ля Арамис. Желтая стрейч-майка облегала поджарый торс, обнажая загорелые жилистые руки. Бейсболка задом наперед, сильно вываренные и усаженные джинсы, кроссовки на высокой подошве. Лицо узкое, вытянутое вперед, широко расставленные маленькие глаза; нос костистый, длинный, с горбинкой — признак гордости. Брови клинообразные, изломанные — показатель авантюризма, — но в то же время высоко поднятые, что присуще людям пытливой, ищущей натуры... Самолюбивый, целеустремленный прохиндей?

— Не любишь ты мою тещу, парень, — издалека начал Комов.

Балабакин огорошенно моргнул.

— При чем здесь ваша теща?

— При том, парень, что нет у меня больше тещи. Ты ее убил. Насмерть сбил на своей машине.

— Я?! Я никого не убивал! — возопил парень. И проговорился: — Она же в травме...

— Кто в травме?

— Ну, теща... Женщина, которую...

— Которую ты сбил?

— Э-э... Я никого... Нет, не сбивал... Никого...

Балабакин говорил сбивчиво, спотыкался на каждом слове. От волнения. Оттого что врал...

— «Ниссан», госномер «триста тридцать три», две тысячи второго года выпуска, оранжевый металлик — твоя машина?

— Да, машина.

— Что, машина?

— Да, моя машина... У меня ее угнали... Да, угнали какие-то сволочи, в тот день, когда женщину сбили, — бодрой скороговоркой изложил парень.

Одно это быстрословие показалось Комову подозрительным. Не говоря уже о том, что Балабакин снова проговорился.

— А когда ее сбили?

— Ну, три дня назад... Э-э, второго июля...

Парень говорил правду, но почему-то слова вязнут в голосовых связках.

— И откуда ты знаешь, что второго июля? Откуда ты знаешь, что женщина в травме?.. И машину ты в угон не подавал. И нашли ее возле твоего дома... Хватит отпираться, Балабакин!

Сеня горестно вздохнул, с вороватым кокетством потупил глазки.

— Кто угнал у тебя машину? — жестко и бескомпромиссно спросил Комов.

— Никто, — четко сказал парень.

— Кто сбил женщину?

— Я.

— И как это произошло?

— Как произошло? Просто и быстро. Ехал домой к родителям, из Москвы, очень спешил, на перекрестке светофор, загорелся желтый, думал, проскочу, а не получилось. Ей бы постоять чуть-чуть, а она поперлась. Голова опущена, взгляд по зебре тащится, ну ей-бо, как та корова!.. Извините, товарищ... не знаю, как вас по званию...

— Гражданин начальник, — с хмурым видом подсказал Федот.

Балабакин признал свою вину — будет составлен протокол допроса, затем представление на возбуждение уголовного дела, чуть позже следователь предъявит обвинение. И все это время парень проведет в изоляторе временного содержания...

— Гражданин начальник?! Я что, уже арестован? — сконфузился Сеня.

— Почти, — не стал разубеждать его Комов.

— Но так нельзя. Ведь я не виноват, я ехал на желтый свет! Ну, не проскочил! Ну, не повезло!..

— Повезло. Еще как повезло — прямо на гражданку Вихареву... Это уголовная ответственность, Балабакин. Это три-четыре года лишения свободы... По зебре, говоришь, взгляд тащился...

— Да, по зебре, по пешеходной. Метафора, иносказание. Ваша теща под ноги не смотрела...

— Зачем ей под ноги смотреть? Она в сторону смотрела, откуда машина твоя появилась. Не успела она в сторону отскочить, извини...

— Да ладно! — безалаберно махнул рукой Балабакин.

— Что? — охлаждающе глянул на него Комов.

— Э-э, понимаю, это я должен извиняться...

— Поздно извиняться.

— Э-э, товарищ... гражданин начальник... Ну, может, как-то вопрос этот решим. С деньгами у меня сейчас туговато, проект не пошел, долгов много, кредиторы донимают, все такое прочее... — снова затараторил Балабакин.

— Мне до твоих денег дела нет, — внушительно сказал Комов. — И если думаешь про взятку, забудь. Не стоит усугублять вину...

— А что можно сделать? — умоляюще смотрел на него Сеня.

— Ничего. Будешь отвечать по всей строгости закона...

Не нравился Федоту этот парень, очень не нравился. Надо бы с ним еще поработать... Он вызвал конвой и отправил его в камеру.

* * *

Уголовника в каталажке не было. Сеня спросил, где он.

— Увели, — ответил рэпер.

Звали его Миша. Неплохой парень, если разобраться, только слишком крученый.

— Оцилопы на пинках увели.

— Кто?

— Ну ты нибумбук! — удивленно посмотрел на Сеню очкарик. — Оцилопы — это ж сцуки палиццаи!

— Да ты не висни, не надо. Оцилопы — это менты... — пояснил Миша. — Не вписался пацан в поворот...

— Я тоже не вписался, — уныло кивнул Балабакин.

— Чего?

— Да так... Слушай, а ты реально рэп слушаешь?

— Рэп не слушают, рэп читают... Ямбы не в почете, хип-хоп на взлете, я реальный пацан, качу телегу, по кругу, йо!... Ну, телега — это речитатив, по ходу...

— Нибацца! Уппей себя абстену! — подленько хихикнул очкарик.

— Закрой варежку, очкур! — огрызнулся рэпер.

— Да не забивайся ты на него, — одернул его Се-

11

ня. — Поверь, он того не стоит... Ты мне скажи, у тебя бабосы есть?

— Бабосы схавали барбосы! Я на мели, чувак... А что такое? — в ожидании подвоха, но заинтригованно спросил Миша.

— Да вариант один есть. Ты телеги катишь, а я музыку пишу.

— Не понял.

— Композитор я.

— Да ты че! В реале?

— А я похож на клоуна, чтобы шутить?.. Мои песни на «Европе» крутятся...

— Да ну! Какие?

— Да такие...

Балабакин напел пару композиций, от чего Миша благоговейно захмелел.

— Рулез! А не гонишь?

Сеня не врал. Он действительно сочинял музыку и тексты к ней. Четыреста восемьдесят восемь композиций. Правда, востребованными из них оказалось только семнадцать, четыре из которых смело можно было назвать хитами. Больших денег на них не заработал, но «респект» и «уважуху» приобрел. Со временем у него появились богатые заказчики, но вдохновение вдруг ухнуло в яму творческой пустоты. Песни он кропал десятками, но ни одна из них не была озвучена. Словом, полный отстой... Но совсем недавно Сеню окрылило, и он создал настоящий шлягер, обреченный, по его мнению, обретаться на верхних строчках российских чартов. Муза пришла к нему в момент наивысшего отчаяния, когда, казалось, мир обрушился в тартарары. Может, потому ее поцелуй был таким горячим и проникновенным...

— Да нет, брат... Я не вру. Правда это... Можешь не сомневаться...

Сеня давно уже заметил за собой одну странность. Он не волновался, когда говорил правду, но мог при этом говорить сбивчиво, даже косноязычно. А когда он врал, душа наполнялась смутой, но слова из груди выскакивали бойко, одно за другим, и язык чеканил звуки на редкость внятно, идиомы и метафоры вкручивались в текст без мозговых усилий.

— Ну, может, и не вправляешь. Но это же попса, — заметил Миша.

— Без попсовых прошивок твой рэп — труха.

— Ну да, телегу смазывать надо... Может, намурлыкаешь, я послушаю.

— Послушаешь. И запомнишь. А рулада мировая, отвечаю. Абсолютный хит.

— Да ладно, хит... И сколько ты просишь?

— Много. Пятьдесят тысяч евро.

Миша потрясенно посмотрел на очкарика.

— У тебя йаду нету?

— Есть. Пятьдесят тысяч за каплю.

— Стебаетесь?

— Он — да, я — нет, — лаконично сказал Сеня.

— Откуда столько бабосов?

Балабакин пожал плечами. Его дело предложить...

— Не, я такую мазу...

Рэпер не договорил. К решетке подошел прапорщик из дежурной части.

— Балабакин!

И снова Сеню повели на второй этаж, в отдел уголовного розыска. Все тот же кабинет начальника, но в этот раз его занимал другой офицер, такой же внушительно-могучий, как первый, но не в штатском, а в форме; ухоженный, начищенный, наглаженный, с большими звездами на погонах.

— Ну, и чего робеешь, парень? — усмехнулся он, рукой показал на стул за приставным столом.

Взгляд у него добродушный, но въедливо-тяжелый. На какой-то миг Сеня вдруг ощутил себя овощем, который посадили в кадушку, посолили, накрыли крышкой с каменным гнетом.... «Как бы сок не пустить...»

— Подполковник Круча. Начальник ОВД «Битово».

Балабакину и вовсе стало не по себе. Что ж он такое совершил, если сам начальник отдела внутренних дел за него взялся?..

— Рассказывай.

Голос у подполковника густой. Баритон, стремящийся к нижним, басовым нотам; звучание мягкое, укачивающее.

— Что рассказывать? — подавленно спросил Сеня.

— Как женщину сбил, расскажи.

— А-а, это...

— У тебя еще что есть рассказать?

— Да нет, нормально все, никаких эксцессов, все, как говорится, шито-крыто! — стараясь скрыть свой испуг, отбарабанил задержанный.

— Шито-крыто, говоришь... А женщину зачем сбил?

— Торопился очень. Красный свет прозевал.

— Куда торопился?

— К девушке, конечно... Если бы вы знали, какая у меня девушка здесь, в Битове, вы бы меня поняли и простили...

— Я тебя и так простил, но закон не позволяет, — усмехнулся подполковник. — А что за девушка?

— Стелла зовут! Золотые волосы, бриллиантовые глаза, рубиновые губы, одним словом, сокровище. Такая любовь, гражданин начальник, такая любовь...

— Девушка у тебя здесь, говоришь, в Битове. А сам ты откуда?

— Ну, из Битова... Родители у меня здесь. Мать, отец... Но живу я в Москве... То есть жил...

— Чего так?

— Финансовые проблемы.

— С кем не бывает.

— Вот и я говорю, что за черной полосой следует белая, — оживился Сеня. — Пройдет печаль, наступит радость, все будет в шоколаде...

— Врешь, — усмехнулся Круча.

— Почему? — забеспокоился парень.

— Слишком гладко стелешь. Да и в тюрьме не может быть белой полосы. Там все в клеточку, без голубой каемочки... Или ты думаешь, что тебе путевку в санаторий за лихость твою гусарскую выпишут?

— Нет, — сник Сеня.

— А что за проблемы, говоришь?

— Да так...

— Финансовые, да?

— Ну да.

— А родители могли денег занять?

— Да нет, они сами без денег сидят. Сестра с мужем работают, но у них снега зимой не допросишься.

— А у кого одолжить можно?

— Ну, есть один человек, одноклассник мой, Петька Воронецкий, у него здесь бизнес небольшой, я его в свое время со знаменитостями знакомил, он у меня в долгу...

Сеню снова понесло, он и сам это понял, и Круча заметил.

— Тпрр! — осадил его подполковник. — Что-то ты разошелся. Скажи просто, что к однокласснику ехал, я пойму.

— К однокласснику ехал.

— Торопился очень.

— Торопился, — завороженно повторял Балабакин.

— Не заметил, что красный свет горит.

— Не заметил.

— И женщину тоже не заметил.

— Был грех, гражданин начальник...

— Ясно. Что туману ты нагнал, ясно! — резко сказал Круча.

Он уже не просто смотрел на Сеню, он тянул из него душу, вместе с подпорками, на которых держалась часть подсознания, создающая ложные образы. Балабакину вдруг показалось, что нет в нем больше способности врать...

— Майору Комову ты рассказывал, что спешил к родителям и ехал на желтый свет, — продолжал давить на него подполковник. — Для меня ты сочинил другую сказку — ехал к Стелле да на красный свет. Потом ты поехал к однокласснику... Плести ты умеешь, Балабакин, но не знаешь, к чему привязать свое вранье.

— Ну почему не знаю, — замялся Сеня.

— Знаешь, к чему свое вранье привязать? — усмехнулся Круча.

— Да не вранье...

— Кто сбил гражданку Вихареву?

— Я!

— Еще раз спрашиваю, кто?

— Я.

— Спрашиваю еще раз!

— Не знаю...

— Только не говори, что машина была в угоне...

— Не скажу...

— Тогда кто сбил женщину?

— Не скажу...

— Ну, тогда на этом и закончим. Сейчас отправишься в изолятор временного содержания. Извини, мест свободных нет, есть только в камере с бомжами. Но это не страшно. Страшней, когда ты в следственный изолятор попадешь... Парень ты стильный, как сейчас таких называют, подскажи. Метросексуалы?

— Э-э, да... — сконфуженно кивнул Сеня.

Как представитель музыкального бомонда, он тщательно заботился о своей внешности по мере возмож-
ности, посещал салоны красоты, следовал моде. Конечно же, он считал себя утонченной натурой...

— Метросексуал и гомосексуал — не совсем одно и
то же, — продолжал Круча. — Но, поверь, в тюрьме в
такие тонкости не вникают... Или тебе нравится мыло с
пола поднимать?

— Не-ет! — в панике затрясся Балабакин.

— А будет, парень. Все будет, если ты за ум не возь-
мешься... Тебя будут топтать, тебя будут растирать по
полу как плевок, ты будешь думать о том, как поскорее
покончить с собой, а загробный ад будет казаться тебе
раем...

Подполковник говорил на редкость убедительно,
ужас в его словах был настолько осязаемым, что Сеня
схватился за стул, с силой прижимая его к своему седа-
лищу. Он не хотел поднимать мыло в тюремной бане...

— Я и так потратил на тебя много времени, — с со-
жалением сказал Круча. — Ценности ты никакой не
представляешь, хочешь сгинуть в тюрьме — твое право.
Сейчас тебя отправят в изолятор, а послезавтра предъявят обвинение...

Он взял трубку темно-серого телефона без наборни-
ка номера, приложил ее к уху.

— Сорокин, Балабакина в предвариловку!

— Не надо! — еще крепче прижимая к себе стул,
прорыдал Сеня. — Я все скажу!

— У тебя всего две минуты времени, — с пугающим
безразличием сказал подполковник. — Пока за тобой
идут.

— Это не я женщину сбил! Не я!

— Если врешь, постарайся сделать это убедительно.

— Я не вру... Не я в машине был... И машина не
моя...

— Как не твоя, если на тебя зарегистрирована?

Балабакин не врал, он сильно волновался, поэтому Круче приходилось вытягивать из него слова.

— Де-юре моя, а де-факто у меня ее отобрали. За долги.

— Кто?

— Это долгая история...

— Ну, если долгая, то я пойду. Рад был познакомиться, Балабакин.

— Постойте!

Сеня уже догадался, что никто не сможет помочь ему, кроме подполковника Кручи. Начальнику ОВД не нужны липовые галочки в отчетности раскрытых преступлений, его интересует истина...

— Василий его зовут. Фамилию не знаю. Кличку тоже...

— А что, кличка есть? — заинтригованно спросил подполковник.

— Ну, я думаю, что должна... Это же братва, там у них у всех должны быть клички.

— Где братва, в Битове или в Москве?

— Здесь, в Битове. Казино «Пьедестал».

Дверь приоткрылась, показалось лицо дежурного милиционера, но Круча небрежно махнул ему рукой, отсылая назад. Он основательно устроился в кресле, приготовился слушать всерьез и внимательно.

— И что тебя связывает с этим казино? — спросил он издалека, но с прицелом на финал.

— Я композитор, музыку там пишу, для большой эстрады. Сейчас у меня творческий простой, денег нет... Квартиру я в Москве снимал, пришлось сдать. К родителям вернулся... Без копья, на мели. Тоска...

— Дальше что?

— Ну, здесь Стеллу встретил. Я с ней раньше крутил, все такое... В общем, она сказала, что у нас казино крутое открылось, «Пьедестал». Ну я и без нее знал, что там бомба. Слышал, вернее... Битово сейчас в цене, сами знаете...

— В цене, в цене, — кивнул Круча.

— В общем, Стелла сказала, что на днях там один парень денег много поднял. Ну, джекпот, говорит, сорвал...

— И ты клюнул.

— Ну да, повелся. Я же человек азартный, играть люблю. Есть грех такой...

— И много выигрывал?

— Ну, как попрет... Машину вот свою в казино выиграл, пару лет назад.

— Это в прошлом, а что в настоящем?

— А в настоящем Стелла сказала, что машину в залог сдать можно. Она в «Пьедестале» танцевала, она знает...

— Кому отдал машину?

— Ну этому, Василию, он там при казино ломбардом заведует, что-то вроде того... Он мне денег дал, а я доверенность на него составил. Стандартную, без нотариуса... Он сказал, что такая доверенность липа, но ему все равно. Сказал, что горько пожалею, если машину обратно забрать захочу. Как будто знал, что я проиграю...

— И что?

— Проигрался. В пух и прах. Еще и денег занял...

— У кого?

— У Стеллы... Знал же, что Стелла с этим Васей вась-вась, а нет, дернул черт... Короче, я у нее двадцать тысяч рублевых взял. И все спустил к чертям. И машину потерял, и еще двадцать тысяч остался должен... Если б только двадцать. Она Васю позвала, а тот мне сто тысяч отвалил, тоже в рублевых... И это все ушло... А через два дня Стелла ко мне подъехала, сказала, что

19

Владимир Колычев

Вася меня к себе зовет. Мы поехали. Он мне сразу в лоб — деньги где?.. А где деньги? Нет денег... В общем, сказал, что за каждый день просрочки десять тысяч. Я понял, что попал... А потом у него вдруг вариант появился. И машину, говорит, обратно получу, и долг мне простит... Сказал, что человека на этой машине сбили. Сказал, что менты не видели, кто за рулем был...

— Давай быстрей, не тяни резину.

— В общем, говорит, бери вину на себя. Женщина в травме, жить будет. Сказал, что судимости у меня нет, поэтому дадут условный срок. Нервы потреплют, но ничего страшного...

— И ты поверил?

— Ну да.

— Значит, не ты женщину сбил.

— Говорю же, нет.

— А кто?

— Так это, Василий, из «Пьедестала».

— Он тебе говорил, что женщину сбил именно он?

— Нет. Но я так понял, что он...

— Ты видел, как он женщину сбивал?

— Нет... Но машину же он мне вернул...

— М-да, нагородил ты огород... Ладно, давай с самого начала. Но не со мной...

Появившийся сержант доставил задержанного в соседний кабинет, где им вплотную занялся следователь уголовного розыска.

ГЛАВА 2

Совещание закончилось, в кабинете осталась только должностная верхушка. Подполковник Круча возглавлял отдел внутренних дел. Вторым по важности был майор Комов, начальник криминальной милиции, куда входил и уголовный розыск, и отдел по борьбе с экономическими преступлениями, и группа по борьбе с незаконным оборотом наркотиков. Первым занимался майор Кулик, вторым — майор Лозовой, третьей — майор Савельев. У каждого свои подчиненные, но по-прежнему впятером они составляли одну команду под неизменным предводительством подполковника Кручи.

— Как здоровье тещи? — спросил Степан, обращаясь к Федоту.

— Спасибо, ничего... Отпуск через неделю, похоже, коту под хвост. В Крым собирался, здесь придется сидеть...

— За это не переживай. Езжай в Крым, мы твоей Алевтине Михайловне скучать не позволим.

— И умереть не дадим, — добавил Саня Кулик.

— Нет, нет, ни в коем случае, — кивнул Рома Лозовой. И, выдержав паузу, сказал: — Пока не узнаем...

— Что не узнаем? — не понял Федот.

— Видите ли, товарищ майор, народная мудрость гласит, что любая теща приносит радость своему зятю. Но не каждая успевает сделать это при жизни. Вот и хотелось бы узнать, твоя Алевтина Михайловна уже успела принести тебе радость при жизни? Если нет, то...

— Кончай травить! — Призывая к тишине, Степан Круча выставил на обозрение широкую ладонь. — Теща тещей, а дело делом... Что у нас там с Балабакиным?

— А что, в изоляторе сидит, — ответил Кулик. — Сегодня обвинение предъявим, потом в суд, пусть там решают, что с ним делать — в СИЗО или под подписку... Балабакин утверждает, что не он сбил Алевтину Михайловну, на какого-то Васю грешит. Но кто ему поверит?

— Неубедительно грешит, — кивнул Комов.

— Убедительно или нет, а казино «Пьедестал» существует, — сказал Круча. — И там обретается этот какой-то Вася, держатель полуподпольного, как я понимаю, ломбарда... Я не видел этого Василия, я не знаю, кто он такой. И кто держит «Пьедестал», я тоже не знаю. И это мне очень не нравится. Что скажешь, Рома, ты у нас главный по экономическим тарелочкам...

— Так не стрелял я по этой тарелочке, — пожал плечами Лозовой. — И казино видел издалека... Не было пока никаких сигналов...

— Пока не было. Пока... А казино уже считается лучшим в городе. И мы не знаем, кто его держит... А Балабакин считает, что Василий из «Пьедестала» представляет братву...

— Чью? — спросил Савельев.

— Это ты у меня спрашиваешь?..

— Ну, я-то не знаю. Претензий у меня к «Пьедесталу» нет, сигналов по наркотикам пока не поступало.

— Снова пока?

— Казино большое, там ночной клуб, говорят, высший класс, танцпол какой-то необычный, людей море. А там, где танцующее море, там, как правило, наркота гуляет... Но пока никаких сигналов. Может, нет ничего, может, шифруются крепко...

— Может, может, а может, и не может, — передразнил подчиненного Степан. — Не знаю, как вам, но мне «Пьедестал» не нравится. Что-то подсказывает мне, что там тихий омут. И, судя по всему, один черт уже показал свой хвост...

* * *

Ремонтно-строительные работы шли осенью, зимой, захватили весну, в конце апреля казино «Реверс» готово было к новому сезону. Осталось довести до ума зал стриптиз-клуба. Сафрон торопил рабочих, но только сегодня он смог принять зал.

Зал сдали на три месяца позже договоренного, но

Сафрона это уже не огорчало. Лошадка стоила поставленных на нее денег. Вряд ли сцену для стриптиза можно было назвать ноу-хау, что-то такое он видел в дорогих заграничных клубах, но, как бы то ни было, идея ему нравилась. Это были площадки для пол-дэнса: три поменьше составляли правильный треугольник, в центре которого находился четвертый, побольше. Изюминка заключалась в том, что все постаменты по форме своей и цвету копировали в масштабе опорные диски проигрывателей с наложенными на них виниловыми пластинками. Центральный постамент вращался только вокруг своей оси, остальные еще по орбитальному кругу... А сейчас вокруг шестов крутились еще и секси-девочки гоу-гоу. Они танцевали в одеждах — красиво и никакого разврата...

— Нравится?

Сафрону было перед кем похвастаться своим техностильным достижением.

— Мега!

Сидящая рядом с ним девушка смотрела на танцовщиц, восхищенно улыбалась, но думала о своем. Ее мало интересовало, что происходит в этом зале, ее тянуло в другой, где была эстрадная сцена. Агния была начинающей певицей, и очень одаренной. Правда, весь ее талант заключался во внешности: лицо, глаза, волосы, фигура, ноги — все гениально, вот только голос подкачал. Но хоть и не было в нем вокальной силы, зато его нежное звучание приятно щекотало слух и плоть...

Девушка попала к нему как переходящий вымпел — из рук в руки. Один потенциальный меценат передал ее другому, тот — третьему... Сафрон не знал точно, четвертым он был в этом списке или пятым, а может, и шестым, но ничуть не сомневался в том, что с потенцией у него все в полном порядке. И с деньгами, кстати сказать, тоже. В отличие от других ее благодетелей он собирался не только попользоваться Агнией, но и открыть ей путь на сцену. Но пока что все еще был потенциальным спонсором...

— Представляю, какие здесь будут крутиться деньги, — обозревая зал, сказала она.

Похоже, вращаясь в обществе богатых, но скупых мужчин, девушка набралась ума и опыта. Она изображала милую дурочку, но повадками напоминала нежную хищницу. И разговор о деньгах она завела не зря. Это был явный намек на фабулу их взаимоотношений — сначала сцена, и только потом постель.

— Здесь будут крутиться стриптизерши, — сказал он. — И приносить мне деньги. А ты будешь крутиться на главной сцене и тоже зарабатывать — и для меня, и для себя...

— На главной сцене?

— Да, но пока что в масштабах «Реверса». Но это не мало. Ты же знаешь, что здесь выступают большие звезды...

Казино, совмещенное с ночным клубом, пользовалось спросом у солидной публики, Сафрон мог позволить себе устраивать шоу с участием настоящих звезд российской эстрады.

— Через неделю у нас будет петь Максим, — неторопливо, растягивая паузы между словами, проговорил он. — И если ты будешь хорошей девочкой, то выйдешь на сцену после него...

— Это правда? — зажглась Агния.

— А ты будешь хорошей девочкой?

Думала она недолго.

— Буду.

— Тогда как насчет того, чтобы осмотреть мой кабинет?

Девушка задумалась. Ноги раздвинуть нетрудно, но на этом карьера может закончиться, так и не начавшись. Сколько раз так уже было. Но в то же время он мог поставить на ней крест прямо сейчас, обидевшись на ее несговорчивость....

— Ну так что?

— Сначала в гримерку, — нерешительно сказала она.

— В гримерку?

— Да, перед выходом на сцену...

Чем больше Сафрон наблюдал за ней, тем крепче становилась уверенность в том, что сломать ее будет нетрудно. Нажим-другой, и она вместе с ним отправится сначала в кабинет, а потом и в комнату отдыха, прилегающую к ней...

Но ему помешал человек, широким решительным шагом направляющийся к нему. С ним еще двое, и все такие же убежденные в своей силе. Это были подполковник Круча и два его соратника, Комов и Кулик. Эти люди обладали потрясающей способностью разрушать преграды на своем пути. Им нужен был Сафрон, и они пришли в «Реверс», и никто из охранников на входе не посмел их остановить.

— Степан Степаныч!

Чтобы засвидетельствовать свое к ним почтение, Сафрон лишь слегка приподнялся со своего места. Но и этого было достаточно, чтобы Агния поняла, насколько важный гость к нему пожаловал.

— Я пойду, — сказала она.

И растворилась в мерцающем полумраке зала, свободного от посторонних людей, но наполненного бодрыми ритмами клубной музыки.

— Балдеешь, Леша? — без приглашения опускаясь в свободное кресло, спросил Круча.

— Есть немного.

— Девочками балуешься?

— Да это гоу-гоу...

— Я не про этих... Как твоя Елена Павловна поживает?

Вопрос с намеком на ушедшую Агнию. Пикантность ситуации заключалась в том, что Степан Круча лично и достаточно хорошо знал его жену. Но можно не сомневаться, Ленусику он ничего не скажет...

— Все в порядке с ней. Цветет и пахнет, — натужно улыбнулся Сафрон.

— Передавай ей привет...

— Давно не виделись, Степан Степаныч.

— Намек понял, Алексей Викторович, — свысока усмехнулся Круча. — Да, дело у меня к тебе... Меня интересует «Пьедестал»...

— «Пьедестал»?! — скривился Сафрон. — А что конкретно?

— Насколько я понимаю, этим клубом заправляют твои конкуренты?

— Я бы сказал проще, этот клуб для меня — кость в горле.

— И крепко эта кость в горле застряла?

— Ну, не то чтобы застряла. Но «Пьедестал» половину моих клиентов к себе перетянул. Думаешь, я просто так здесь капремонт затеял?

— И что, помогло?

— Если честно, не очень... Но я не жалуюсь.

— Не жалуешься, — усмехнулся Степан. — А в глазах тоска...

— «Пьедестал» на тяп-ляп ставили, а что вышло?

— Что?

— Крепко клубок встал... Я свое хозяйство годами создавал, а эти появились, раз-два, и все готово. За год все сделали — и дом снесли, и ангар свой поставили...

— Ангар?

— Ну, в смысле каркасная конструкция, легкие материалы... Но все по уму, спорить не стану...

— И кто поставил?

— Да залетные... А ты что, Степаныч, не в курсе?

— Тихо ведут себя твои залетные, не примелькались.

— Ну да, не быкуют, это да. И со мной в мире жить хотят...

— А ты?

— Честно сказать? Я бы их опустил, как евро — доллар. Но там такая ситуация, что туда лучше не соваться...

— Братва?

— Ну что с того, что братва? Плевать я хотел... Дело в другом, у них там крупный авторитет рулит...

— Насколько крупный? — спросил Круча.

— Настолько, что его сибирские воры поддерживают.

— Сибирские?

— Да. Он откуда-то из Якутии, там у них своя мафия, свои размазы. И завязки с нашими московскими ворами. Настолько серьезные, что ему зеленый свет дали. Меня подвинули, а ему дали... Биток у него кликуха. Зовут Матвей... Ничего так мужичок, моего возраста где-то. И в душе кремень есть, да...

— И кто ж ему зеленый свет дал?

— Ну, наши воры, очень серьезные люди. Такие серьезные, что лучше не возникать... Короче, у меня с ними договоренность. С Битком я могу бодаться только в честной конкурентной борьбе... Как знал, что борьба серьезной будет, вовремя свой «Реверс» подлатал, а то бы все клиенты в «Пьедестал» ушли...

— Но ведь не все ушли. А Биток, наверное, хотел бы всех к себе переманить?

— Пусть обломается.

— Ты ему тоже поперек горла стоишь?

— Ну, в общем, да.

— Между вами должно быть напряжение.

— Не без этого.

— Сколько вольт?

— Много. Если честно, много. Молний пока нет и... И не должно быть. Я этого не хочу. Он, по ходу, тоже...

— А если все же проскочит молния?

— Не знаю... Что-нибудь придумаю. Не впервой выкручиваться...

— Вид у тебя не очень, — заметил Степан. — Грусть-тоска заела. Видать, серьезный у тебя противник...

— Серьезный, — признался Сафрон. — Они сюда зачем приехали?..

— Зачем?

— Я тебе скажу, а потом предъявы начнутся.

— А ты так, намекни.

— Что в Якутии ценное?

— Абрамович?

— Хорош прикалываться. Алмазы в Якутии... Все, больше ничего не скажу...

— А больше ничего и не надо, братец. Дальше мы сами...

— Сами. И без меня. Не было у нас разговора...

— Не было, не было, — успокоил Сафрона Степан. Поднявшись с кресла, подошел к нему, запанибратски похлопал по плечу.

— Если что, обращайся.

— Ты тоже, Степаныч. Чем могу, тем помогу...

Планка настроения опустилась до отметки «легкая паника». Сафрон и раньше предполагал, что казино «Пьедестал» представляет собой мину замедленного действия. Степан Круча своим любопытством растревожил душу, нервные узлы кололо предчувствие скорой беды. Уж не привел ли кто-то в действие взрывной механизм...

* * *

У Матвея Биткова был свой кабинет с компьютером и монитором на полстены, приемная с шикарной секретаршей, но бывал он там не часто. С персонами высокого ранга он встречался в конференц-зале, с просителями и прочим плебсом — где придется.

Сегодня он принимал доморощенного массовика-затейника в тренажерном зале. Дошлый кучерявый паренек Лева Головастик вел свое небольшое юмористическое шоу на сцене концертно-ресторанного зала — морочил голову людям тупыми остротами. Гнилыми помидорами его пока не закидывали, но и большой ценности он не представлял. Так себе...

Матвей принял его в паузе между переходом от одного снаряда к другому. Форма одежды — голый торс; разгоряченные, взбитые тяжестью мышцы прут наружу, подминая под себя подкожный жирок; соленый пот скапывает со щек, растекается по татуированным звездам на плечах, ручьями струится по крыльям фиолетового дракона на спине. Лева смотрит на него боязливо, мнется. Матвей на голову выше, чем он, охват плеч раза в два больше, сила в руках такая, что хоть сейчас на медведя... А он ходил на медведя, в тайге, с рогатиной, один на один. И не так уж давно это было...

Приятная усталость приподнимала настроение, Матвей даже улыбнулся, глянув на парня.

— Ну чего тебе, жук навозный?

— Матвей Кириллович, два вопроса! — затараторил тот. — Первое, пора выходить на новый уровень!

— Кому пора?

— Мне!

— А я думал, ты об интересах страны печешься, придурок, — добродушно усмехнулся Матвей. — Что за уровень?

— Э-э, у меня идея, очень хорошая идея, и люди есть, целая команда. Мы бы могли устроить великолепное шоу. Пока в нашем клубе, а если организовать массивный медиаштурм, то возможен выход на телевидение...

— Короче, Склихосовский!

— Я даже название придумал. Очень звучное название! «Клоундайк-шоу»!

— Клондайк? — поморщился Матвей. — Что ты про Клондайк знаешь, валенок?

— Нет, не Клондайк, а Клоундайк, от слова «клоун»...

— Клондайк — это золото, а твой Клоундайк — это клоуны.

— Да, да, верно...

— Я тебя не спрашиваю! Я тебе говорю! Золото искать надо, добывать — потом и кровью. А клоунов искать не надо. Клоуны под ногами валяются, даже не знаешь, что с ними делать — то ли подобрать, то ли пинка дать...

— Подобрать! — подсказал парень и замер в холуйской стойке.

— Ну, если клоун хороший, то можно и подобрать, — неохотно согласился Матвей.

— Так мы начнем?

— Начинайте. Дома у себя, за свой счет. А потом приходи, когда настроение хорошее будет. Не у тебя настроение, у меня... Смотреть буду. Если плохо, пеняй на себя. Если хорошо, бить не буду, просто выгоню... Шучу, если игра будет стоить свеч, может, зеленый свет дам. Нам нужны хорошие шоу... Все, пошел...

— Так еще же второй вопрос!

— Если опять клоуны, убью...

— Нет, гипнотизер. Для моей программы...

— Гипнотизер?

Матвей устал, впереди его ждал станок для мышц бедра, но что-то уже не хотелось жечь калории.

— Да, очень хороший гипнотизер. Я номер для него придумал. Он будет поднимать людей из зала, гипнотизировать их, ну, для хохмы...

Лева говорил одно, а Матвей думал о другом. Сценический номер его мало интересовал, он был озадачен самим фактом существования гипнотизеров. Что, если эти люди ринутся в казино, начнут завораживать крупье и дилеров... Это может обернуться потерей в деньгах. И с гипнотизерами надо будет что-то делать, возможно, кого-то из них придется убить — в назидание другим. А ему не хотелось пачкать новое место кровью... Это в тайге и в тундре можно было валить народ, что лес, а здесь цивилизация...

— Людей, говоришь, гипнотизировать, — надевая футболку, отозвался он.

— Ага.

— Думаешь, будет смешно?

— Ну да. Они ж плясать будут, руками дрыгать, ногами. А если стриптиз танцевать заставить, так ржач гарантирован...

— Ржач?

— Ну да, хохот.

— А если уважаемого человека на сцену поднимешь? Я ж потом этот ржач в твой просак засуну, ты хоть это понимаешь?

— Э-э... — стушевался Лева.

— А сильный хоть гипнотизер?

— Ну да, на себе пробовал. На раз отключился, ничего не помню. Говорят, песни горланил... А может, не надо? — пошел на попятную парень.

— Может, и не надо. Но ты все равно этого деятеля приводи. Посмотрим, с чем едят...

Матвею вдруг захотелось проверить, насколько велика его внутренняя сила. Если он сможет устоять перед гипнотизером, значит, все в порядке.

ГЛАВА 3

Внешним своим видом «Пьедестал» напоминал громаду какого-нибудь торгового центра, что вскакивали близ Битова, как прыщи на щеках у половозрелого юнца. Облагороженная территория вокруг с разноцветными грибками летних кафе, вместительная парковка для машин, газоны, фонтан у парадного крыльца, разыгрываемый джип с подарочной ленточкой на эстакаде. Похоже, от клиентов нет отбоя. Стоянка забита дорогими машинами, перед главными дверьми толпится очередь.

Для постоянных клиентов отдельный вход, но мало купить билет, нужно иметь клубную карточку. У Степана был только билет, взамен пропуска решено было использовать служебное удостоверение. Его предъявил Комов.

Охранник на входе попытался взять удостоверение в руки, но Федот не позволил.

— Козу на возу будешь мацать.

Твердолобый амбал в черном костюме глянул на него исподлобья — хмуро, раздраженно.

— Проходите, — гнусавым басом сказал он, но с места не сдвинулся.

— Подвинься, пройдем.

— Не сюда, в общую очередь проходите.

Это была издевка с холуйского плеча.

— Мы лучше вообще уйдем, — невозмутимо сказал Комов.

— Но вернемся, — в том же тоне добавил Саня Кулик.

— Обязательно вернемся, — подтвердил Рома Лозовой.

Степан промолчал и первым повернулся спиной к охраннику. Но далеко уйти он не успел: путь ему перегородил низкорослый тяжеловес в черном костюме и с бейджиком на лацкане пиджака.

«Начальник охраны. Анатолий», — успел прочитать Степан, прежде чем он в лакейском жесте сложил руки на груди.

— Господа! Извините! Произошло недоразумение! Проходите, милости просим! Можно было и билет не покупать, можно было и так. Всегда рады! Всегда рады!!.

Кто-то умный вовремя получил информацию, прокрутил ее в голове, сделал правильные выводы — Степан получил сатисфакцию, но возмущение в душе все же не улеглось. В клуб он входил как на враждебную территорию...

* * *

Внешне казино выглядело помпезно, но, в общем, бесхитростно, изнутри же оно представляло довольно сложную конструкцию. Посреди огромного по площади помещения располагалось цилиндрической формы строение, от которого, как лепестки от цветоложа, расходились сегменты залов. Цилиндр в три стандартных этажа — административный корпус; крупные сегменты с перегородками до самой крыши — казино, концертный зал с выходом на танцпол, где и находился уникальный пьедестал. Секции поменьше были разбиты на этажи, здесь находилась гостиница, сопутствующие такого рода заведениям сауны, массажные салоны, прочие увеселительные заведения — все для VIP-клиентов, все для их удовольствия...

Кабинет Матвея находился на втором этаже административного корпуса, конференц-кабинет с зимним садом — на третьем. Окна первого помещения выходили только на казино, из второго вдобавок можно было обозревать танцпол и концертный зал с ресторацией.

Пьедесталом называлось грандиозное многоступенчатое сооружение, горой возвышающееся чуть ли не до самого потолка. Ступеньки округлые, в основании широкие и низкие, высотой не более полуметра. Но чем дальше вверх, тем больше высота и меньше площадь, а на самой верхотуре пьедестал из трех уровней. На нижнем и среднем уровне — безраздельно властвуют профессиональные танцовщицы: гоу-гоу и обнажающиеся догола стриптиз-дивы. Самая верхняя площадка, «первое место» — вотчина диджеев. Сюда они поднимаются по лифту центральной шахты, по кругу от которой расходятся танцпольные ступени. Любитель может вплотную подобраться к пьедесталу, но это не просто, потому как последние ступени основной «горы» достаточно высоки.

Вечер еще только начинается, народ пока что разогревается на нижних ступенях. Бармены крутят флейринг, фасуют в бокалы крепкие напитки, с верхотуры «третьего места» публику заводят девочки-зажигалки. Смазливые официантки и сексуальные консуматорши в коротких юбках дополняют вакхический антураж...

Толстое стекло приглушает звук, но все же слышно, как в зале гремит музыка. Бом-бам-бим-бом... Сказка только сказывается, ягодки еще впереди.

Сева шумно вошел в конференц-кабинет, тронул Матвея за плечо, пальцем показал вниз, в сторону первого бара.

— Глянь, менты!

В дискозал входили рослые, гренадерской комплекции мужчины в клубных пиджаках. Высоко поднятые головы, пытливые взгляды, уверенность, бьющая через край, военная выправка... Да, это были менты. Даже если бы они сутулились, волочили взгляды по полу, шли с оглядкой, Матвей бы все равно их узнал. На ментов у него зэковский нюх.

— Откуда они взялись?

— Откуда-откуда, из ментовки. Толик их срисовал... Да ты вспомни, он же фото их показывал...

Врага надо знать в лицо. Поэтому Матвей обладал кое-какой информацией о сотрудниках местного ОВД. Да и нельзя было игнорировать их. Ходили слухи, что мужики там работают очень крутые, с такими шутить опасно для здоровья...

— Вникать неохота.

Настроение безнадежно испортил гипнотизер. Не стоило Матвею связываться с ним, а нет, попала вожжа под хвост. Не смог он устоять перед гипнотическим взглядом, сначала поплыл, а затем вовсе утонул... А ведь верил, что выдюжит.

— Неохота, а придется, — сказал Сева. — Это начальник битовской ментовки, со своими замами... «Бык» один на входе затупил. Мент ему ксиву показывает, а тот — в общую очередь.

— Правильно, там им и место.

— Матвей, у тебя что, настроение в плинтусе? Какое там место? Они же нам жить не дадут, если в штыки встанут...

— Логично... А настроение правда не в дугу.

— Хорошо, Толик вовремя узнал, кого «бык» завернул. Прогнулся перед ментами...

— Западло так прогибаться. Ну да ладно, с ментами в мире надо жить, понимаю... Понимаю, но принять не могу... Какого им здесь надо?

— Не знаю. Ходят, высматривают. В казино заглянули, в концертном были, на пьедестал вот смотрят. Танцевать не будут, в концертный сейчас вернутся...

— Сева, я не пойму, ты пророк или менты тебе прогон сделали?

— Я не понял, это что, предъява? — взвелся Сева.

Он не отличался высоким ростом и размахом в плечах, но выглядел внушительно. Плотно сбитый, резкий,

напористый. Лоб толщиной с танковую броню; маленькие глаза, глубоко утопленные под мощными надбров-
ными дугами; нос лепешкой, тяжелый подбородок,
способный, казалось, выдержать удар кувалдой.

— Тсс! Не гони волну! — осознав свой промах, сказал Матвей.

— Ну ты точно с головой сегодня не дружишь, — успокаиваясь, буркнул Сева. И пояснил: — Менты столик
в ресторации заказали. К сцене сейчас пойдут, поляну
им там накрывают...

— А танцевать, говоришь, не будут? — в раздумье
усмехнулся Матвей.

— Эти не будут... А ты что задумал? — подозрительно глянул на него Сева.

— Да так...

— Ты это, будь поосторожней. Менты не простые, и
за жабры могут взять...

— Не так страшен черт...

— У Сафрона, говорят, хлеб-соль с ними.

— Хлеб-соль с ментами? Стремно.

— Стремно не стремно, а живет Сафрон нормально.
Деньги спокойно делает. Никто его не трогает. А раньше, говорят, на ножах с ментами был. Подмяли его...

— И мы его подомнем. Не сегодня, так завтра...

— Да, но с ментами собачиться не надо...

— Зачем собачиться? Они на шоу пришли. Будет им
шоу...

Он позвал к себе Леву Головастика и велел ему гото-
вить к выходу гипнотизера.

* * *

Саня Кулик не жалел потраченных денег. Вечер, что
называется, удался. Дискозал с танцевальным пьеса-
лом ему понравился, но там громкая музыка терзала

слух, а лазерное светошоу резало глаза. Да и не тот возраст у него, чтобы козлом скакать под музыку. Зато в ресторане здорово. Светло, комфортно и не слышно, как за стеной грохочет молодежная дискотека. Сцена, общий зал, заставленный столиками, два дополнительных яруса — как в театре — для отдельных ресторанных кабинетов. И цены не самые кусачие. Любезные официанты, угодливый метрдотель, холодная водка, тающие во рту французские стейки. На сцене крутится группа голосистых девочек, уже обозначившихся на телевизионных экранах — еще не звезды, но уже близко к тому.

— Неплохо живут якутские бандиты, — сказал Комов.

— Бандиты не бандиты, а ничего не докажешь, — пожал плечами Лозовой. — Заведение зарегистрировано на добропорядочных граждан, жителей славного города Битово. Формально ни к чему не придерешься.

— Зато мы знаем, кто такой Биток, — критически посмотрел на него Степан.

Кулик сам занимался сбором информации, но накопал не так уж и много. Битков Матвей Кириллович, семидесятого года рождения, дважды судим за мелкие кражи, общий лагерный стаж шесть лет. Сидел в лагерях славного для воровской братии Магадана, сначала на общем, затем на строгом режиме. В девяносто девятом году освободился, что называется, по звонку. На этом информация о нем исчерпывалась. Пропал Битков Матвей Кириллович, вышел из поля зрения правоохранительных органов. Чем занимался, с кем, в каких краях — загадка. Можно было только плясать от подсказки, которую дал Сафрон. Колыма, Чукотка, Камчатка — колымское золото, якутские алмазы, камчатская платина. Тайга, тундра, дикие края, дикие старатели, дикие банды, дикие нравы... Возможно, именно оттуда и пришли средства, на которые было построено казино «Пьедестал»...

— И только предполагаем, кто может быть у него в команде, — сказал Кулик.

Если Биток действительно занимался золотом и алмазами, то под ружьем у него, возможно, настоящие головорезы... Но опять же, все это догадки. В дальние края уже отправлен официальный запрос — может, все-таки кто-то знает, чем промышлял Биток; возможно, всплывет информация о его «подвигах» и банде...

И еще неизвестно, где Биток находится сейчас. Может быть, рядом, в казино, а может, развлекается где-нибудь на Канарах...

— Не нравится мне все это, — сказал Степан. — Очень не нравится... Но поводов придраться к Битку пока нет.

— Придраться можно к танцполу, — ввернул Лозовой.

— Что там не так?

— Пьедестал очень высокий, на высоте ступеньки очень крутые, а народ у нас шебутной, к стриптизершам поближе полезет. Можно так вниз навернуться, что и костей не соберешь...

— Вряд ли, — не согласился Комов. — Максимум на ступеньку пониже упадешь...

— С одной ступеньки на другую, ниже, ниже... — не сдавался Рома. — Ну, чисто гипотетически...

— Чисто гипотетически можно и к столбу докопаться, — сказал Степан. — Но мы же в здравом уме, маразмами, тьфу-тьфу, не страдаем... Это что там за клоун на сцене?

За девушками на сцене Круча следил вполглаза, слушал их вполуха, зато заметил появление худосочно-костлявого паренька с гривой темных кучерявых волос. Нелепая кепка с бубоном на длинном козырьке, полосатая рубаха — вздорная пародия на робу зэка с особого режима; широченные джинсы, спущенные ниже верхнего среза трусов. Балаган, одним словом.

Паренек не мог спокойно стоять на сцене. Приплясывал, махал рукой так, что едва удерживал в ней микрофон. А с языка сыпалась паскудная чушь.

— Теща зятю — ты видел парня, который меня спас? Зять ей — да, он уже приходил ко мне извиняться!.. И еще!.. Теща спрашивает у зятя, когда отходит ее поезд. А он — через два часа, восемь минут, четырнадцать секунд! Ха-ха!..

Кулик слушал эту ахинею, плотно сомкнув губы. А Комов даже порывался встать, чтобы подняться на сцену и пинком прогнать со сцены этого мерзопакостного паяца.

К счастью, фигляр заткнулся по своей воле. Рассказал пару-тройку затертых анекдотов, объявил выход «великого и непревзойденного мага» и убрался со сцены.

Объявленный гипнотизер в длинном колпаке и шелковом плаще вышел в зал.

— Кажется, идет к нам, — возмущенно нахмурился Лозовой.

— Что-то здесь нечисто, — покачал головой Комов. — Сначала тещу в мой адрес травили, теперь еще и это чудо... Точно, к нам идет.

С улыбкой до ушей гипнотизер подошел к столику, бесцеремонно взял под локоток Степана; свободной рукой обвел его друзей, показал на сцену.

— Прошу, господа! Ваш выход!

— Я тебе сейчас!.. — нахраписто дернулся Комов.

Но Круча его осадил резким взглядом.

— Спокойно, Федот, все нормально.

Он дернул рукой, высвобождая локоть, с важным видом поднялся из-за стола, в сопровождении гипнотизера поднялся на сцену.

* * *

— Сейчас будет цирк! — потирая ладони, сказал Матвей.

Из окна хорошо была видна сцена. Иллюзионист на ней и четыре мента. Сами виноваты, что повелись.

— Зря ты так, — недовольно сказал Сева.

— Не нагоняй тоску, брат.

Матвей и сам понимал, что напрасно злит ментов. Игры с огнем заканчиваются пожаром. И не поступил бы он так опрометчиво, если бы сам не стал жертвой гипноза. Сейчас он хотел доказать, что хваленые битовские менты ничем не лучше его.

— Чего без дела сидят, пусть потанцуют...

— Ну-ну, я тебя предупреждал, — буркнул Сева.

— Ты, предупреждало, скажи лучше, где братан твой Дема?

Матвей спросил с безмятежно-ухарской интонацией в голосе. Но сам вопрос родила тревога, слабым огоньком вспыхнувшая в сознании. Подкорка подсказала, что зря он связался с ментами. И ему вдруг стало не хватать Демы, такого же боевого парня, как Сева.

— Амур у Демы, выходной взял, — глядя на сцену, сказал Сева. — Ты же сам его отпустил...

— Ну, амур так амур...

В принципе бояться было нечего. Вход в административный корпус стерегут громилы из службы охраны, и перед входом в конференц-кабинет установлен пост... Да и в любом случае менты не посмеют потревожить его покой на частной территории.

— Это писец! — прыснул Сева.

Матвей стиснул зубы. Не ожидал он, что дело примет такой оборот. Мало того, что мент смог устоять перед силой гипнотизера, так он еще обратил ее против него самого; и сейчас иллюзионист сам с отупевшим

взглядом выкидывал коленца. Главный мент пристально смотрит на него, что-то говорит, а тот пляшет под
его дудочку. Вприсядку, с подпрыгом, яблочко да на тарелочке... Публика в лежке.

Матвей смотрел на мента — глаз его не видел, но
чувствовал исходящую от него силу. Энергетика выс-
шего накала. Не хотел бы он попасть под такую волну...

Гипнотизер плясал, пока не рухнул на пол от усталости. Мент посмотрел на него как на плевок, который
следовало бы убрать, помахал рукой в зал и направился
к своему столику. Но там не задержался, бросил на ска-
терть несколько купюр и двинулся к выходу. Его свита
последовала за ним.

— Я думаю, повеселились они в кайф, — бодро сказал Сева.

— А ты чему радуешься? — буркнул Матвей.

— Ну, не думаю, что менты будут в претензии.

— А тебя их претензии пугают?

— Ты же сам говорил, здесь мы будем жить в мире и
покое. А если скучно станет, в тайгу рванем, там забав
хватает...

— Говорил. А что делать, если я ментов терпеть не
могу.

— А ты терпи. Целей будешь.

— Это ты мне такое говоришь?

Сева промолчал, и Матвей быстро успокоился. Будь
на месте Севы кто-то другой, он бы порубил наглеца на
бульонные кубики, но Сева — один из лучших, самый
надежный. Севастьян Касьянец, Дима Косач, Гена
Толстухин, Толик Антипов и он, Матвей Битков, во
главе. Это самая верхушка его пирамиды.

Матвей подошел к окну, из которого можно было
обозревать пьедестал, присмотрелся к танцовщице с
короткой стрижкой и лебединой шеей. Кучные темно-
каштановые волосы, личико — картинка, фигурка —

эталон, техника танца не самая лучшая, но выкладывается девушка полностью, как будто в последний раз...

— Кто такая? Почему не знаю? — любуясь красоткой, спросил он.

Вопрос был риторический, потому как Сева танцовщицами не занимался. Да он бы и не успел ответить, потому что в акустических колонках раздался предупреждающий голос Толика.

— Атас! Менты!

Матвей рефлекторно подался в сторону запасного, аварийного, лифта, но было уже поздно. Дверь распахнулась с такой силой, будто в нее угодило ядро из Царь-пушки. В кабинет ворвался тот самый мент, который заставил плясать гипнотизера. И с ним его свита, обладающая таким же танковым напором.

Главный мент шел прямо на Матвея. Он остановился в самый последний момент, вплотную приблизившись к Матвею, упер в него парализующий взгляд. Это был подполковник Круча, о чрезвычайной крутости которого доселе он знал с чужих слов. Сейчас он убеждался в том на собственном опыте.

— И зачем ты это сделал? — жестко спросил подполковник.

— Что сделал? — пытаясь сохранить лицо, выдавил из себя вор.

— Анекдоты про тещу, гипнотизер.

— Какие анекдоты?

— А какой гипнотизер?

Круча легонько толкнул Матвея в грудь, и тот сел на кожаный диван. Как будто в лужу сел...

— Зачем ты это сделал? — снова спросил Круча.

— Не знаю, о чем ты...

— Ты. Это. Сделал.

Напряжение в ментовском взгляде усилилось. Матвей уже жалел, что натравил гипнотизера на людей.

— Это вы о чем?

Матвею стало тошно от самого себя. Сильно же сел мент ему на голову, если он обратился к нему на «вы». Давно с ним такого не было.

В кабинет запоздало ворвался Толик с толпой охранников. Кручу и его ментов можно было скосить с ног, сложить в стога, бросить в обмолот. Но Матвей махнул рукой, отсылая своих людей назад. Оставил при себе только Севу и Толика.

* * *

Степан глянул на закрытую дверь, обозрел умостившихся на диване братков, набросив на лицо призрачно-добродушную улыбку, сел в кресло за овальный стол. Рядом устроились его помощники.

Он не думал, что сможет застать Битка в клубе, но ему повезло. Обломав гипнотизера, он сначала хотел покинуть заведение, но передумал, на пути к выходу обнаружив двери в административную часть казино. С охранником не церемонились, Комов просто отшвырнул его в сторону. Со вторым охранником у лифта еще и поговорили — в режиме экспресс-допроса, бедняга и подсказал, как найти хозяина клуба. Потом были еще два охранника, но парни ничего даже не успели понять... И сам Биток, похоже, все еще не может оправиться от шока.

Выдерживая паузу, Степан осмотрел помещение. Все как в лучших домах — стеклянный купол с видом на небо, витринные окна с выходом на клубные залы, в противоположной стороне зимний сад. Мрамор, хром, красное дерево, элитная офисная мебель, четко вписывающаяся в интерьер.

— Широко размахнулся, Матвей Кириллович, — свысока усмехнулся Степан.

— Чего надо? — сычом посмотрел на него вор.

— Ты, Биток, из тайги выйди.

— Какая тайга, о чем вы, э-э, не знаю, как вас там...

— Подполковник Круча, если не знаешь... Но ты знаешь все, Биток. Я тебя знаю, и ты меня знать должен...

— Ничего я вам не должен.

Похоже, Биток уже давно вышел из тайги. Лицо не огрубелое, как у прожженных уголовников, черты лица тяжелые, но четкие, здоровый цвет кожи. Определенная ухоженность в облике, прилизанность. Дорогой летний костюм на шелковой сорочке без ворота, видно, что на шее золотая цепь в мизинец толщиной, на пальцах золотые перстни с бриллиантами — наверняка для того, чтобы скрыть лагерные татуировки. И его соратники явно стремились к тому, чтобы подальше отойти от образа уголовников. Но их звериная суть лезла из волчьих глаз, хищных оскалов...

— А ты хорошо подумай, может, что-то должен?

— Я всегда знаю, что говорю.

Голос у Битка густой, с хрипотцой, но не так уж и просто угадать в нем приблатненные интонации, не говоря уж о жаргонной лексике. Может, со своими братьями по разуму он и ботал по фене, но в общении с представителями закона держал себя в рамках.

— То есть за свои слова отвечаешь. И за действия тоже?

— Да, конечно.

— Тогда будешь отвечать. С гипнотизером все ясно — твоя работа. Но зачем ты тещу тронул?

— Не пойму, что за теща?

— Клоун твой анекдоты про тещу травил.

— А-а, это. Так на то он и клоун, что язык без костей...

— Злобный у тебя клоун. Но все же он клоун. И он

всего лишь посмеялся над тещей моего зама. А кое-кто сбил ее на машине, с нанесением тяжких телесных повреждений.

— Это вы о ком? — навострил ухо Биток.

— Василий его зовут. Заведует ломбардом при казино.

— Есть у нас ломбард. Но им заведует... э-э...

— Некрасов Игорь Борисович, — подсказал начальник охраны.

— Игорь, — кивнул Биток. — Но не Василий... Василий, может, у нас есть, но не в ломбарде... Да и вообще, сколько на свете Василиев...

— Ты мне дурку не валяй, — с добродушной улыбкой на губах грозно посоветовал Степан.

— Это допрос?

— Нет, не допрос. Скажем так, ознакомительная беседа. Хочу посмотреть, насколько ты умный человек... Знаю, что в Магадане сидел, знаю, что по тайге шарился, — в утвердительном тоне сказал он о том, о чем мог только догадываться. — Алмазы, золотишко... Кровь людская что водица...

Биток ничего не сказал. Но, не выдержав его взгляда, отвел в сторону глаза.

— Скажи, зачем ты сюда приехал?

— Голос крови.

— Какой крови? Ты в Якутске родился. И рос там, пока за решеткой не оказался.

— И родился там. И вырос. А всю жизнь про Битово мечтал, — осторожно усмехнулся вор. — Би-то-во, а у меня фамилия Битков. Созвучно, да?

— Это ты девочкам своим можешь рассказывать. А меня грузить не надо. Я и без того все знаю. Надоело тебе по тайге шариться, сюда подался. Деньги свои грязные в развлекательный бизнес вложил. Умно. В Битове земля еще не такая дорогая, как в Москве, а обороты такие же, как на Новом Арбате. Или нет?.. Короче, меня твои былые «подвиги» мало волнуют. Что было, тем пусть другие занимаются. А для меня главное — порядок в моем городе. И за малейшее нарушение здесь буду спрашивать по всей строгости закона... А кто сбил женщину, я все равно докопаюсь. И если доберусь до твоего Василия без твоей помощи, пеняй на себя. Ты меня понял?

Степан не стал дожидаться ответа. Резко поднялся и вышел из конференц-зала. Он взбаламутил воду, но пока еще не ясно, поднялся осадок или нет. Хотелось надеяться, что Биток сделает правильные выводы.

* * *

Стриптизерша с лебединой шеей работала на износ. И разделась уже до тонюсеньких трусиков. Но Матвей не стал ею любоваться. Не до нее.

В кабинет вошел Васек. Яйцеобразная голова, прическа как у Карлсона, плоское лицо, крупные раскосые глаза, длинное тяжеловесное тело, короткие мощные ноги. Он мог бы выглядеть комично, если бы не его резкий рысий взгляд. Джинсовый костюм, толстая золотая цепь поверх футболки, туфли из крокодиловой кожи с заостренными и загнутыми вверх носками.

Он имел определенный вес в бригаде, но к элите не принадлежал — ничто не мешало Матвею показать ему зубы.

— Рассказывай, как ты в дерьмо вляпался? — рыкнул он.

— Какое дерьмо? — не понял Васек.

— Кого ты на машине сбил?

— Кого я сбил? — Парень обомлело глянул на Севу.

Но тот кивнул ему в знак того, что надо сознаваться.

— Ну бабу сбил... Сева знает...

— Я почему ничего не знал?

— Так это ж так, мелочь. С бабой нормально все, я узнавал. Ну переломы там, а так все в порядке... Да и мусора ничего не знают...

— Мусора ничего не знают? А кто у меня сейчас был, придурок? Про тебя спрашивали.

— Вот козел! — вспенился Васек.

— Это ты кому? — угрожающе свел брови Матвей.

— Так это, я ж терпилу одного подставил. Балабакин его фамилия. Балаболка, в натуре... Его машина, с него и спрос. Я с ним договорился, он все на себя должен был взять. Менты его уже повязали... А он все-таки сдал меня... Надо будет разобраться с козлиной...

— Что за человек?

— Да так, из Москвы... На мель сел, бабки нужны, я у него машину в залог взял... На этой машине и снес бабу... Он еще мне денег должен был, я с ним договорился. Ну, долг прощаю, машину отдаю, все такое... В убыток пошел из-за него, а он ментам меня сдал... Ничего, прижму, обратную включит...

— А если тебя самого прижмут?

— Кто?

— Менты.

— Да клал я на них.

— Класть ты в штаны будешь!

Васек еще не имел полного представления о битовских ментах. А Матвей сам чуть в штаны не наложил под прессующим натиском подполковника Кручи. Непомерной силы мент, не зря местная братва боится его... Конечно, можно найти на него управу, но стоит ли связываться? Такого медведя с первого выстрела не убьешь, только ранишь и так этим разозлишь, что в могиле от него только и спрячешься...

— Да ладно, я знаю что почем, — самоуверенно сказал Васек.

— Ты это знаешь. А я знаю, что будет, если менты нам на голову сядут.

— На голову из-за какой-то бабы?

— А если эта баба — ментовская теща?

— Если точней, то теща майора Комова, начальника криминальной милиции, — подсказал Сева. — А это и уголовный розыск, и экономика, и наркота...

На последнем слове он сделал особое ударение. Наркотики в свободной продаже по клубу не ходили, но для элитных клиентов запас кокаина был всегда. Как ни крути, а это слабое звено в общей цепи, и несдобровать, если менты за него ухватятся...

— Ну, теща... — замялся Васек. — Радоваться надо...

— Есть тут один клоун, — сказал Сева. — Ментов повеселить хотел. Так развеселил, что чуть офис не разнесли...

— Короче, Васек, дело такое, нам палево ни к чему, — подвел черту Матвей. — Пробьешь ситуацию и, если терпила реально показывает на тебя, пойдешь сдаваться.

— Только в уголовку не иди, — вмешался Сева. — С гаишников начни, они этими делами должны заниматься. И деньги они хорошо берут...

— Деньги у тебя есть, — кивнул Матвей. — И мы, если что, подкинем, подмажем, все такое. В общем, вытащим тебя...

— Так это, у меня ж две судимости, — скис Васек.

— Значит, на лапу больше дать придется, всего-то делов... А терпилу не трогай. Не надо... Пока не надо... Ты меня понял, братан?

Васек все понял и с унылым видом вышел за дверь. Следующим на очереди был клоумэн Головастик. С ним не церемонились. Толик с ходу врезал ему кулаком в живот, подождал, пока схлынет боль, и снова сделал прямой массаж печени.

Головастик ползал по полу, хватал его за ноги, умолял простить.

— А прощать тебя не за что, — сказал Матвей. — Ты ментам на больную мозоль наступил, а нам плевать, больно им было или нет... А получаешь за то, что нас подставил...

— Я... Да я... Если б я знал...

Матвей его уже не слушал. Он снова смотрел на свою красотку. Она уже выбилась из сил, но в ее движениях не было фальши.

ГЛАВА 4

Дело закрыли за отсутствием состава преступления. Об этом Сене объявил следователь ГИБДД, колобкообразный, краснощекий капитан с беспокойными глазками. Он же выписал ему разрешение на выдачу машины со штрафстоянки. Но за пропуском нужно было идти к начальнику криминальной милиции.

Майора Комова пришлось ждать больше часа. Долго, зато на правах свободного человека. Наконец офицер появился, увидел Сеню, махнул ему рукой, приглашая в кабинет.

— Как настроение? — весело и без подначки спросил он.

— Какое может быть настроение после пяти суток взаперти?

— Думаю, что не очень... Ничего, придешь домой, напаришься, настираешься...

— Хотелось бы.

Сеня сидел в светлой камере, где после недавнего ремонта приятно пахло краской. Единственный сосед не досаждал, клопы не кусали, кормили сносно, унитаз работал исправно, в кране была вода — можно было мыться. И все же это была неволя. Он чувствовал себя грязным, липким, хотелось поскорей оказаться дома, с головой залезть в ванну.

— Ты в курсе, что Василий твой сознался в совершенном преступлении? — с тихим торжеством в голосе спросил Комов.

— Ну конечно... Только не понимаю: почему?

— Не думаю, что его замучила совесть.

— Но ведь он сознался...

— Да. И сейчас находится на воле, — поскучнел майор. — Под подпиской о невыезде...

— Как на воле? — возмутился Сеня. — Он на воле, а я пятеро суток здесь как последний... Между прочим, мне даже обвинение не предъявили.

— Хочешь сказать, что под стражей ты содержался незаконно?

— А хотя бы и так.

— Тогда слушай сюда, парень. Твой Василий — опасный рецидивист, у него две судимости, разбой, ограбление...

— И что? — испуганно спросил Балабакин.

— А ничего хорошего... Может, мы и держали тебя здесь, чтобы ты с ним на воле не встретился...

— Но ведь он на воле.

— Есть обстоятельства, — слегка замялся майор. — Мы с ними разбираемся...

— Так что мне делать?

— Я говорил с Волынком, сказал ему, чтобы оставил тебя в покое. Он обещал не трогать...

— И вы ему поверили?

— Не очень... Что, страшновато? Вот и нам не хотелось бы, чтоб ты встречался с Волынком. Мой тебе совет, парень, уезжай ты из Битова от греха подальше. В Москву, но так, чтобы никто не знал, где ты там обитаешь...

— Чтобы там обитать, деньги нужны...

— И тем не менее.

— Я понимаю.

— И еще, запиши номер моего мобильника, если вдруг что, звони.

Сеня мог бы и усомниться в том, что Комов искренне желает ему помочь. Но майор дал ему номер своего мобильного телефона, значит, он действительно желал помочь ему.

В дежурной части Балабакин получил обратно часы, деньги, документы, ключи от машины, шнурки к кроссовкам. Вышел из здания ОВД, осмотрелся — не поджидает ли его Вася-Василий. Не было никого, спокойно. Теперь можно было насладиться и запахом свободы.

Сеня подошел к округлой клумбе, остановился. Милиция рядом, цветы никто не обрывает, розы стоят гордо и во весь рост, как на параде. Нос как будто сам по себе ткнулся в пышный бутон. И кто бы мог подумать, что у роз такой пьянящий запах.

Земля тоже пахла, но нюхать ее Сеня не стал. Глянув себе под ноги, он подумал, что, если его убьют, он утратит способность воспринимать запахи. Его мертвое тело положат в гроб, опустят в яму, забросают землей, а он ничего не будет чувствовать... Василий Волынок, дважды судимый рецидивист.

Балабакин выбежал на проезжую часть, лихорадочно вскинул руку. Поймал такси, добрался до штрафстоянки, предъявил разрешение. Пришлось раскошелиться, но это его не рассердило. Деньги — дело наживное, а жизнь, увы, на перемотку не поставишь — если убьют, то навсегда...

След на машине от столкновения с женщиной был незначительным, не разглядеть. Но с машины исчезла антенна, кто-то с мясом вырвал боковое зеркало, какая-то сволочь варварски выдавила и унесла заднее стекло. Удивительно, что магнитофон на месте... Смотритель стоянки не стал бы его даже слушать, сказал бы, что так было, и привет. Да и не хотелось тратить время на разговоры с ним. Балабакину не терпелось поскорее отправиться домой, принять ванну, перекусить, и тогда уже можно ехать в Москву. Продаст свою японскую красавицу, на вырученные деньги снимет квартиру, продаст свой музыкальный хит и снова заживет как человек...

Он благополучно выехал со штрафстоянки, направил машину вниз по узкой улочке, но не смог свернуть на большую дорогу. Путь преграждал черный, сверкающий новизной «Хаммер». Таранить машину не было смысла, а сзади его подперла иномарка.

Из «Хаммера» вышел Василий. Он выглядел так же внушительно грозно, как палач в глазах загнанной на эшафот жертвы. И его незлобная улыбка не могла обмануть Сеню.

Волынок был один, но для Балабакина и этого было много. Василий поманил его к себе пальцем, и он как завороженный вышел к нему.

— Куда собрался, братишка?

Волынок снял солнцезащитные очки, сверкнул морозным взглядом.

— Да вот, еду, — растерянно пожал плечами Балабакин.

— Уже приехал. Или ты скрысить мою машину хотел? Признавайся, хотел?

— Почему твою?

— Что?! — вскипел Василий. — Тебе залоговый документ показать?

— Так это, ты же говорил, что это моя машина...

— Гы, вот это заявка! Кто ментам меня сдал?

— Не знаю, они сами...

— Твое счастье, баран, что я добрая душа. А то держался бы ты сейчас за вскрытое горло. Знаешь, что с баранами делают?.. Но так уж и быть, живи. А машину я забираю... Сколько ты мне там торчишь?

— Я же в тюрьме сидел...

— Где ты сидел? — презрительно скривился Волынок. — Ты в санатории сидел, а не в тюрьме... Сколько ты мне должен? Сто тысяч. Плюс десятка за каждый просроченный день. Итого, сто семьдесят. Да еще двадцатка, которую ты у Стеллы взял. Сто семьдесят и двадцать — это двести, так?

— Сто девяносто!

— А я сказал, двести!..

— Но у меня нет.

— Найди. Срок три дня. Нет — снова включу счетчик... И смотри, в ментовке у меня связи, если вдруг дунешь туда, я тебе башку прострелю. А сдернуть даже не пытайся, я тебя, гада, из-под земли достану... К нотариусу едем, и смотри у меня, без фокусов...

Василий отобрал у Сени техпаспорт на машину, обязал его ехать за собой, сел в свой джип, вырулил на дорогу. Контора нотариуса находилась в центре города, в невзрачной пятиэтажке неподалеку от колосса «Пьедестала». Волынка там ждали — оформление генеральной доверенности не заняло много времени. Сеня вернулся в уже бывшую свою машину, чтобы довести ее до казино, там поставить на платную парковку.

— Ну вот и все, паря, приехали, — забрав у него ключи, самодовольно улыбнулся Василий.

Очки на лбу, джинсовая куртка переброшена через руку, расслабленная поза, агрессия свернута в трубочку.

— Может, неделю дашь, без счетчика? — почувствовав перемену в его настроении, спросил Сеня.

— Хорошо, неделю, — в охотку щурясь на солнце, легко согласился Волынок. — Что ж мы, не люди...

— А если это, бартер? — осторожно спросил осмелевший Балабакин.

— Бартер? Это ты о чем?

— Я же композитор, Стелла тебе говорила...

— Говорила. Сказала, что ты лузер...

— Нет, я песню написал. Текстовка так себе, а музыка — в перспективе абсолютный хит.

— И что?

— Ну, дорого стоит.

— Зачем она мне, твоя музыка?

— Ну, не тебе, боссу твоему. У вас же звезды на сцене выступают, может, продаст кому...

— Не надо нам. К Сафрону иди, — презрительно усмехнулся Волынок. — Он звездулек любит...

Сеня уже жалел о том, что завел этот разговор. Есть люди, которые могли бы купить у него песню. Он свободен, ему ничего не стоит отправиться в Москву, встретиться со знакомыми продюсерами. Ситуация в шоубизнесе гаденькая — сильный норовит облапошить слабого. И простора для торговли нет. Скажешь, что есть шедевр, предложат в лучшем случае десять тысяч. Дашь прослушать, чтобы убедить в гениальности произведения, но вместо надбавки можно нарваться на кукиш с маслом. В десяти тысячах откажут, вежливо пошлют куда подальше, а через месяц твою песню покрутят в эфире под лейблом другого композитора. Такие варианты, увы, не редкость... Но если не дурить, то можно подняться на десять тысяч, в переводе на рубли это больше чем двести тысяч...

Сеня даже не стал спрашивать, кто такой Сафрон. Все равно не станет обращаться к нему.

— Ладно, пойду я.

— Иди, иди. Только не теряйся. И про ментов забудь... Да, деньги, когда достанешь, Стелле занесешь.

И смотри, полезешь к ней под юбку, я тебе руки по самые коки оторву...

Сеня лишь горько усмехнулся. Умерла для него Стелла, даже думать о ней не хочется... И в милицию он обращаться не будет, не станет звонить майору Комову. Ясно же, что у Волынка там все схвачено.

* * *

Агния не решилась петь вживую, но и в фонограмме голос ее звучал неважно. Она не попадала в ноты, пытаясь мелодично шептать, издавала бездарный хрип. Да и песня сама по себе просто ужасная, в стиле «на одной ноте я пою»... Зато двигалась девушка неплохо и смотрелась на сцене очень сексуально. Фурор она не произвела, но и под залп из гнилых помидоров не попала. Словом, она промелькнула как безликая тень вслед за настоящей звездой, выступавшей перед ней.

Сафрону не было стыдно за свою протеже, но все же он не решился оставаться в совмещенном с казино зале, где находилась сцена. После выступления Агния прошла к нему в ложу с видом на пол-дэнс. Здесь полумрак, здесь их никто не побеспокоит, даже Ленусик не сможет их найти.

Агния еще находилась под впечатлением от грандиозного, по ее меркам, события, еще не потух восторг в ее глазах.

— Тебе понравилось? — ликующе спросила она.

— Очень.

Сафрон не врал. Ему очень понравился наряд, в котором выступала девушка. Короткое облегающее платье в чешуйчатых блестках, такого же белого цвета ботфорты... Очень эротично.

— Как вокал?

— Улет.

— Мне тоже так показалось... А что тебе еще понравилось?

— Все понравилось.

Агния не хотела выходить из образа поющей звезды, поэтому не спешила переодеваться. И ботфорты на ней, и платье с блестками...

— Все понравилось, — понизив голос, повторил Сафрон. — Начиная снизу...

Он пальцами провел по раструбу правого сапога, коснулся ими оголенной части бедра, продолжал движение, пока они не приподняли нижний срез платья... В клубе было тепло, глупо было бы прятать стройные загорелые ноги под колготки. А она девочка смышленая...

— Да, начали мы снизу, — как бы не замечая пикантности момента, вдумчиво сказала она. — Я знаю, запись была плохой, потому что студия никакая. Но теперь на меня обратят внимание серьезные продюсеры...

— Я буду твоим продюсером, — кивнул он. — И мы вместе пойдем все выше, выше, до самых вершин...

Ладонь уже целиком залезла под подол платья, пальцы уже сейчас могли коснуться резинки трусиков. Но их не было... А девушка уже раздвигает ноги. Она знает, как открывать вершины...

Агния уже забралась к нему на колени, когда он увидел девушку, энергично шлифующую шест на ближней к нему площадке для пол-дэнса. Динамитная музыка, убойный драйв. Девушка на взлете. Лифчик летит в толпу, чьи-то похотливые руки набивают купюрами ее трусики.

— Твою мать! — вскипел Сафрон.

Вокруг шеста крутилась Ленусик. Экстра-классный парик под белоснежную блондинку, профессиональный макияж, природная красота, великолепное, отточенное фитнесом тело, бешеная энергетика и потрясающая пластика движений — все это вместе произвело эффект ослепительной вспышки. К тому же Ленусик потрясала своими телесами перед толпой... Сафрон вмиг забыл об Агнии, скинул ее с колен, метнулся в зал.

Но Ленусика на сцене уже не было. Пока он пробивал себе путь к ней через толпу, она успела скрыться за кулисами.

Выход за сцену охранял дюжий паренек с бритой головой, без выступа на подбородке сливающейся с могучей шеей. Сафрон сначала врезал ему кулаком в солнечное сплетение — за то, что пропустил Ленусика на площадку.

— Где она?

Скрюченный от боли парень ответить не смог, показал рукой в сторону выхода. Но Сафрон решил, что Ленусик в общей гримерке. Вспугнув стриптизерш, он ворвался в помещение, но свою дражайшую половину там не нашел.

Вскоре выяснилось, что Ленусик прямиком выскочила из клуба, села в машину и уехала. Гнаться за ней Сафрон не стал.

* * *

Сеня возвращался домой. Настроение жалко плещется в сливных отстойниках души. И надо было ему идти в игровой зал, надо было скормить «одноруким бандитам» последние копейки... Завтра даже в Москву не на что будет уехать. Ирка нагрузит, что зарплату задерживают, муж ее Фима подпоет. Прикинутся бедными и еще сами в долг попросят для убедительности. Максимум, чем он сможет поживиться у родителей, — сто рублей: на маршрутку, метро и пирожок с мясом гавкающей свинины или мурлыкающей говядины. А дальше что?.. Не факт, что его гениальное творение купят с ходу на раз-два...

Ночь. Но город не спит. Неоновые вывески, гирлянды разноцветных огней на зданиях казино, клубов, ресторанов, ярко освещенная площадь с еловым сквером, фонтан с ультрамариновой подсветкой. Свежий, увлажняющий ветерок с Глубокого озера. Роскошные девушки, охотники с деньгами, дорогие машины, зазывающая музыка... Подмосковное Монте-Карло. С деньгами здесь рай...

В тягостных раздумьях он не заметил, что переходит дорогу на красный свет. Но заметил несущуюся на него машину. Правда, было поздно что-либо предпринять во спасение... «Волынок!» — мелькнуло в голове за мгновение перед столкновением. Удар, полет с препятствиями, падение. Но тревожная мысль не погасла вместе с сознанием. Голова болит, левое бедро ноет, в кровь стесана подушечка на ладони, но в целом все в порядке...

Серебристый бегемотистый «Инфинити» остановился в нескольких шагах от него. Из машины выскочила девушка... Сеня забыл про боль, глянув на нее. Губы невольно растянулись в улыбке.

— Чего ржешь, придурок? — беззлобно прикрикнула она.

Балабакин смотрел на нее во все глаза. Роскошные, белые как снег волосы, лицо красотки с обложки глянцевого журнала, изумительное тело. Из одежды — только серебристые стринги. Потрясающе красивый бюст — шедевр пластической хирургии — был совершенно обнажен...

— Это нервное, — нашелся Сеня.

— Нервное?

Похоже, только сейчас до девушки дошло, что на ней нет одежды. Но до паники она не скатилась, просто прикрыла руками обнаженную грудь.

А прохожие уже останавливаются, подходят к машине, глазеют. Надо же, авария с человеческими жертвами плюс бесплатный стриптиз. Трудно пройти мимо такого зрелища... Сене показалось, что в толпе мелькнуло чье-то знакомое лицо...

— Ты как, в порядке? — спросила девушка.

Сеня поднялся, прислушался к ощущениям — вроде ничего.

— Нормально.

Но стоило ему сделать шаг, как в ногу — от пятки до самой селезенки — вонзилась раскаленная спица.

— Ой-е! Что-то с ногой...

— Давай в машину.

Балабакин представил, как эта красотка входит в роль фронтовой санитарки, закидывает себе на плечо его руку, своей — обнимает его, помогает идти «раненому бойцу». А его рука как бы невзначай опускается ей на грудь...

Но девушка разрушила его иллюзии. Она просто села за руль своей машины, сдала назад, а в салон ему пришлось влезать самому.

Она опустила спинку своего сиденья, извернувшись, встала на четвереньки, левым к нему боком, подлезла к багажному отделению, зашуршала пакетами. Сене было неловко, он даже пытался отвести взгляд от ее полупопий, правда, из этого ничего не выходило. Задняя ниточка стрингов такая тонкая...

Девушка достала из багажника шелковый халатик, изловчившись, оделась, вернулась на место, подняла спинку сиденья.

— Часы у тебя не встали? — спросила она, спуская с тормоза поставленную на скорость машину.

— Часы?! — Сеня обескураженно глянул на свою швейцарскую «Омегу». — Нет, идут...

— Да я не про эти часы, придурок, — усмехнулась девушка.

— Почему придурок?

— Потому что самоубийца. Какого черта под машину бросаешься?

— Да нет, я не бросался. Просто шел... Ну, голову отключил.

— Признаешься, что голову отключил?

— Ну да... А зачем тебе?

— Мало ли что, вдруг в суд на меня подашь...

— Это не важно, отключил я голову или нет. Автомобиль — источник повышенной опасности. Виноват всегда водитель.

— Какой ты умный.

— В тюрьме научили, — озорно улыбнулся Сеня.

— В тюрьме? — оторопело посмотрела на него красавица.

— Ну не совсем тюрьма. Изолятор временного содержания. Пять суток держали, сегодня вышел.

— За что держали?

— Да за то же самое. Женщину сбил. Вот точно так же, как ты меня. Она дорогу на светофор переходила, я ее сбил. Сейчас она в больнице, с переломами... И мне в травмпункт надо, может, перелом у меня...

— Да ладно тебе, шутник, — в сомнении, неуверенно отмахнулась от него девушка.

— Ну, я не знаю, может, и нет перелома. Может, всего лишь ушиб. Но все равно больно...

— Я не про это, я про женщину... Что, правда кого-то сбил?

— Сбил.

Он врал, но лишь для того, чтобы избавить девушку от ненужных подробностей. Не интересно ей будет слушать про какого-то Волынка, про сговор с ним. Сеня говорил неправду, а для этого требовалось особое вдохновение, и оно снизошло на него, выдернуло кость из языка.

— И что?

— Верховный суд вселенской инспекции безопасности дорожного движения постановил — три года расстрела, и никаких гвоздей... — Голос его звучал бойко, слова бодро выстраивались в текстовый ряд. — Это было жестоко и несправедливо, мне страшно об этом вспоминать... Да, меня уже и расстреляли. Тело в земле, душа на воле. Но ты не волнуйся, через три года тело воскреснет, соединится с душой...

— Ты точно придурок, — осадила его девушка.

Видимо, уши у нее были скользкими, лапша не висла на них...

— Может быть, но голым по ночам на джипе не езжу.

— Это мое дело, в каком виде по ночам ездить.

— Знаешь, если бы я был женщиной и у меня была бы такая грудь, я бы тоже голышом ходил. Но только по ночам, как ты... А куда мы едем?

— В больницу. Будем делать из тебя женщину. Не бойся, тебе не больно отрежут...

— И силикончика в грудь закачают? Адресок своего пластика не подскажешь?

— Имбецил... На моего пластика у тебя денег не хватит.

— А ты что, богатая?

— Не жалуюсь.

— А как насчет моральной компенсации?

Девушка остановила машину так резко, что Балабакин едва не выбил головой лобовое стекло.

— Сколько?

— Ну... Двести тысяч... В рублевых...

— А ты фрукт! — презрительно усмехнулась она.

— Да нет, тут такое дело... Деньги край нужны... — промямлил Сеня.

Деньги ему действительно были нужны — он не врал. Может, потому язык потяжелел, вдохновение сложило крылья... К тому же не хотелось выглядеть сквалыжным животным в глазах этой красотки.

— Ладно, в больницу отвезешь, там посмотрим. Если перелом, то тысяч десять отстегнешь, в рублевых. Если нет, прощаю...

— Жлоб!

Девушка снова повела машину.

— Зачем тебе деньги? — все так же отчужденно, но уже чуть мягче спросила она.

— Говорю же, женщину сбил, а она компенсацию требует, — солгал Сеня.

— Врешь.

— Нет.

— Я вранье за три версты чую. Муж у меня такой, с ним нюх востро держать надо...

— Муж?!

Он демонстративно посмотрел на пальцы ее правой руки.

— Что, кольца нет?.. — усмехнулась она. — Кто ж стриптиз с обручальным кольцом танцует...

— Ты стриптизерша?

— Поневоле... — мысленно погружаясь в омут своих проблем, сказала она. — Муж загулял, я ему отомстить решила, на шест полезла. Он за мной, я от него... Злится, значит, ревнует...

— Если ревнует, значит, любит.

— Любит. Но все на сторону норовит. В этот раз с певичкой закрутил... Видел бы ты ее. Смех. А поет, слышал бы ты. Сэр гей Зверев и то лучше поет. Ни голоса, ни слуха, и песня отстой... Кто-то поднимает ноги, чтобы за сцену забраться, а кто-то раздвигает. Эта раздвигает... Думает, Сафрон дальше толкать ее будет...

— Сафрон? Кто такой Сафрон?.. Слушай, а куда мы едем? Больницу же проехали...

— В Москву едем, там больницу найдем. Сафрон

ищет меня, может узнать, что я человека сбила, с собой взяла. Куда он первым делом поедет?

— В больницу, в нашу, битовскую...

— Извини, что имбецилом назвала. Ты нормальный, умный, но жлоб.

— Уже лучше.

— Извини, что говорю, то и думаю...

— Значит, Сафрон — твой муж.

— Если дальше так пойдет, то скоро я назову тебя гением.

— Прикалываешься? Ну-ну... А он вообще кто, твой Сафрон?

— Тоже решил приколоться? — не отрывая взгляда от дороги, усмехнулась она.

— Нет.

— В Битове живешь и не знаешь, кто такой Сафрон...

— Да как-то не вдавался... Я в Москве больше, чем здесь, после школы в Чайковке учился.

— В консерватории?

— Ага. Учился, да недоучился.

— Чего так?

— Таланта не хватило... Зато я музыку могу сочинять.

— Поздравляю.

— Нет, я серьезно. Зарабатываю на этом. Мои песни, чтоб ты знала, на радио звучат, в лучших номинациях... То есть звучали... А твой муж что, певицу раскручивать собирается? — в раздумье спросил он.

— А ты что, помочь ему хочешь? — язвительно усмехнулась она.

— Не знаю, — пожал он плечами. — Вообще-то мне говорили про Сафрона...

— Кто?

— Да не важно. Сказали, что Сафрону может быть нужно...

— Что нужно?

— Я же говорю, музыку сочиняю. Композиция у меня есть, настоящий шедевр.

— Это ты так думаешь, что шедевр? — заинтересованно спросила она.

— Не думаю, знаю. Совершенно в том уверен...

— А продюсер у тебя есть?

— Нет, мне продюсер не нужен. То есть нужен, но не я, а они от меня зависят. Я им песни свои продаю, ну, если им понравится...

— А может, и не понравится.

— Эта понравится.

— И кому ты ее продашь?

— Думаю, думаю...

— Значит, есть кто-то на примете?

— О! Там такие акулы, что самому страшно!

— Мне акула не нужна, мне бы просто щуку. Так, в реке немного поплавать...

— Да, но в реке тоже парус нужен. Без хита далеко не уплывешь... А ты что, певицей решила стать?

— Ну вот, ты уже почти гений... Муж мой певичек любит. Вот и я запою... Только в руки ему не дамся, пусть не рассчитывает...

— А мне на что рассчитывать?

— И с тобой не лягу, — невозмутимо, как о чем-то приземленном и обыденном, сказала она. — Даже не надейся.

— Да я не о том... Песня тебе нужна?

— Твоя? Нужна. Если это хит.

— Она денег стоит.

— Сколько? Двести тысяч?

— Если в рублях, то нет...

— Ну не двести же тысяч долларов.

— Пятьдесят тысяч. Евро.

— Ух ты какой! А оно того стоит?

— Слушать надо. Инструментальный набросок у меня дома. Поехали?

— А как же нога?

— Потом. Все потом.

Нога болела, но Сеня уже не мог думать о ней. Он вдруг ощутил уверенность, что незнакомке понравится его композиция и в цене они сойдутся...

ГЛАВА 5

Джип резко затормозил у подъезда крупнопанельной многоэтажки. Сгорбленная старушка с крючковатым носом возмущенно махнула рукой.

— Вот дура, — хмыкнул Боб. — До нее пять метров, а она машет...

— Все равно страшно, — рассудительно сказал Сева. — А вдруг бы не затормозил...

— Старушкой больше, старушкой меньше...

— Васек тоже так думал, а сейчас под следствием.

— Нехорошо как-то получилось, — обращаясь к Севе, поморщился Матвей.

Водитель был для него слишком мелкой сошкой, чтобы якшаться с ним.

— Менты наехали, а мы пацана подставили...

— Ничего, отмажется, — небрежно мазнул рукой Сева. — Он гаишникам с ходу забашлял, те даже закрывать его не стали... Правда, он дурку включил, на терпилу наехал. Машину у него забрал, на счетчик, говорят, поставил...

— На то он и терпила.

— А если ментам стукнет?

— Да класть на них я хотел, — как от кислятины скривился Матвей.

Ему было стыдно за тот страх, который нагнал на него Степан Круча. И горько было осознавать, что пришлось пойти у него на поводке — отдать на растерзание своего пацана. Не по понятиям это... Обидно, стыдно, досадно. Но и воевать с битовскими ментами себе дороже.

— Ну что, пойдем?

Сева первым вышел из машины, Матвей за ним.

Старушка с клюкой уже сидела на скамейке перед подъездом.

— И ходят тут!

— Здорово, бабуля! — приветливо улыбнулся ей Сева.

Он умел растягивать свою душу в добрую гармонь. Рубаха-парень, умный, рассудительный... И не поверишь, что знатный головорез...

— Как дела? Как пенсия?

— Ох, пенсия! — растрогалась старушка. — Плохо, соколик!..

Она готова была продолжать в том же духе, но Сева сунул ей в руку тысячную купюру.

— Это тебе не скучать, старая! — задорно подмигнул он и продолжил путь.

Боб стоял у машины, смотрел по сторонам. Сева шел в авангарде, он сейчас в роли телохранителя. Но ничего не случилось — Матвей беспрепятственно поднялся на четвертый этаж. Дверь в угловую квартиру была уже открыта, на пороге стоял улыбающийся Генчик. Вихрастый, глазастый, скуластый и ушастый. Чахоточный цвет лица, длинные руки с молотобойными кулаками, широкая, но впалая грудная клетка. Человек, которому Матвей доверял больше, чем всем швейцарским банкам, вместе взятым.

Он впустил гостей в дом, закрыл дверь и только затем обнял Матвея.

— Братан!

— Братуха!

Как будто сто лет не виделись.

Генчик был бессменным казначеем бригады. Все шло через него — золото, деньги, камни.

— Где твоя красавица? — оглядевшись, спросил Матвей.

— Гулять ушла. Я же знал, что ты приедешь...

— Как поживешь?

— Да как в раю... Всю жизнь мечтал ничего не делать...

Если так, то мечта Генчика сбылась. Здесь, в Битове, он занимался только тем, что хранил казну — неотмытую часть наличности, неоприходованное золотишко и камушки. Как тот Кощей чах над сокровищами...

В счет былых его заслуг Матвей купил ему четырехкомнатную квартиру; ремонт, обстановка по высшему разряду. Бабу Генчик нашел сам, жил с ней в полное свое удовольствие. К делам клуба он не имел никакого отношения, но долю с оборота получал исправно, девку свою в шелка одевал. И даже бриллианты ей дарил, но из магазина. Из общака ни в коем разе.

— Лизка твоя про наши дела не пронюхала? — снимая с лица дружескую улыбку, подозрительно посмотрел на него Матвей.

— Нет, ну что ты. Все за семью печатями...

— Снимай печати.

— Не вопрос.

Генчик провел гостей в самую маленькую комнату в своей квартире, это был своего рода сейф. Бронированные стекла, вмурованные рамы, усиленные стены, стальная дверь с кодовым замком. В самой комнате была создана видимость рабочего кабинета — офисный стол с компьютером, книжный шкаф, кожаный диванчик.

Книжный шкаф отошел в сторону, обнажая широкую дверцу вделанного в стену сейфа. Генчик вскрыл его, долго копался, наконец выложил на стол один кейс, затем второй, третий... Евро, доллары, рубли, золотые слитки. И небольшая коробочка с алмазами разной весовой категории — от двух до тридцати карат.

Необработанные алмазы имели невзрачный вид, тусклые, цвета молочной сыворотки. Но магической силы в них не меньше, чем в бриллиантах, в которые они когда-нибудь превратятся. От какого-то умника Матвей слышал, что алмазы притягивают к себе любовь, защищают от сглаза, продлевают жизнь, укрепляют дух и даже мужскую силу. Так это или нет, одно он знал точно — алмазы притягивают к себе душу, и если отбирают ее, то могут взамен даровать дьявольскую удачу.

Первый добытый им алмаз имел вес сорок восемь карат. Крупный и красивый от природы камень, форма естественных граней которого была близка к совершенству. Этот алмаз и забрал его душу, даровав сверхъестественный фарт.

Тот алмаз он давно продал. Зато сейчас в коробочке, затмевая своих собратьев, находился не менее крупный экземпляр, бриллиант чистой воды, фантазийной огранки «маркиз». Красивый и печальный, как олений глаз... Матвей с трудом удержался от искушения забрать камень с собой...

Шесть лет он занимался разбоем, грабил и убивал, грел руки на крупных и мелких старательских артелях, у него были даже собственные прииски. За ним охотились менты и обиженные бизнесмены, за ним гонялись федералы и карательные бригады частных структур, но из всех передряг он выходит невредимым, а зачастую менялся с охотниками ролями, загоняя их в угол и нещадно уничтожая. Его сто раз могли убить, но мертвы его враги, а он здесь, в спокойной Москве, наслаждается мирной жизнью.

Но не все еще покончено с прошлым. Из якутской тундры его выдавили конкуренты, но в колымской тайге у него еще осталась своя территория; бригада там, наместник, старательские артели моют золото... С камнями все, контрабандных партий больше не будет, а драгоценный металл в Битово поступает исправно. Есть и проверенные покупатели, к которым скоро уйдет хранимое Генчиком золото. Спешить смысла нет, клуб уже работает на полных оборотах, деньги крутятся, золото со временем уйдет, а камушки пусть ждут, когда Матвей найдет возможность облагородить их бриллиантовой огранкой...

Матвей не поленился, пересчитал все камни, слитки, деньги.

— Порядок.

— Как в аптеке, — улыбнулся Генчик.

Его не обижала подозрительность босса. Он и сам проповедовал принцип «доверяй, но проверяй».

— Точно твоя Лизка ничего не знает? — еще раз спросил Матвей.

— Нет. А что? — забеспокоился казначей.

— Да ничего. Так спросил... Если вдруг пронюхает, сам знаешь, что делать.

— Знаю, — помрачнел Генчик. — Потому и не пронюхает. Люблю дуру... Если ее в могилу, то и меня следом...

— Как скажешь, брат, — недобро улыбнулся Сева. — Если она узнает, то и ее, и тебя... Шучу.

Он сказал об этом зловещим тоном, и любому стало бы ясно, что это не шутка.

* * *

Стелла не скрывала неприязни и дверь лишь приоткрыла.

— Ну чего?

— Деньги принес, — глядя на нее исподлобья, настороженно сказал Сеня.

Ему казалось, что сейчас из глубин квартиры вынырнет Волынок, схватит его за грудки, подвесит за ногу, как Буратино, чтобы вытрясти из него «пять золотых».

У него с собой было всего двести тысяч, остальная часть добычи была надежно спрятана, Вася-Базилио не догадывался о ней, но все равно было боязно.

— Ну, тогда заходи! — вмиг подобрела Стелла.

Широко распахнула дверь, свободной рукой показывая на кухню.

— Ты одна? — спросил он.

— Нет. Подруга.

— Кто? Я ее знаю? — спросил Сеня для того, чтобы заполнить возникшую паузу.

— Нет, эта из новых...

Когда-то у него со Стеллой был роман. Когда-то... Взгляд его невольно лизнул нож, более похожий на охотничий, нежели на кухонный. В такую кабалу попал из-за этой стервы. Чикнуть бы ее по горлу и в мусоропровод, пусть знает, как людей на деньги разводить...

Балабакин вытянулся в лице от удивления. Его изумила не сама мысль, а то, что он ее не испугался. Неужели он смог бы полоснуть человека ножом по горлу?

— Что с тобой? — подозрительно покосилась на него Стелла.

— Да так... Деньги вот...

Он достал из кармана куртки две пачки, по сто тысяч рублей в каждой.

— Пересчитай.

— И пересчитаю...

Стелла села за стол, сняла резинку с одной пачки, пальчиками отделила одну купюру, вторую, третью...

Сеня смотрел на нее с укором. Симпатичная девка,

одевается хорошо, но все равно вид у нее какой-то затасканный, как будто все Васины друзья с ней перебывали.

— Стелла, ты скоро? — послышалось из сумрака прихожей.

На кухню зашла девушка лет двадцати. Пышные прямые волосы темно-русого цвета, большие синие глаза, изящный носик, большой рот, пухлые губы. Кожа нежная-нежная, наверняка приятная на ощупь, легкий румянец на щеках. Прямо чудо какое-то... Одно могло испортить впечатление — ее пампушная полнота. Могло, но не портило.

Не было и намека на нездоровую тучность, потность, обрюзглость, обвислость. Сочная полнота, свежая, упругая... Сене вдруг захотелось потрогать эту пышную красотку, облапать, обнюхать...

Шелковый сарафан свободного покроя и модной расцветки, шикарные сережки с брильянтами, на шее жемчужное ожерелье. И пахло от нее дорогим парфюмом.

— Да погоди ты! — не отрывая глаз от купюр, шикнула на нее Стелла.

— Ну вот, и здесь деньги, — разочарованно вздохнула девушка.

И с интересом посмотрела на Сеню.

— А ты кто? — простодушно спросила она.

— Почтальон. Пенсию принес.

— Хорошая пенсия... А я Лиза!

Она беззастенчиво протянула ему руку; на уровень живота, ребром ладони вниз — значит, для легкого пожатия. Совершенной формы ладонь, изящные длинные, как у пианистки, пальцы, электризующая нежность кожи, волнующее тепло... Сеня сделал над собой усилие, чтобы не поцеловать ей руку.

Не поцеловал, но непозволительно передержал ее

ладонь. Впрочем, этим он лишь вызвал кокетливую улыбку и шаловливую искорку в ее глазах. Похоже, он понравился ей.

Кажется, Стелла угадала, о чем думает Лиза.

— Аэлита, не приставай к мужчинам!

— Я не Аэлита!

— Какая разница?

— Стелла шутит, — обращаясь к Лизе, с похотливой хитринкой в уголках губ сказал Сеня. — Фильм есть такой, старый, про Аэлиту...

— Да? Я не знала...

— Так, с деньгами все в порядке, — возвестила Стелла. — Гуляй, Сеня!

— Даже не спросишь, где я их взял?

— Васек тебя спросит. Если на глаза ему попадешься. Не любит он тебя, Сеня, честно я тебе говорю. Ехал бы ты в свою Москву.

— И поеду.

— Чухай, чухай!

— Стерва ты.

— Знаю, — фыркнула Стелла.

Сеня и сам был бы рад поскорей покинуть этот дом, если бы не Лиза. Приворожила его эта милая пышка, не хотелось от нее уходить. Но ведь можно было дождаться ее и на улице...

Он сел на скамейку под козырьком у подъезда. Ждать пришлось недолго, минут пять, не больше. Лиза явно куда-то спешила, но, завидев его, забыла о том. Улыбнулась, обнажая ровные белые зубы.

— Ой, а я за тобой! — вырвалось у нее.

Лиза не могла видеть его из окна квартиры, потому что у Стеллы все комнаты выходили на другую сторону дома. Не видела она, что Сеня сидел на лавочке, потому и была в смятении.

— Как за мной?

— Никак! — спохватилась она.

В смущении опустив глаза, сказала:

— Домой мне надо.

— Далеко живешь?

— А что, проводить меня хочешь? — кокетливо замялась она.

— Если тебя ждал, значит, хочу...

— Так ты меня ждал! — расцвела Лиза.

И вдруг поджала губки, взгляд потух.

— Дома у меня муж, — с нескрываемой досадой сказала она.

— Плохо. Ждет?

— Нет, к нему друзья пришли, занят он... И Стелла занята... Все чем-то заняты, одна я без дела болтаюсь... Хочешь, по городу покатаемся? — оживившись, спросила она.

И взглядом показала на новенькую «Хонду» темно-синего цвета.

Сеня улыбнулся. То одна женщина с машиной, то другая... С Еленой Павловной он заехал далеко. На секс раскрутить ее не удалось, зато на деньги разжился. Правда, пятьдесят тысяч он от нее не получил. Она заявила, что больше двадцати пяти не даст, но после упорных торгов подняла планку до тридцати. Деньги он взял наличностью. Еще две тысячи ему перепало за то, что свел ее с продюсером. На том их отношения и закончились, хотя Сеня и не прочь был их продолжить...

— Зачем кататься? — с напускной небрежностью сказал он. — Можно поехать ко мне, в Москву. Там у меня уютное гнездышко, музыку послушаем...

Пару недель назад он съехал со съемной квартиры, сейчас она пустовала, но вселяться обратно Сеня не захотел. Жилье приличное, с обстановкой, но он задолжал за два месяца. Хозяин в отличие от Волынка с ножом за ним не бегал, в суд вроде бы не обращался, так что зачем отдавать долги, если можно было снять новую квартиру. Так он и поступил.

— Далеко? — зарделась Лиза.

— Не очень, но пробки... Пару часов туда, пару обратно...

— Слишком долго. Мне через два часа дома надо быть...

— Можно к озеру съездить. Я знаю одно укромное место. Если, конечно, его не застроили...

— Укромное? Зачем нам укромное?

— Ну как зачем?

Сеня опустил голову, красноречиво провел взглядом снизу вверх по ее сарафану. Он очень хотел избавить ее от одежд и не скрывал этого.

— Так сразу? — еще больше покраснела Лиза.

— Да.

— Так сразу, и так просто...

Ее жеманная улыбка указывала на то, что и она в душе кричит «да!». Но все же слышалось в ее голосе осуждение.

— Да, все очень просто, — неотрывно глядя на нее, с хитрецой закинувшего сети рыбака сказал Сеня. — Просто ты мне очень нравишься. А у меня есть один недостаток — если девушка мне очень нравится, то я говорю ей все, о чем думаю. Если я хочу тебя, то так и говорю. И ничего не могу с собой поделать...

— Это у тебя такой недостаток? — с той же хитринкой улыбнулась Лиза.

— Ну, если ты считаешь, что это достоинство, то я не против...

— И я не против, — решаясь, сказала она. — В конце концов, я не девочка... Поехали.

Всю дорогу она молчала, стараясь не смотреть на него. На щеках стыдливый румянец, длинные ресницы подрагивают, губы в беспокойном брожении, пышная грудь учащенно вздымается... И он молчал: боялся неосторожным словом вспугнуть ее непристойный кураж.

Она сама нашла дорогу к озеру, сама вывезла его на прогалину в прибрежном лесу, в пространстве между обжитым и еще только строящимся коттеджным поселком. На удивление чистое место, не загаженное, трава высокая, но если постелить покрывало... А покрывало было, в багажнике машины. И даже подушка. Сеня деликатно промолчал, не стал спрашивать, чей это джентльменский набор. Ему без разницы, сделает дело, и тютю, в Москву. А Лиза будет жить дальше без него...

— Отвернись! — пряча глаза, сказала она. — Я разденусь.

Просьба ее могла показаться нелепой. Зачем отворачиваться, если, раздевшись, она не залезет под одеяло, не спрячет свою наготу. Но тем не менее Сеня повиновался, а когда повернулся к ней, она уже лежала — скрестив длинные полные ноги, закрыв руками объемный бюст. Глаза закрыты, голова повернута в сторону... Она ждала его, напуганная собственной смелостью.

Зато он ничего не боялся и отважно ринулся в бой...

Исходные позиции, окапывание, переход в наступление. Не думал он, что с пышной девушкой может быть так хорошо... Музыка вольной любви. Нежная прелюдия, медленное анданте, стремительное аллегро, танцевальный менуэт и быстрый взрывной финал...

В отрадном бессилье Сеня опрокинулся на спину, немощно раскинул руки. Казалось бы, все закончилось, он должен рухнуть на бренную землю, но полет продолжался. Видимо, падая с высоты седьмого неба, он пролетал над горой Геликон, где перебирала струны своей лиры вдохновляющая муза. Она подхватила его, не позволив упасть, и теперь они вместе парили над землей...

Лиза мягко тронула его за плечо, нежно спросила:

— Ты живой?

Он поднял руку, призывая ее помолчать.

— Там-пам-там-пам-там-пам-пам...

Он слышал, как звенят струны, как рыдает саксофон, как гремят барабанные тарелки... Он слышал музыку. Новую, собственного сочинения музыку...

— Да что с тобой? — забеспокоилась Лиза.

Не обращая на нее внимания, Сеня потянулся к своим джинсам, снял с пояса мобильный телефон, включил режим диктофона, напел рожденные мотивы. Пока что это — мокрые неотесанные бревна. Сырой материал, но он есть. Обработка, рубка, постройка — все это техническая сторона процесса. Были бы бревна, а дом будет...

— Может, все-таки объяснишь, что происходит? — встревоженно спросила Лиза.

Она была уже одета, сидела на сиденье машины, опустив на землю полные, но при этом длинные и стройные ноги.

— А ты не поняла? — весело подмигнул ей Сеня.

Он был счастлив. И вдохновенье на него снизошло и сочные плоды оставило. В диктофон мобильника был заложен остов будущего хита...

— Стелла не говорила тебе, чем я занимаюсь?

— Нет... Я вообще мало ее знаю.

— Композитор я. Сочиняю музыку. Мы с тобой только сегодня легли, а ты уже родила... Да, родила, музыку... Слушай, а может, ты моя муза? — задумался Балабакин.

Да, она хороша, да, она вдохновляет — возможно, не только на эротические подвиги... А вдруг?

— И что?

— А то, что теперь придется тебе быть со мной.

— Я хочу... Ты мне очень нравишься...

Лиза обожающе смотрела на него. Она могла бы вы-

глядеть счастливой, если бы не тоска в глазах — еще от-
даленная, но уже надвигающаяся, как дождевая туча.

— Ты мне тоже... Значит, сейчас мы едем ко мне домой, — решил Сеня.

И дома он сядет за синтезатор, обтешет и склеит в
мелодию самосозданные мотивы. Потом он снова ля-
жет с Лизой, глядишь, снова родится благозвучный на-
пев...

— Я же говорю тебе, муж у меня. И мне уже домой
пора.

— Да, муж — это серьезно... Но с ним же можно раз-
вестись.

— И ты женишься на мне? — спросила Лиза.

— Э-э, ну, не сразу...

— Уложил ты меня в два счета, а как жениться, так
не сразу... Да и не сможешь ты жениться. Муж мне развод не даст. Очень-очень любит. Убить может, а развод
дать — нет...

— А кто его спрашивать будет? Главное, чтобы ты
решилась...

— А чего решаться, мы же не расписаны и в церкви
не венчаны. Гражданский брак.

— Тем более.

— Не все так просто... Если я уйду к тебе, Гена убьет
нас обоих.

— Он что, крутой?

— Да... Он бандит...

Только сейчас до Сени дошло, какую глупость он
совершил. Видимо, своим появлением Лиза перевела
его сознание в область на метр ниже головы. Не тем он
местом думал, когда тащил ее в кусты... А мог бы догадаться, что Лиза гостила у Стеллы не просто так. И одна
с бандитом спит, и другая в том же дерьме...

— Это меняет дело, — заробел Сеня.

Хватит с него Волынка с его шахер-махерами...

— Ты что, испугался? — расстроилась Лиза.

— Нет. Просто я подумал: если твой муж тебя любит, то я не имею права препятствовать вашему счастью...

— Нет никакого счастья. Не люблю я его.

— И часто ты это делаешь?

— Что я делаю? — спросила она.

— Ну, ездишь сюда. Покрывало у тебя в багажнике...

— Ты об этом? Думаешь, я здесь лебядую?.. — возмутилась Лиза. — Да, иногда бываю здесь. С Геной. Он дома сиднем сидит, ни на какие курорты ехать не хочет. Хорошо, если сюда удастся его вытащить... Он дом строит, на берегу озера. Как построит, так никаких покрывал в багажнике не будет... Слушай, а чего я тут перед тобой распинаюсь?

Она села за руль, завела мотор, и, если бы Сеня не успел запрыгнуть в машину, она бы уехала без него.

— Не злись, — обескураженно попросил он.

— Я не злюсь, — презрительно усмехнулась она. — Я радуюсь. Хоть раз в жизни удовольствие получила... Ничего, запру этот день в памяти и буду жить дальше.

— Что, плохо так с твоим Геной?

— Хуже некуда... Он меня любит, а я его нет. Он жить без меня не может, а я света с ним не вижу... И уйти не могу... Да ты не думай, я на тебя не обижаюсь. Правильно, не надо с ним связываться. Так спокойней будет, и тебе, и мне...

— А он Василия знает? Ну, который со Стеллой.

— Да, знает. Он к нам приходил с ней, мы познакомились. Но Стелла меня не любит. Потому что ее Вася мелкая сошка по сравнению с моим Геной... А мне все равно, какой он, крупный или мелкий, лишь бы счастье было...

— А сама ты откуда?

— Из Валдая. Гена туда к другу ездил, два года назад. Увидел меня, влюбился, увез... А я с ним здесь как в тюрьме...

— Ну почему в тюрьме? И машина у тебя, и ездить можешь куда хочешь...

— Не могу. Это его машина. Он меня учил ездить, но саму редко куда пускает. Когда друзья к нему приходят, тогда и отпускает. Мне с ними нельзя, у них дела... Как будто я не знаю, что там у них... Да мне Гена все рассказал...

— Что рассказал?

— Да ничего... Забудь обо всем, ладно? Не было меня, встряхнулись и разбежались...

— Ну да, ну да...

— Что, правда разбежимся? — чуть не плача, спросила она.

— Ну, если ты хочешь.

— Не хочу я! Влюбилась я в тебя, неужели не видно?

— Э-э, ну...

— Легла бы я с тобой, если бы не влюбилась... Неужели я на лебядь похожа?

— Да нет...

— Все, забудь, не было ничего...

Она молчала всю дорогу. И лишь когда машина остановилась около его дома, чуть ли не с мольбой сказала:

— Может, хоть позвонишь?

— Ну, если есть номер телефона...

— Есть, конечно... Но лучше я тебе позвоню, ладно?

Лиза боялась мужа, но еще страшней было потерять Сеню. А ему не хотелось терять жизнь...

Она уехала, а он отправился домой.

Мама жарила котлеты, пахло гнилым луком, прогорклым салом и подгорелым маслом. Раньше она готовила хорошо, но сейчас у нее со зрением неладно, дальше вытянутой руки ничего не видит. Да и деньги на хорошее мясо экономит, суррогат какой-нибудь купит — и в мясорубку. А если не поскупится, то в магазине или на рынке обманут. Отцу не до ее забот, у него на уме только водка. Сестре вообще ничего не надо, она и муж допоздна на работе, вместе уезжают в Москву, вместе приезжают. «Почему продукты не купили?» — «Так не голодны, на работе обедали, на обратном пути перекусили». Но если будет что в доме пожевать, все сметут и не поморщатся... Так и живет семейка. В маленькой двухкомнатной квартире. Потому и не хочет Сеня здесь оставаться.

— Витя! Ты?

— Не, мама, это я...

— Ты еще не уехал?

— А что, пора? — язвительно спросил он.

— Не знаю. Кушать будешь?

— А надо?

— Как знаешь...

— Тогда не хочу.

Говорят, что матери больше любят сыновей, притом младшеньких, отцы — дочерей. Но в их семье все было не так. Старшая сестра Ира была вне конкуренции, а Сеня всегда оставался в ее тени... Впрочем, мама все равно его любила. И будет плакать, если его убьют...

Сеня почувствовал, как к горлу подкатил ком, слезные мешочки предательски наполнились. Самому вдруг захотелось плакать. Мало было ему Волынка, нет, еще более крутого Гену к своим невзгодам добавил. Наставил бандиту рога, ими он его и забодает... Вот признается ему сейчас Лиза, с кем была... А где он живет, она знает. И номер его телефона у нее... Ну не идиот!..

— Мам, я поеду!

Он оставил ей немного денег, пусть помнит его доброту, может, сама в черный день поможет. Закинул на плечо сумку, спустился во двор, поймать такси дело не хитрое... Но поймали его самого. Он увидел, как перед ним остановился темно-серый «Гелендваген», но даже дернуться не успел, как оказался в машине... «Это Гена!» — пронеслось в перебудораженном сознании.

ГЛАВА 6

Агния рыдала, размазывая тушь по лицу.

— Ну почему? — хлюпнув носом, спросила она.

— Потому что ты меня достала, — безжалостно отрезал Сафрон.

— Но ты обещал!

— Что я обещал, то я сделал! Спела разок, и хватит!

— Но я же послушная...

— Знаешь, сколько таких послушных вокруг?..

— Но я не такая! — билась в истерике Агния.

— Такая!.. Танцуешь ты неплохо, могу в стриптиз устроить. А что?

— Да как ты смеешь!

— Все, свободна!

Сама она уходить не хотела, поэтому охранникам пришлось выносить ее из кабинета на руках.

Сафрон и не прочь был бы продолжить с ней отношения, но Ленусик своей сумасбродной выходкой навесила на них жестянку, белый круг с красным ободком. «Движение запрещено». Не мог он больше ни о ком думать, кроме как о ней. Любил он стерву, очень... Да и не стерва она, если уж на то пошло. Сам он стервец. Жена — лучше не бывает, а он как последний кобель...

Ленусик пропала бесследно. Ее искали, но...

Зазвонил телефон, Сафрон снял трубку. Звонил начальник личной охраны.

— Алексей Викторович! Пацана нашли.

— Где он?

— В сауне. Тулуп уже приготовили...

— Он что, ничего не говорит?

— Да мы и не спрашивали, вас ждем.

Сафрон спустился в сауну, где в трапезной ждал его трясущийся от страха парень.

— Как зовут тебя? Сеня?

Тот отчаянно кивнул, стукнувшись подбородком о грудь.

— Ты чего такой напуганный, Сеня? — спросил он.

— Да нет, ничего... — зубами отстучал тот. — Только не убивайте...

Сафрон смекнул, что дело нечисто.

— Не убьем. Если честно скажешь, что спал с ней.

— А если нечестно? — обморочно спросил парень.

— Тогда убьем. Считаю до одного. Три, два...

На счете «один» Ядреныч взвел курок пистолета.

— Спал! — выпалил Сеня.

— И что мне с тобой делать? — багровея, рыкнул Сафрон.

Ленусика по горячим следам найти не удалось, зато чуть позже выяснилось, что в двух кварталах от «Реверса» она сбила какого-то парня. Выскочила к нему голышом, увезла... Долгие поиски привели спецов к человеку, который не только видел эту сцену, но и узнал парня. Арсений Балабакин, или просто Сеня. И адрес нашелся...

— Алексей, можно? — для убедительности спросил Ядреныч.

И приставил к голове парня пистолет.

— Алексей?! — взвизгнул Сеня. — Точно, Алексей?

— Ты чего горланишь, баран? — надвинулся на него Сафрон.

Парень рефлекторно подался назад, споткнулся, упал.

— А Гена где? — поднимаясь, пробормотал он.

— Какой Гена?

— А Лиза?

— Какая Лиза? Ты что несешь?

— Я с Лизой спал... А вы кто?

— Сафрон я...

— Сафрон?! — Парень облегченно перевел дух.

— Я не понял, ты чему радуешься? Лена моя где?

— Так бы сразу и сказали, а то спал — не спал...

Сафрон не выдержал, схватил парня за грудки, заорал ему в ухо:

— Я спрашиваю, где она?

— С Брянцевым она.

— С кем?

— Продюсер такой, фамилия Брянцев... Она певицей захотела стать, а я ее с Брянцевым свел...

— Ты ее с кем-то свел? — взвыл Сафрон.

И с силой отшвырнул Сеню от себя. Он спиной налетел на стол, лег на него, перевернулся вместе с ним, упал на пол. Встал, вжимая руку в поясницу, на лице гримаса боли, на ухе прилипшая салфетка с цветочком.

— Что за продюсер? — Ревность двумя руками держала Сафрона за горло.

— Говорю же, Брянцев. Его еще мало кто знает, но он очень толковый...

— И моя Ленка с ним?

— Да вы не подумайте ничего... Во-первых, Брянцев голубой... Вернее, это во-вторых, — поправился Сеня. — А во-первых, ваша супруга ни с кем не захочет, это я вам точно говорю. Я пытался... э-э... — спохватившись, проблеял он.

— Что ты пытался, козел? Я узнаю, если ты хоть пальцем ее коснулся!

— Нет, нет, ни пальцем, ничем...

Сафрон раздул легкие до боли в груди; призывая себя к спокойствию, медленно выдохнул из них воздух.

— Так, давай по порядку...

Он снова схватил парня за грудки, но только для того, чтобы усадить на скамью. Ядреныч поставил на место стол, и Сафрон отправил его за пивом.

— Жарковато что-то здесь, — миролюбиво сказал, обращаясь к Сене.

— Жарко.

— Точно у тебя с Ленкой ничего не было?

— Нет. А вы не говорите ей, что спрашивали меня об этом.

— Почему?

— Мне кажется, ей это не понравится. Мне кажется, она заслужила, чтобы вы ей доверяли...

— Не понравится? — Сафрон вспомнил момент, как однажды Ленусик пыталась вцепиться ему в волосы.

Он тогда брился почти налысо, и у нее ничего не вышло. И сейчас у него такая же стрижка, но это его уже не спасет. Ленусик знает, где самое больное у мужчины место, и бить она умеет — хлестко, точно...

— Не понравится, — с тоской согласился он.

— Вы должны ей доверять.

Парень, кажется, освоился. Ядреныч подал пиво, он взял банку так небрежно, будто перед ним безропотный официант.

— Я сам знаю, что мне делать, — буркнул Сафрон. — Ты мне лучше скажи: что это за продюсер? Точно голубой?

— Голубее не бывает.

— Что он делать собирается?

— Как что? На сцену выводить ее будет. Песню запишут, видеоклип снимут...

— Какая сцена? Она петь не умеет...

— Почему не умеет? Мы слушали, нормально все.

Ну не Селин Дион, конечно, но есть уроки вокала, техническая шлифовка и усиление...

— Чтоб фанера звучала?

— Вот-вот. Брянцев сейчас с ней работает...

— А деньги? Он что, за свои работать будет?

— Ну нет. Елена Павловна ему заплатила. И ему, и мне...

— С каких шишей? — возмутился Сафрон.

У Ленусика были *свои* деньги. Сколько лет с ней живет, свой косметический салон у нее, фитнес-клуб. Но ведь он бы узнал, если бы она сняла их со счета. Или у нее кубышка была с наличностью на черный день?..

— Тебе она за что платила?

— За песню. Я же композитор...

— Да ну... И что за песня?

— Хорошая песня, про любовь. Ей понравилось.

— И много заплатила?

— Тридцать тысяч евро.

— Сколько? — изумился Сафрон. — За какую-то паршивую песню тридцать тысяч?

— А если это шедевр... Могу наиграть. Синтезатор есть?

— Есть. Бетонные игрушки. Ими наиграешься, если врешь... Как этого Брянцева найти?

— Телефон у меня есть и адрес...

Сначала Сафрон позвонил, но в ответ получил короткие гудки. Затем он отправился в Москву, но в квартире на Каширском шоссе не было ни единой живой души.

* * *

Подвал ночного клуба, комната с хорошей вентиляцией, но совершенно без окон. Кушетка, тумбочка, шкаф, стул — обстановка как в тюремной камере. Ноутбук без Интернета, телевизор, плеер с кучей пиратских дисков — это плюс. Обеды и ужины из ресторана — тоже неплохо. Ржавое ведро вместо унитаза — минус... Восьмой день Сеня сидел в этом узилище, разумеется, на незаконном основании.

Сеня только что снес ведро с нечистотами в сортир, находившийся в дальнем конце подвала. Дюжий парень в униформе охранника, сморщив нос, втолкнул его в камеру, закрыл за ним дверь. С этого момента начался отсчет девятых суток...

Дверь снова открылась, Сеня испуганно вздрогнул. Возможно, это пришли за ним головорезы Сафрона, чтобы выстрелить ему в затылок. Выбьют яму в полу, сбросят туда его мертвое тело, зальют строительным раствором. Играй, Сеня, в бетонные игрушки... Но в камеру зашел сам Сафрон.

— Твою мать! Ну и вонь у тебя здесь, паря!

Прежде чем выйти из камеры, он поманил его за собой взмахом руки. Сеня вышел за ним в коридор.

— Повезло тебе, братишка, нашли мы Елену Павловну. И Брянцева твоего нашли... Так что свободен ты...

— Я могу идти? — взбодрился Сеня.

Он понимал, что Сафрон держал его взаперти незаконно, фактически это уголовное преступление, за которое можно схлопотать несколько лет тюрьмы. Но идти в милицию он не собирался. Бежать из Битова, бежать куда глаза глядят. Не город, а черт-те что, куда ни плюнь — всюду братва.

— Куда ты пойдешь? Ты на себя посмотри. Грязный, вонючий...

— Ничего, дома отмоюсь.

— Не пойдет, — покачал головой Сафрон. — Через три часа у нас выступление.

— Выступление? Куда?

— Не куда, а где! — расхохотался Сафрон. — С тобой все в порядке, пацан? Или клинит немного?

Не жди меня, мама, хорошего сына

Сеня промолчал. Восемь суток взаперти в ожидании конца — тут так заклинить может, что и в психушку загреметь недолго.

— Ну да, понимаю. Извини, что так вышло. Да ты не бойся, я компенсирую... А сейчас в сауну, отмываться. Два часа у тебя. Потом концерт, Елена Павловна выступать будет. А ты как думал?

В сауне Сеню ждала бутылка дорогого французского вина, сырная нарезка, ваза с фруктами. Пить он не стал — вдруг отрава, но не удержался, отщипнул несколько ягод от грозди янтарного муската.

В душевой он нашел мочалку в упаковке, гель для душа. В джакузи с чистой горячей водой — флакон с пеной для ванн. В парной — шайка, веник, шапка, ковш; температура под сто градусов... Намылся Сеня, напарился, поиграл с пеной в джакузи, снова прошел через парилку. А в трапезной его ждала девушка с фальшивой улыбкой, но истинной красоты.

В коротком белом халатике, с распущенными волосами, зовущие губы сочно накрашены. Она молча взяла его за руку, повела в массажную, уложила на стол...

Похоже, это и была обещанная компенсация. Своими умелыми ручками девушка заслужила для Сафрона прощение.

В раздевалке в шкафу висел элегантный, с иголочки костюм светло-серого цвета, далеко не самый дорогой, но и не дешевка, белая сорочка, галстук, туфли. Новенькая барсетка со старым телефоном, который у него забрали, там же были документы и конфискованная наличность — что-то около десяти тысяч рублей.

Сафрон ждал его в концертном зале своего клуба, за столиком. На сцене в разноцветных лучах резвилась танцевальная группа, чуть поодаль, за линией, где кончались столики, крутилась рулетка и шелестела баккара. Музыка, азарт, запах денег. Сеня ощутил легкое притяжение со стороны карточного стола.

Сафрон скрестил нож с вилкой, недобро улыбнулся.

— Значит, говоришь, тридцать тысяч от Елены Павловны получил? — спросил он.

«Началось!» — испуганно встрепенулся Сеня. Под левой лопаткой захолодело.

— Я их уже отдал, в счет долга, — выпалил он.

— Разве я спрашиваю, куда ты их дел? — удивился Сафрон.

Он снова превратился в доброго малого, веселый, радушный. Но Сеня не расслаблялся: он хорошо знал, что представляет из себя этот человек.

— А что за долг? — спросил Сафрон, вилкой ковырнув лист салата в своей тарелке.

— Да так, заигрался...

— Где?

— В казино.

— В моем?

— Не знаю. В «Пьедестале».

— Нет, это не мое... И что там было?

— Да так, ничего.

— А я сказал, говори! — нахмурился Сафрон.

Сеня не стал пытать судьбу, рассказал, как было дело. Стелла, Василий, «Ниссан», сбитая женщина, майор Комов и подполковник Круча, камера временного изолятора, снова Волынок... Сафрон слушал с нарастающим интересом, не перебивал. Заговорил он лишь после того, как Сеня поставил точку в своей истории. Вернее, многоточие, поскольку на том, как он вернул двести тысяч, его злоключения не закончились. Про Лизу рассказывать он, разумеется, не стал...

— Значит, Кручу знаешь, — как-то невесело сказал Сафрон.

— Знаю.

— И Комова.

— Комов мне телефон свой дал, сказал, чтобы я позвонил ему, — вспомнил Сеня.

— Ты же не станешь ему звонить? — обеспокоенно спросил Сафрон.

— Ну, не знаю... Восемь дней из списка вычеркнуто, — осторожно, с оглядкой сказал Сеня.

— Ты это брось. Восемь дней тебе компенсируют... Ирочка тебе понравилась?

— Чудо.

— Этого мало, понимаю. Ты же у нас композитор, богема, да... Знаешь что, я тебя под свою опеку возьму.

— Зачем?

— А я Васю твоего хорошо знаю, — в раздумье сказал Сафрон. — Хреновый он человек, скажу я тебе. Если он в горло вцепился, не отпустит...

— Да ладно, не надо. Я в Москву поеду, там он меня не достанет.

— Ну ты, парень, шутник, — хмыкнул Сафрон. — Это мафия, они тебя везде найдут... Может, уже ищут...

Сеня вспомнил, что согрешил с женой человека из этой мафии, ощутил, как онемели коленки. Рука сама потянулась к бокалу с коньяком.

— Да не бойся ты, пацан, нормально все, — запанибрата подмигнул ему Сафрон. — Хочешь, прямо сейчас поедем с тобой, покажешь мне этого Васю, я с ним поговорю...

— Не хочу.

— А я и не поеду... Сейчас не поеду. Сейчас Елена Павловна зажигать будет... А с Васей мы разберемся, отвечаю...

Ждать пришлось недолго. Жена Сафрона вышла на сцену под всполохи декоративных зарниц. Спецэффекты, создающие иллюзию фотовспышек. Оригинальное решение. Суперзвезда под прицелом рвущихся к ней фоторепортеров. «Встречайте, несравненная и неповторимая Элен Шарм!»...

Она действительно выглядела потрясающе. Роскошное виниловое платье со шнуровкой на старинный манер; открытые плечи, короткий, с зубчатым низом подол. Волосы распущены, на голове треуголка с пышным пером, изящные краги по локоть, длинные сапоги. В руке вместо шпаги микрофон...

Балабакин вспомнил анекдот про армию. Курсант военного училища сдает экзамен, четким строевым шагом подходит к столу, командным голосом спрашивает разрешения взять билет; ответить ничего не может, уходит строго по уставу. Преподаватель подводит итог: подход — «отлично», ответ — «неудовлетворительно», отход — «отлично», средний балл — «хорошо».

Подход у Елены Павловны удался: публика затаила дух. А когда заиграла музыка... Вокал исполнительницы был далек от совершенства, и артистическая составляющая ниже среднего. Но какова песня! Сеня предполагал, что это шедевр, прочил ему славу абсолютного хита, казалось бы, планка ожидания поставлена выше некуда, и все же мелодия перескочила и через нее. Неторопливая широкая река, резкое сужение, стремительный водопад, вызывающий ощущение полета, снова плавное течение... Река, протекающая сквозь райские кущи... Это было нечто. Но Элен ушла, не дождавшись аплодисментов. Ушла, оставив публику в легком недоумении. Хоть и не сразу, но до людей дошло, что они стали свидетелями рождения нового хита. Первым очнулся Сафрон:

— Браво! — заорал он.

Его поддержали, но слабо. Тогда он вызвал свою красавицу на бис. Елена Павловна снова вышла на сцену, снова исполнила свой хит. На этот раз ее провожали громкими аплодисментами. Сеня рукоплескал стоя, но в этом его поддержал только Сафрон.

— Ну, ты видал, а! Моя жена — звезда! Кто бы мог подумать?

— Не надо думать, — сказал Сеня, когда эмоции немного улеглись. — Делать надо... У меня еще мелодия есть. Один выстрел хорошо, два — лучше...

— А три — это уже очередь, — подхватил Сафрон. — На поражение... А песня у тебя классная...

— Эта — да. И вторая тоже...

— Я про вторую и говорю.

— Вы ее разве слышали? — удивился Сеня.

— Да... То есть нет... — спохватившись, мотнул головой Сафрон. — Я по первой сужу...

— Вторая денег стоит.

— Сейчас мы не будем об этом говорить.

Но Сеня думал иначе. Чай хорош, пока горяч.

— Я завтра в Москве буду и могу получить достойное предложение. От того же Брянцева. Ведь он не только вашу Элен раскручивает...

— Плевать мне на Брянцева. Чтобы какой-то гомик жену мою раскручивал? Сам буду ею заниматься. А ты в Москву не поедешь.

— Почему?

— Потому что завтра мы поедем к твоему э-э... ну как его?.. Вася, да? Ну, который тебя обижает... Поговорю с ним за тебя. И вообще... А ты новые песни сочиняй, понял. Ты для меня теперь ценный кадр. Вопросы?

Вопросы у Сени были, но, судя по всему, Сафрон не желал его слушать, поскольку все за него уже решил.

* * *

Сафрон и сам прекрасно понимал, что сглупил. Не стоило ему держать Балабакина в подвале. Но не для того он ехал на стрелку с Васей, чтобы загладить свою вину перед парнем. Мыло можно выменять на шило, но не на слиток золота. Слишком серьезную структуру представлял Волынок, чтобы разменивать с ней из-за какого-то музыканта-лабуха.

Но и сам Сафрон представлял собой силу. И ему нужен был повод, чтобы заявить о себе в полный рост. Пусть стоящий за Васей Биток знает, с кем ему придется иметь дело, если вдруг он решится развязать серьезную войну за сферы влияния...

Вася выходил из дома, подходил к своей машине, когда два «быка» перегородили ему путь. Он сунул было руку под джинсовую куртку, но третий громила, подкравшийся к нему сзади, приставил к спине два пальца. Парень в испуге опустил руки.

Сафрон вышел из машины, небрежной походкой приблизился к Волынку. Жестом руки удалил своих людей, остался с Васей с глазу на глаз. Насмешливо, с чувством превосходства спросил:

— Ты чего такой пугливый, парень?

— Ты кто такой?

— Как знал, что ты мелко плаваешь, — пренебрежительно фыркнул Сафрон. — Был бы к Битку поближе, знал бы, кто я такой.

— А не знаю, — злостью пытаясь заглушить досаду, сказал Волынок. — Значит, это ты мелко плаваешь.

— Сафрон я.

Этого хватило для того, чтобы парень сбавил обороты, присмирел.

— Что-то слышал...

— Да ты не бойся, никто тебя не тронет.

— Я и не боюсь...

— Не буду спрашивать, что ты делаешь в *моем* городе, — сказал Сафрон. — Знаю, что ты у Битка в команде. Поэтому сам к тебе подъехал, из уважения к нему.

Сам тебе слово скажу. За пацанчика, которого ты обидел. Сеню Балабакина знаешь?

— Ну, знаю, — замялся Вася.

— Так вот, он под моей «крышей». Все, больше ничего тебе говорить не буду, сам должен догадаться.

— Так это что, я ему лавэ отдать должен? — растерянно спросил парень.

— Ты меня за кого держишь? Ты пацанчика развел по понятиям, какие предъявы? Но впредь никаких наездов, ты меня понял?

— Ну, понял.

— Это слово, пацан. Ты мне слово дал. Если не сдержишь, пеняй на себя. Это *мой* город, и за беспредел я спрашиваю строго. И не посмотрю, что за тобой Биток стоит...

— Мне так Битку и сказать?

Сафрон ничего не сказал, лишь презрительно ухмыльнулся. Именно для того Вася и попал под раздачу, чтобы о том узнал Биток, и он должен это понимать. Но даже если у него в голове не хватает шурупов, он все равно расскажет боссу про легкий профилактический наезд. Сафрон начал с Битком нечто вроде информационной войны и, похоже, одержал в ней первую победу...

ГЛАВА 7

Маленький город, большие дома, жара, ветра нет — смог под самые крыши. Полдень, клуб «Реверс» закрыт, работают только кафе и бары. В дверях главного входа охранник, лицо незнакомое, но Сеня почти был уверен в том, что его пропустят.

— Я Балабакин, я к Сафрону.

— К кому? — напыжился парень.

— Э-э, к Алексею Викторовичу.

Он очень надеялся, что Сафрон вызвал его к себе, чтобы купить у него новую композицию. Если, конечно, он не передумал поднимать жену на звездный небосклон.

— Сейчас.

С важным видом охранник связался по рации со своим начальником, спустя минуту-две последовал ответ.

— Проходи.

В холле было прохладно, отрада после уличного зноя. А из концертного зала казино на Сеню дунул арктический ветер: он услышал мелодию собственного сочинения, ту, на которую его вдохновила Лиза. Инструментальный наигрыш в исполнении профессиональных музыкантов.

Содрогаясь от дурного предчувствия, он зашел в зал, глянул на сцену: Элен в футболке и джинсах, за клавишными волосатый аранжировщик с серьгой в левой ноздре; он играет — она слушает.

— Это что такое? — взобравшись на сцену, заорал Сеня.

Музыкант убрал руки с клавиш.

— Во-первых, здравствуй, — удивленно посмотрела на него Элен. — А во-вторых, это моя новая песня... Слов пока нет...

— А музыка моя! — вскричал Балабакин.

— Не знаю, — пожала она плечами. — Алексей мне ничего не говорил. Просто сказал, что есть сырой материал, надо обработать...

— Но это мой материал!

— А как ты это докажешь? — спросил внезапно появившийся Сафрон.

Сеня пугливо вздрогнул, услышав его голос, но удержаться от возмущенной реплики не смог.

— Я?! Должен доказывать?! Но это моя музыка! Я ее сочинил!

— Не знаю, — нахально усмехнулся Сафрон.

Он поднялся на сцену, подошел к Сене, опустил ему на плечо тяжелую руку, дыхнул перегаром.

— Где доказательства?

Сеня вспомнил про свой мобильник, в памяти которого находился горловой наигрыш.

— Есть доказательства! Я знаю, откуда у вас взялся этот материал! С мобильника моего скачали! Пока в тюрьме меня держали!

— Какая тюрьма? О чем ты, парень? Никто ничего не докажет...

— Но музыка моя!

— Ну, пусть будет твоя. Получишь за нее деньги.

Признание авторских прав настроило Балабакина на оптимистический лад, но не избавило от дурного предчувствия.

— Сколько? — в ожидании худшего спросил он.

— Как в прошлый раз, тридцать тысяч.

Сеня мог бы вздохнуть с облегчением, но что-то мешало. Он ждал подвоха, и получил его.

— Тридцать тысяч, — с задушевной улыбкой повторил Сафрон. И, как о чем-то незначительном, добавил: — В рублях... Хочешь, пятитысячными купюрами? Новенькие, хрустящие, только что из банка...

Он откровенно издевался над Сеней.

— Так нечестно, — надулся тот.

— А ты знаешь, где я сейчас был? Я с твоим другом Волынком разговаривал. И знаешь, что он мне сказал?

— Что? — насторожился Балабакин.

— Плохо дело, брат. Кому ты двести тысяч отдал?

— Ну, Стелле. Как он сказал, так я и сделал...

— А кто видел, что ты отдавал?

— Не понял, — похолодел Сеня.

— Стелла говорит, что не брала никаких денег.

— А Лиза?

— Какая Лиза?

— Ну, Лиза с ней была. Она видела...

— Не знаю ни про какую Лизу. Знаю только, что Волынок счетчик включил. Ты ему двести тысяч торчишь и плюс десять процентов за каждый просроченный день...

— Да нет же! — в панике схватился за голову Балабакин.

— Да успокойся ты, парень, нормально все. Переговорил я с Васей, долг ему твой отдал, сказал, что ты под моей «крышей». Все нормально будет, никто тебя не тронет...

— Деньги не надо было отдавать. Лиза видела, что я деньги отдавал, я с ней свяжусь, она подтвердит...

— Ты хочешь, чтобы я поехал к Васе, потребовал назад деньги? Типа, извини, брат, лоханулся по тупости... Запомни, парень, Леха Сафрон никогда не был лохом!.. И если тебе сказали, что все в порядке, значит, все путем... Получишь тридцать тысяч рублей — и помни мою доброту...

На этом разговор закончился. Сеня понял, что попал к Сафрону в кабалу. Как понял, что не было смысла звонить Лизе, искать у нее доказательства своей невиновности, никому это не нужно — ни Васе, ни Сафрону. К тому же он не знал номера ее телефона...

Лиза позвонила ему сама. Он выходил из «Реверса» с жалкой подачкой в тридцать тысяч рублей. Обидно было чувствовать себя лохом. Как же так, он вроде бы не даун, не тормоз, толк в жизни знает, а кидают со всех сторон... Под прессом досады он даже не сразу понял, что звонит телефон. А когда взял трубку, было уже поздно. На дисплее вместо номера — «неизвестный абонент».

Впрочем, спустя минуту звонок повторился.

— Арсений?!

Это была Лиза, он не мог не узнать ее ликующий голос.

— Ну наконец-то, — в том же мрачном расположении духа вяло изобразил радость он.

— Наконец-то! Я тебе целую неделю звонила!

— А номер не отвечал...

— Да! Почему ты не брал трубку?

— Потому что телефон — ек! Знала бы ты, сколько денег с него скачали, — буркнул он.

— Сколько? — скорее механически, нежели из интереса спросила она.

— Тысяч тридцать в евро.

— Ты что, миллионер, столько денег на счету держать?

— Здесь другой случай...

— Может, я могу тебе помочь?

— Может, и можешь, — кивнул он, рукой смахнув пот со лба.

Жарко, а в машине у Лизы наверняка прохладно.

— Можем на озеро съездить. — К радостным вибрациям в ее голосе добавилась страстная дрожь.

— Ты читаешь мои мысли... Ты где?

Лиза обещала быть через четверть часа. Сеня осмотрелся вокруг, остановился на вывеске ближайшего бара, сказал, что будет ждать ее там.

Выбор оказался удачным, в баре было прохладно, почти безлюдно, играла приятная музыка. За стойкой симпатичная девушка-бармен. Темные волосы, стильное каре по плечи, черные и очень густые брови. Чересчур широкие скулы, черты лица не совсем правильные, но положение спасали игривые с поволокой глазки, задорно вздернутый носик и вишневой сочности губки. Она протирала бокалы, снисходительно улыбаясь какому-то парню, сидевшему за стойкой на высоком барном стуле и что-то ей говорившему.

— Большой бокал «Туборга», — небрежно сказал Сеня, бросая на стойку сотенную купюру.

Хоть и кинули его, но все равно денег у него немало. А холодное пивко так манит воображение.

— О! Превед!

Парень за стойкой смотрел на него с улыбкой. Сеня тоже узнал его. Это был очкарик Тимоша, с которым он провел несколько часов в «обезьяннике».

— Здорово, кащенит! — широко улыбнулся Балабакин.

В камере, помнится, он готов был убить этого паренька, а сейчас радовался ему как родному. Тюремный синдром.

— Эка на какую красавицу замахнулся! — задористо подмигнув барменше, сказал Сеня.

Девушка кокетливо улыбнулась ему. И с насмешкой глянула на Тимошу, дескать, смотри, как надо с женщинами разговаривать.

— Как зовут нашу бесподобную мисс? — продолжал куражиться Сеня.

Может, он в какой-то степени и неудачник, но девушек он кадрить умеет, а это уже показатель мужской состоятельности.

— Оксана.

— А что наша милая Оксана делает сегодня вечером?

— Идет домой.

— А как насчет пойти ко мне домой?

— А какая у тебя музыка? — ничуть не стесняясь, жеманно улыбнулась она.

— Превосходная.

— А резина есть?

— Само собой.

— Тогда пойдем.

Все просто, как, впрочем, и должно быть. Девушки подобны необъезженным кобылицам, взнуздать их может только сильный и решительный ковбой. С растяпами и губошлепами они тоже могут быть любезными, но только для того, чтобы поиграть с ними, потешить свое самолюбие, потом взбрыкнуть и сбросить на землю, да еще копытом по лбу треснуть. С Тимошей такой номер запросто мог пройти, а Сеня парень брутальный, он сразу берет кобылу за гриву...

— А как же наш друг Тимоша? — с улыбкой глядя на Оксану, спросил он.

— Ваш друг Тимоша сопли жует, — пренебрежительно усмехнулась девушка.

— Быть этого не может! — изобразил удивление Балабакин.

— Не может, — хлюпнул носом разобиженный очкарик.

— Вот и я говорю, что не может. Знаешь, где мы с ним познакомились? — обращаясь к Оксане, спросил Сеня. — В тюрьме. Он девушку защищал, двух бакланов завалил. И в камере круче его никого не было, понятно? Чуть что не так, в глаз!..

Сеня врал, а оттого его речь звучала четко и убедительно, барменша слушала, приоткрыв рот. Когда он закончил, она уже с восхищением смотрела на Тимошу.

— А ты говоришь, сопли жует... Может, сейчас не в адеквате, так это потому, что влюбился в тебя... И резины у меня нет...

— И не надо, — отстраненно покачала головой Оксана.

— У меня есть! — дрожащим от волнения голосом ляпнул Тимоша.

— Это ты о чем? — нахмурилась она.

Сеня с упреком глянул на парня. И надо было ему все испортить.

Можно было бы исправить положение, но в бар уже входила Лиза. Сеня быстро допил свое пиво, дружески хлопнул Тимошу по плечу и направился к своей подружке.

Казалось бы, если женщина полная, то тело у нее должно быть знойным, но у Лизы только в глазах тропики, а прикосновение к ее упругим формам сулило прохладу. Возможно, это была всего лишь иллюзия, но Сеня физически ощущал исходящую от нее свежесть.

— Привет.

Она нежно смотрела на него и смущенно улыбалась в ожидании поцелуя. Сеня потянулся к ней, чмокнул ее в прохладные наливные губки. Она не позволила ему отстраниться, ласково коснулась рукой его затылка, легонько притянула к себе голову, жадно впилась в губы.

— Какой же ты сладкий! — отпустив его, упоенно сказала она.

— Если ты не против, давай об этом в машине поговорим.

Ему не хотелось, чтобы эта сентиментальная сцена происходила на глазах у всех.

В машине Лиза вновь присосалась к его губам. Здесь он перенял у нее инициативу.

— Ты знаешь, мне тоже очень нравится, — отстраняясь, не без восторга сказал он.

— Ты обо мне думал? — с надеждой спросила она.

— У тебя много времени на разговоры?

— Да, часов пять... Друзья к мужу приехали, они долго будут... И на озеро успеем, и поговорить... Я все время думаю о тебе. А ты на звонки не отвечал. Я думала, умру...

— От этого не умирают.

— Я тоже думала, что не умирают. Я бы радовалась,

если бы Гена куда-нибудь пропал. А пропал ты... Я так переживала. — Она с обожанием смотрела на Сеню.

Смотрела и смущала, а он не знал, куда девать глаза.

— Поехали на озеро. Жарко.

— На нашу полянку? — тронув машину с места, спросила она.

— Почему на нашу? Ты же там с мужем была...

— Я не хочу о нем слышать. — Казалось, она вот-вот расплачется.

— Не любишь.

— Раньше думала, что не люблю. Сейчас точно знаю, что ненавижу...

Все-таки навернулись слезы на глаза.

— Засада.

— Не то слово... Он меня к Стелле отпустил, но я не поехала. Не хочу с ней, да и ты отозвался... И к мужу не хочу. К нему друзья пришли, водку пить будут, он когда выпьет, такое начинает... Не хочу к нему, не хочу с ним...

— У всех свои проблемы. У тебя с мужем кабала, у меня с братвой.

— С кем, с Васей?

— Нет, тут другое. Да и не суть важно... Меня в заложниках держали, больше недели, потому и трубку не брал. Песня на телефоне была, я сочинил, так они скачали, тридцать тысяч всего заплатили, если бы в евро, а то в рублях...

— А ты деньги любишь?

— Кто ж их не любит.

— Что бы ты с ними делал?

— Студию бы свою открыл, мог бы продюсером стать, звезд бы делал, песни бы для них сочинял... Ты петь умеешь?

— А ты что, звездой хочешь меня сделать?

— Ну, если деньги есть, все можно.

— И много надо?

— Чем больше, тем лучше. Миллион — российская сцена, десять — можно за рубежом счастье попытать...

— А просто за рубежом жить? Где-нибудь на берегу моря. Особняк с бассейном, песчаный пляж. Я тебя буду любить, ты меня, — в предвкушении счастья сказала Лиза.

— У тебя есть такой особняк? — с интересом посмотрел на нее Сеня.

— Нет, но может быть. Где-нибудь на Мадагаскаре.

— Почему именно на Мадагаскаре?

— Чем дальше, тем лучше... Я сбежать от мужа хочу. С деньгами.

— И много у него денег?

— Очень. Нам с тобой на всю жизнь хватит.

— Нам с тобой?

— Я с тобой сбежать хочу.

— Ну ты и дура! А если я твоему мужу скажу?

Он думал, что Лиза испугается, а она всего лишь расстроилась — от мысли, что любимый человек может ее предать.

— Если скажешь, меня убьют. Он — вряд ли, потому что любит. А они даже раздумывать не будут...

— Кто они?

— Его друзья. Это очень страшные люди. Но я их не боюсь. Мне все равно... Чем с Геной жить, лучше вообще не жить...

— Уйди от него, если не любишь.

— Так я, по-твоему, что собираюсь сделать! Убежать хочу, с тобой. Сделаем паспорта, купим билеты, заберем деньги и улетим...

— С деньгами нас не пропустят.

— Деньги можно положить на счет, взять с собой банковскую карточку... Я узнавала, так можно...

— Я смотрю, ты уже готовишься к бегству.

— Пока что теоретически. Если бы ты согласился...

— Ты это серьезно?

Лиза остановила машину, с неподдельной преданностью посмотрела на него.

— Серьезней не бывает.

Трудно было усомниться в ее искренности, но все же Сеня искал в ней подвох. Слишком часто попадал он впросак, чтобы развешивать уши.

— И откуда у твоего мужа деньги?

Он ждал, что девушка попытается увильнуть от вопроса, тем самым усилит его подозрения.

— Ты думаешь, почему мой муж сиднем сидит дома? На деньгах он сидит, казну охраняет. И друзья его приезжают не просто так — то привозят деньги, то забирают. У нас целая комната под сейф отведена...

Это было похоже на правду. Во всяком случае, только за такие слова Лизу могли жестоко покарать.

— Да ладно, целая комната.

— Она сама по себе сейф. Но в ней еще и тайник... Гена эту комнату сундуком называет. В сундуке заяц, в зайце утка...

— Подозреваю, что эта утка может оказаться у меня под кроватью, — с горькой усмешкой сказал Сеня. — Сломают хребет, всю жизнь потом на утку ходить...

— Не сломают. Гена говорит, что Матвей не очень жестокий человек. Он никого не мучает, он сразу убивает...

— Матвей?

— Да, казино «Пьедестал», он им заведует. Оттуда и деньги. Очень большие деньги...

— Очень большие деньги, но за них сразу убивают, — в раздумье проговорил Сеня.

— Вот видишь, я тебе все сказала. Теперь у меня выбора нет, или ждать, когда меня убьют, или бежать одной...

— Почему нет выбора?

— Если ты не согласишься бежать со мной, то рано или поздно проболтаешься. Ты же говорил, что у тебя с братвой кабала...

В глазах у Лизы угадывалась отчаянная безуминка, но говорила она продуманно, как трезвомыслящий человек. Глядя на нее, Сеня понимал, что теперь она целиком в его руках.

— Я не проболтаюсь, — сказал он. — Но если ты мне не веришь, у тебя еще есть вариант. Ты можешь убить меня...

— Не могу. Во-первых, я тебя очень люблю. Во-вторых, я не могу убить человека...

— Обокрасть можешь, а убить — нет?

— Давай не будем об этом. А если будем, то не здесь.

— А где?

— Давай уедем отсюда.

Сеня уже не сомневался в том, что Лиза искренна в своем желании удрать вместе с ним от мужа.

— И много денег? — спросил он, мысленно подставляя под рог изобилия чашу весов, которая могла склонить ее к предлагаемому выбору.

— Я же говорила, что очень. Несколько миллионов долларов. Золото. И алмазы. Много алмазов... Их можно провезти с собой, если хорошо спрятать...

— Ты уже и об этом думала?

— Я о тебе думала. О нас с тобой...

— Несколько миллионов долларов. И небо в алмазах... Не надо на Мадагаскар, лучше на западное побережье Штатов. Лучше всего в Лос-Анджелес. Я могу музыку для фильмов писать, для голливудских, а это такие деньги. И там уж меня никто не обманет, ну, может, на первый раз дам себя обмануть, для затравки...

Сеня воспарил в мечтах и даже не заметил, как машина остановилась на знакомой уже полянке.

— Купим особняк, будем тусоваться с голливудски-
ми звездами... А ведь это вариант.

— Если ты хочешь, я могу похудеть, — ликующе
сказала Лиза.

— Это совсем не обязательно, но если ты хочешь...

— Я хочу все, что ты хочешь, — счастливо улыбнулась она.

— А как мы заберем деньги, если там сейф?

— Я знаю код... Вот видишь, я все ближе к пропас-
ти... Матвей не доверяет мне, а Гена доверяет. Или он
раскрыл тайну, чтобы покрепче привязать меня к себе...
А может, выпил чересчур...

— А Матвей почему не доверяет?

— Потому что я женщина... Я даже знаю, почему
Стелла выпытывает у меня про сейф...

— Она что, в курсе?

— Выходит, да. Я знаю, это ее Матвей на меня на-
уськал. Может, не сам, может, через Васю, но это не так
важно...

— Важно. Пока мы не сбежали, важно.

— Так ты со мной? — просияла Лиза.

— Ну а куда я от тебя денусь? — улыбнулся Сеня.

Мысленно он уже подыскивал себе «Порше» в авто-
салоне где-нибудь на Беверли-Хиллз... Хорошо бы еще
познакомиться с какой-нибудь голливудской красоткой, но с этим придется повременить. Нельзя изменять
Лизе, неизвестно, как поведет она себя, узнав о его по-
хождениях; может и Гене своему рогатому позвонить...

* * *

Лифт с шумом дернулся на верхнем этаже, электро-
двигатель потащил его вниз. Половина третьего ночи,
время, когда все спят, но все равно страшно — вдруг
кто услышит, вдруг вызовет милицию...

Гена жил на четвертом этаже, казалось бы, подняться на своих двоих — дело плевое. Но у Сени от страха подкашивались ноги, он уже жалел, что ввязался в это гиблое дело. Спал бы сейчас дома, ни о чем не думая, так нет, топор на свою шею ищет... Лифт опустился, створки дверей раздвинулись. Сеня сделал шаг назад и в сторону. Ну его на фиг!

А как же небо в алмазах? Как же бурный роман с Кирой Найтли?..

Балабакин пересилил себя, зажмурив глаза, споткнувшись о железную полоску порожка, ввалился в лифт, вжался в угол кабины. Дверцы задвинулись, но лифт остался стоять. Только когда Сеня догадался нажать на кнопку, подъемный механизм пришел в движение.

Страх одолел его с новой силой, когда он брался за ручку бронированной двери. Сейчас зайдет в квартиру, а там Гена в пиратской косынке и с кинжалом в зубах; сначала он станцует лезгинку, а затем перережет ему горло... Сеня не выдержал, подался назад, разворачиваясь на сто восемьдесят градусов.

Он бы сбежал, если бы дверь не открылась сама.

— Арсений, ты куда? — громким шепотом остановила его Лиза.

— А-а, нормально все, — натужно улыбнулся он и на негнущихся ногах сделал шаг к ней.

— Заходи, быстрей.

Она стояла в дверях гостиной, когда Сеня зашел в квартиру. В прихожей рядком стояли четыре пластиковых чемодана, из них только один был с вещами, остальное — наличность. У Балабакина захватило дух. Неужели так много денег?

— Что, уже все? — пытаясь унять нервную дрожь, спросил он.

— Дверь закрой, — недовольно посмотрела на него Лиза.

Она тоже волновалась, но держалась куда уверенней, чем он.

— А-а, да...

Не оборачиваясь к двери, он взялся за ручку, потянул ее на себя. Щелкнул язычок, похоже, все. Запирать ее смысла нет, все равно уже пора уходить. Да и не знал он, как управляться с замками.

— Разувайся, заходи. — Лиза поманила его к себе рукой и зашла в гостиную.

Он послушался, снял туфли, в носках последовал за ней в комнату. Только затем спросил:

— Зачем?

— Присядем на дорожку, — вполне серьезно сказала она.

И присела на краешек дивана.

— Уматывать отсюда надо! — возмутился Сеня.

— А я говорю, присядь. Иначе удачи не будет.

Он присел рядом с ней, в оба глаза глядя на дверь, в которую могли сейчас войти люди, которые заманили его в ловушку.

— А Гена где?

— Спит. Хочешь посмотреть?

Лиза должна была усыпить мужа и, по всей вероятности, сделала это. Иначе бы она просто не смогла выпотрошить его тайник.

— Нет! — мотнул головой Сеня.

— Ты что, боишься?

— Да нет, с чего ты взяла?

— С того, что боишься. Я тоже боюсь. Но главное мы уже сделали. Деньги я забрала, алмазы тоже. Гена будет спать завтра весь день, мы все успеем сделать...

— Не успеем. Если не уберемся отсюда прямо сейчас!

Сене казалось, что в комнате опускается потолок, пока что медленно, но уже с ускорением. И если они немедленно не покинут дом, железобетонная плита погребет их с Лизой под своей тяжестью... И зачем он вообще сюда приходил? Все и без него сделано, мог бы подождать Лизу и на улице. Чемоданы тяжелые, но ведь она девушка сильная, ей такая ноша вполне по силам.

— Уходим, — поднимаясь с дивана, сказала она.

Сеня вышел в прихожую, взял в каждую руку по чемодану. В одном килограммов тридцать, и в другом примерно столько же. Одна стодолларовая купюра весит девятьсот пятьдесят миллиграммов, пачка — почти сто граммов, сто тысяч — килограмм, значит, в каждом чемодане миллиона по три долларов... «Эх, донести бы все это до банка. Сколько еще проблем впереди...»

Но Степан на него уже не смотрел: в открытую дверь он увидел Комова. Майор шел ему навстречу.

— Лапоть ты, — услышал он за спиной. Участковый пенял постовому. — Здесь убийца стоять мог, а ты чинариков набросал...

Степан надеялся, что эксперты уже осмотрели прилегающее к двери пространство, собрали свежие окурки, сфотографировали лестничную площадку.

— Соседка позвонила, — начал Федот. — С утра дверь открыта была, с работы пришла, смотрит, опять все настежь. Хозяев кричать стала — никого. В квартиру входить не решилась, но в милицию позвонила.

Степан осмотрел прихожую, которую смело можно было назвать холлом: размеры позволяли. Справа — кухня, прямо — гостиная, слева дверь, ведущая в коридор, на который замыкались санузел и три комнаты, в том числе и спальня, где был обнаружен труп.

Мужчина лежал в кровати, на животе, правой щекой на подушке. Левая рука лежит поперек второй половины двуспальной кровати; вторая — вытянута к высокой спинке, ладонь просунута в зазор между ней и матрацем. Простыней укрыта лишь нижняя часть тела, торс открыт. А на спине любопытная картинка — сидящая на пушке полуобнаженная женщина в гусарском кивере и с горящим факелом в руке. Старая уголовная наколка, символизирующая верность женщине, но похоже было, что в недавнем прошлом над ней потрудился настоящий мастер тату — усилена четкость и глубинность линий, создан эффект объемности, добавлен фон — клубы порохового дыма. Но где-то на верхней части спины, не исключено, можно было найти микрочастицы настоящего сгоревшего пороха. Человека убили из огнестрельного оружия. Пуля прошла височную кость с левой стороны черепа, вышла с правой его стороны.

Голова лежала на залитой кровью подушке — то ли утопала в ней, то ли растеклась по ней после выстрела. В определенных случаях усиленная пуля вполне может создать эффект лопнувшего арбуза, это когда череп в области выходного отверстия лопается и проседает, как спущенное колесо...

Не похоже было, что перед смертью мужчина бился в конвульсиях. Поза безмятежно спящего человека.

— Во сне умер, — сказал Федот. — Выстрел в упор, мгновенная смерть...

Степан взглядом показал на татуировку.

— Наш клиент.

— Наш. На правой руке синюшные перстни, белый крест на черном фоне и черный — на белом. Первый — «прошел через «Кресты», второй — «прошел через зону»...

— «Кресты» — это в Питере.

— Ну да.

— Сам откуда? Личность установили?

— Да, паспорт нашли. Толстухин Геннадий Ульянович, шестьдесят девятого года рождения, город Тихвин Ленинградской области, не женат, прописан по этому адресу. Паспорт современного образца, отметок о судимости нет...

— По картотеке пробей.

— Уже работаем, Расколов занимается. Жду звонка. Но и так ясно, что наш клиент... И по всей видимости, из команды Биткова...

Федот вывел Степана на балкон, но «Хаммера» во дворе уже не было.

— Уехал, не дождался...

— Ты что-то про интересную комнатку говорил, — напомнил Степан.

— Да, да...

Комната, к которой подвел его Комов, была заперта. Тяжелая бронированная дверь с надежным кодовым замком.

— Такую только автогеном вырезать, — посетовал Федот.

— Что там может быть? — в раздумье спросил Круча.

— Очень хотелось бы знать.

— Собака была?

— Да. След не взяла. А насчет комнаты, там живых людей нет. И мертвых тоже. Но комната очень интересная...

— Придется автогеном вырезать.

— Я спасателей вызвал, скоро должны быть.

Степан вернулся в спальню. Судмедэксперт уже накрыл тело простыней.

— Забирать будем, — сказал он вроде бы утвердительно, но с оглядкой на большого начальника. — Осмотр провели, пулю нашли...

— Нашли пулю? — перебил его Круча.

— Да. Пуля навылет прошла, пробила матрац, застряла в паркетной доске. Хорошо, кровать с высокими ножками, отодвигать ее не пришлось, чтобы под нее залезть...

— Похоже на «ТТ», — сказал криминалист, Погудев Борис Евсеевич, сорокалетний мужчина с мясистым лицом, баками и пышной бородой — возможно, в подражание Алану Пинкертону. — Калибр семь шестьдесят два; по всей видимости, высокая начальная скорость...

— Одна пуля?

— Да.

— Гильза?

— Гильзу не нашли. Возможно, преступник ее забрал. Вот смотрите, похоже, она в стекло стукнулась...

Эксперт показал на платяной шкаф с четырьмя дверцами, две из которых были стеклянными. Он стоял рядом с кроватью, через проход от того места, где лежал убитый человек.

— Здесь царапинка небольшая, не берусь утверждать, что от гильзы, но похоже на то.

Криминалист показал, как примерно стоял убийца, как вытягивал руку с пистолетом, откуда и по какой траектории вылетала гильза — ударилась в стекло, пролетела через проход, упала на кровать, улеглась на мягком, откуда, возможно, и забрал ее преступник... Если так, то убийца был хладнокровным человеком: экстремальная ситуация не выбила его из колеи. Ему хватило нервов спокойно проконтролировать полет гильзы, преспокойно поднять ее с постели.

Он явно не суетился. Сразу понял, что достиг своей цели с первого выстрела, даже контрольный производить не стал. Сделал дело и спокойно ушел.

— Рану я осмотрел, — сказал медик. — Отложений копоти вокруг нее не обнаружил. Значит, стреляли с расстояния более двадцати сантиметров. Это если из пистолета... А если из винтовки, то еще дальше, минимум семьдесят сантиметров...

— Палыч, ну какая винтовка? — поморщился криминалист. — Ясно же, что из пистолета.

— Это я так, к слову...

— К слову, — в раздумье сказал Степан. — Ясно, что из пистолета... А если бы из винтовки... Винтовка стреляет громче пистолета. Но из пистолета тоже громко... Что говорят соседи?

— Никто ничего не слышал, — покачал головой Комов. — А ведь ночь была.

— Ночь?

— Если вернее, то раннее утро, — подсказал эксперт. — Предположительно, смерть наступила в пять часов, но погрешность большая, плюс-минус час. Труп почти весь день без осмотра пролежал... Более точное время после вскрытия дам...

— Ночь, утро, должен был кто-то слышать выстрел, — задумчиво изрек Степан.

— Может, глушитель, — сказал эксперт. — А может, специфика настенного покрытия. Ремонт в квартире на совесть делали, я смотрел стены — толстый слой штукатурки, под ней приличный звукоизоляционный слой, и пол под такой же шубой, и потолок... Но не исключено, что глушитель.

— Погодите труп забирать. Сам гляну, что да как...

Осмотр места происшествия Степан начал от входной двери в направлении к спальне. Погудев находился рядом с ним. Он почти два часа работал на месте происшествия — знал о следах, которые могли быть уничтожены множеством ног.

— Заметьте, Степан Степаныч, везде порядок, нигде ни пылинки.

Обстановка в квартире богатая, дорогая мебель подобрана со вкусом, порядок в доме идеальный.

— Чувствуется женская рука, — заметил Круча.

— Об этом чуть позже... Палас на полу, следов ног не было. Частицы грязи я обнаружил только на коврике с наружной стороны дверей. Мне кажется, преступник там снял обувь, прежде чем направиться в квартиру. Или...

— Что или?

— Сейчас...

Погудев сбил Степана с маршрута, показал ему на кухню, которую он собирался осмотреть чуть позже. Здесь полный порядок: все блестит, все сияет.

— Ни одного отпечатка пальца, каково?

— Точно ни одного?

— Не, если провести более тщательный осмотр, тогда где-нибудь на посуде в шкафах и можно что-нибудь

— Подгони... Ленка Белая хорошо делает...

Сева ушел, вернулся только через час, один.

— И где тебя носило? — качнув пальцем опустевший бокал, недовольно спросил Матвей.

— Сюрпрайз! — расплылся в улыбке Сева. — Только не подумай, что я сильно настаивал. Сама согласилась...

Ему не понадобилось объяснять, о ком шла речь. В кабинет эффектной походкой от бедра вошла Марго. Шелковая прозрачная накидка, символический лифчик с блестками, едва выдерживающий натиск ее пышного бюста, высоко поднятые стринги, прозрачные туфли с оплеткой до колен. Тело у нее уже не мокрое, насухо протерто после выступления, но кожа сыроватая, волнующий запах пота, женского естества. Матвею это нравилось.

— И какого ты ее привел? — с притворным недовольством спросил он, чтобы сбить с Марго цену.

— Сама напросилась, — ухмыльнулся Сева.

— Ну, не сама... — пожала плечами девушка.

Глаза у нее чисто изумруд — и по цвету, и по силе притяжения. Матвей вдруг подумал, что из-за этих глаз можно потерять душу.

— Но я не против, — сказала она.

— Тогда в сад. В сад! — развеселился Сева.

Массажный стол находился в зимнем саду, возле фонтана, в окружении мраморных статуй древнегреческих богов и богинь. Грозный Зевс, красавчик Аполлон, крылатый Эрот в обнимку с полуголой Психеей, рядом рогатый Пан держит за руку его мать, обнаженную Афродиту... Красиво и помпезно. Одно время Матвей даже жалел, что у него на теле нет свободного места, чтобы наколоть на него весь этот пантеон...

Он разделся, лег на массажный стол. Марго накрыла простыней нижнюю часть его тела. Растерла спину ароматным маслом. Руки у нее легкие, теплые и возбу-

найти, но на столах, на стеклах, на керамике электроплиты — ничего... Да, вы правильно сказали, Степан Степаныч, здесь явно похозяйничала женщина. Вопрос, с умыслом или нет...

Криминалист провел его в комнату, примыкавшую к спальне убитого. Трехстворчатый шкаф, кровать-полуторка, широкое трюмо с большим зеркалом, телевизор на стеклянной тумбочке, пушистый ковер. На стене две картины, и везде одно и то же — скучный осенний пейзаж. На трюмо две мягкие игрушки — розовый слон с печальными глазами и плетью повисшим носом; желтая обезьяна с глазами, тушью исправленными с веселых на грустные. Там же баночки с кремами, коробки от женских духов.

— Тоска зеленая, — сказал Степан.

— Вот и вы заметили! — кивнул Погудев.

Он открыл створки шкафа, показал на два женских платья, сиротливо висящих на длинной штанге, в другом отсеке белье, вернее, то, что от него осталось. Внизу — пустые коробки из-под обуви.

— Жила-была девушка, но собрала вещи и куда-то подевалась, — менторским тоном сказал криминалист.

— А вещи собрала, — кивнул, соглашаясь, Степан.

— И заметьте, какой порядок после себя оставила.

В комнате было чисто — ни соринки, ни пылинки, на шторах ровные складки, покрывало на кровати идеально разглажено.

— Заметил.

— Ну а теперь место, где произошло убийство.

Степан зашел в спальню, где лежал прикрытый простыней покойник.

— Здесь тоже чистота и порядок. Если, конечно, не смотреть на кровать...

Степан не мог не согласиться с этим утверждением. На тумбочках светильники, на столе хрустальный графин с водой, стаканы, на угловой этажерке шкафа фарфоровые статуэтки. И ничего не тронуто...

— Документы где были? — спросил он у Комова.

— В гостиной, в гарнитурной стенке.

— Деньги?

— Там же лежали. Сорок шесть тысяч рублей.

— Приличные деньги. Но их не тронули... Значит, не для того Толстухина убивали.

— Женщина с ним жила, — с важным видом сказал Погудев. — Занимала целую комнату, но, судя по всему, спала с ним. Простыня в том месте, где она могла лежать, смята. И простыня откинута, как будто она вставала на время, чтобы снова лечь. Встала, но не легла...

— И куда она подевалась?

— Вот я и говорю, что вопрос... Я осмотрел ее платье, обувь, похоже, размер этак пятьдесят второй, не хрупкого телосложения женщина. Да и соседи говорят, что девушка была в теле...

— И что?

— Ну, могла и хрупкая убить... Выстрелить в сожителя, пока он спал...

— Почему в сожителя? — перебил Погудева Степан.

— В паспорте убитого нет отметки о регистрации брака.

— Логично.

— Так вот, убить его было не сложно, во всяком случае, в техническом плане. Если рука крепкая, промахнуться с близкого расстояния трудно...

— Если она стреляла, гильзу тогда зачем забрала? — спросил Степан.

— По гильзе можно определить, из какого оружия стреляли.

— Откуда она могла это знать?

— Значит, ученая.

— Если ученая, должна понимать, что ствол можно вычислить по пуле...

— На всякий случай взяла, — пожал плечами криминалист. — Упала удобно, отчего не взять... И порядок в квартире навела.

— Зачем?

— Чтобы уничтожить следы своего пребывания.

— Тогда зачем платья в шкафу оставила, банки-склянки на трюмо?.. Нелогично...

— Может, она с вечера порядок навела. Убралась в кухне, легла в постель, а когда Толстухин заснул, взялась за пистолет...

— Возможно, все возможно. Личность сожительницы установили?

— Пока лишь частично, — покачал головой Комов. — Документов нет, фамилия не известна. Но соседи говорят, что Лиза ее зовут, очень симпатичная девушка в теле, лет двадцать. Добрая, отзывчивая, только глаза всегда печальные. Соседка сказала, что с женщинами так бывает, если они с нелюбимыми живут...

— Нелюбовь — штука суровая... Сколько ей, двадцать?

— Примерно.

— А ему под сорок.

— Под сорок, — кивнул судмедэксперт Палыч. — И далеко не красавец. Денег полно, а зубы гнилые...

— Соседка говорила, что вид у него болезненный был, — добавил Комов. — Как будто чахоточный. Она даже в больницу ему советовала сходить. Говорит, отмахнулся...

— Как он с соседями жил?

— Нормально, не конфликтовал. Деньги до зарплаты всегда одалживал... И с Лизой хорошо жил. Не обижал, говорят. И глаза светились, когда рядом с ней шел. Любил очень... Он — да, она — нет. Хотя и не факт...

— Где работал? Чем занимался?

— Не работал. Дома сиднем сидел, на улицу редко выходил. Соседка его раза раз пять-шесть за два года видела...

— Машина у них была?

— Да, темно-синяя «Хонда Аккорд».

— Документы на машину?

— Не было документов, ключей тоже... Похоже, уехала Лиза.

— Регистрационный номер автомобиля определили?

— Да, — кивнул Федот. — Через дорожную инспекцию, автомобиль на Толстухина был зарегистрирован. Я уже дал команду, ищут машину, и Лизу тоже...

— Думаешь, она?

— Не похоже, что тут кто-то посторонний побывал. И в доме чисто, и сработано чисто...

— Вот тебе и девушка с добрыми, но печальными глазами...

— Меня Битков настораживает, — озадаченно сказал Федот. — Что-то ему здесь надо... Может, Лиза на него работала, может, он заказал Толстухина...

— Зачем?

— Ну, мало ли что...

— А может, и не он... Может, его сейфовая комната интересует. Что там?

— Спасатели сейчас будут, узнаем...

— А нужны они, эти спасатели? — в раздумье спросил Степан. — Может, без них обойдемся...

— Как?

— Есть план... Дверь не трогать, квартиру держать под присмотром, усилить охрану, никого не пускать. Но это все пока...

Степан собирался убить сразу двух зайцев. Во-первых, он мог узнать, какие интересы связывали покойного с Битком, а во-вторых, без взлома попасть в тайную комнату...

ГЛАВА 9

Матвей нервно мерил шагами периметр конференц-кабинета; за витринными окнами веселится народ, всем хорошо, только ему дурно, и на душе переполох.

— Ну что там? — сурово спросил в телефонную трубку Сева. — Стоят?.. В оба гляди!

Матвей внимательно посмотрел на него.

— Менты на стреме, пост не снимают.

— Время уже — половина первого ночи!

— Как будто я в этом виноват! Не надо было светиться перед ними, — недовольно буркнул Сева. — Они тебя пропасли, врезались, что не все там чисто... Скажи спасибо, что до сейфа не добрались.

— Ты в этом уверен?

— Да. Есть информация.

С тех пор как Степан Круча взял Матвея в оборот, битовский ОВД попал в плотную разработку. Сева работал аккуратно, не лез на рожон, но мента из дежурной части прикормил.

Убили Генчика!.. Для Матвея это было таким шоком, что он даже забыл об осторожности. Правильно сказал Сева, не надо было ему светиться перед ментами... Но что сделано, то сделано...

— Дема где? — спросил Матвей. — Опять со своей бабой?

— Да ты что, какая баба? — возмутился Сева. — Тут такой шухер, все на ушах... Нет, здесь он, с Толиком крутится...

— Пусть крутится... А то расслабились, ля... И вообще, кончать надо с этими амурами. Генчик подженился, и что?

— Думаешь, Лизка его сделала? — скребнув пальцами по щетинистой щеке, озадаченно спросил Сева.

— А кто еще?.. А я знал, что их шуры-муры добром

не закончатся. Как чувствовал, что эта сука фортеля даст... А если Генчик ей коды от сейфов сказал?

— Ты же знаешь Генчика, сколько лет вместе, когда он подводил? — без должной уверенности сказал Сева.

— И на старуху бывает проруха. Тем более здесь. Живете здесь, как на курорте, расслабон поймали, лядьми обросли... Что делать, если казна вместе с этой сучкой ушла?

— Хреново, если ушла...

— Всегда говорил, нельзя близко подпускать к себе лядей.

Матвей подошел к окну, глянул на пьедестал. На верхней ступеньке извивается в танце Марго, королева стриптиза с красивой лебединой шеей. Он уже знал, как ее зовут, знал, кто она такая, откуда взялась. Но так и не смог узнать, что эта мисс представляет собой в постели. Соблазнительная гордячка. Первое время она кормила его смутными обещаниями, в конце концов согласилась поужинать с ним, но позволила себя обнять только в танце. Какое у нее тело, сколько в нем огня...

Он дошел до того, что пообещал ей место старшего администратора в клубе, лишь бы затащить ее в постель. Не купилась. Сказала, что стриптиз — ее призвание и танцует она исключительно из любви к искусству; и ей все равно, есть у нее высокий покровитель или нет. Он мог бы выгнать ее из клуба, но ведь она другой найдет. Был еще один способ овладеть ею — силой, но Матвей не стал доводить дело до крайности. Не смог взять девушку мытьем, взялся за нее катаньем. Хочешь танцевать — танцуй, но не смей выходить к разгоряченным клиентам. Все танцовщицы могут стричь с мужиков купоны, превращать свои трусики в пальмы с листьями из денежных купюр, а Марго не может. Она раздевается чисто из любви к искусству, на голом окладе... И даже хорошо, что ей нельзя выходить к мужикам за подарками — не будут похотливые руки лапать ее роскошное тело...

— На Марго смотришь? — с плохо скрытой насмешкой спросил Сева.

— Не твое дело.

— Динамит?

— Еще слово, и я за себя не отвечаю.

Угроза подействовала на Севу лишь отчасти: он отошел на безопасное расстояние, но рот на защелку не закрыл.

— Все мы человеки, брат. Каждый может влюбиться.

— Это не про меня.

— Может, и Генчик так думал, когда Лизку кадрил...

— Ты чего меня лечишь? Ты суку эту найди!

— Ищем. И менты ищут.

— А если менты с бабками ее возьмут? Если камни у нее?

— Давай не будем гнать волну. Может, все в сейфе.

— Может, и в сейфе, — кивнул Матвей. И, немного подумав, добавил: — А если нет, как-нибудь выкрутимся...

— Не пропадем, — согласился Сева. — А впредь умней будем.

— Банк свой открыть надо, с депозитарием, чтобы все по уму...

Сева промолчал. И Матвей не стал лезть в дебри будущего. Сначала с настоящим надо было разобраться, а потом уже воздушные банки строить. Или раньше о своем банке надо было думать, а то через чужие деньги отмывали, за грабительские комиссионные...

— Нормально все будет, — успокаивая себя, сказал Матвей.

— Нормально, — кивнул Сева. — Расслабиться тебе надо... Хочешь, массажистку подгоню?

Идея Матвею понравилась.

ждающие. Наслаждение расслабило мышцы век, глаза закрылись сами по себе.

— Это, конечно, не мое дело, но что у вас на спине? — спросила Марго.

Ее журчащий голос убаюкивал сознание и будоражил плоть.

— Что может быть на спине? Спина.

— Нет, я про рисунок. Дракон, так живо написан...

— Кого сейчас драконом удивишь? На каждом углу рисуют...

— Рисуют. Но там китайские драконы. А этот какой-то другой...

— Угадала.

Истома проникла глубоко в тело, Матвею лень было выразить удивление.

— Японский дракон. Со мной японец один сидел, Якудза кликуха, спец по ирэдзуми...

— По чему?

— По ирэдзуми. Татуировка по-ихнему...

— Очень хорошо нарисовал. Грозно.

— Дракон у японцев — это сила, власть и мудрость. Если дракон на спине, значит, и в душе.

— А злость?

— Что злость? — вяло отозвался Матвей.

Марго разминала низ поясницы, так было приятно, что не хотелось шевелить языком.

— Дракон символизирует злость?

— Это ты о чем?

— Зачем вы меня в черном теле держите?

— Это наезд? — благодушно спросил он.

— Наезд? В смысле претензия? Да, претензия... Я теряю в деньгах из-за вас...

Будь на месте Марго другая девушка, Матвей бы даже не стал слушать этот вздор. Послал бы дуру куда подальше, и вся недолга.

— Но ты же танцуешь ради искусства, — злорадно усмехнулся он.

Похоже, не зря он оставил упрямую красотку без пряников.

— Искусство без денег — праздная иллюзия.

— Деньги нужны?

— Я не прошу у вас денег. Я хочу, чтобы вы разрешили мне их заработать.

— Ты поэтому и на массаж напросилась?

— Да.

— Мне на спину переворачиваться?

— Ну, если твердость духа на высоте... Погодите немного...

Она перестала массировать спину, как показалось Матвею, отошла от него в сторонку.

— Сейчас, сейчас... Можно!

Марго стояла рядом с Афродитой, такая же обнаженная, но более величественная в своей красоте. Матвей ощутил желание немедленно уподобиться Пану, взять ее за руку, которой она закрывала низ живота, уложить прямо на пол и... Но стоило ему подняться с массажного стола, как Марго пришла в движение, обогнула фонтан и скрылась в зарослях экзотических деревьев.

Матвей не стал ее преследовать, но связался со Стеллой и велел компенсировать ей упущенную прибыль. Он решил, что пяти тысяч евро ей будет достаточно, чтобы прочувствовать свою от него зависимость. Но табу на выход в зал он с нее не снял, не хотелось, чтобы ее лапали потные мужики...

Севу он встретил в бодром расположении духа.

— Как массажик? — с беззлобной подначкой спросил тот.

— Выше всякого... Девочка созрела.

— Отлично. Менты тоже созрели, — настраивая его на деловой лад, вставил Сева. — Охрану сняли.

— Когда? — взвелся Матвей.

— Полчаса назад.

— Тогда почему ты здесь?

— Выждать надо немного. Вдруг они вернутся. Да и ты занят был...

— Это не причина... Поехали.

Матвей должен был сам ехать на место. Во-первых, только он знал коды, если, конечно, не считать покойного Генчика. Во-вторых, если алмазы и деньги исчезли вместе с Лизой, он сам должен был в том убедиться. Расслабилась братва на вольных хлебах, разжирела, никому нельзя доверять...

Было уже три часа ночи, когда Матвей подъехал к дому на Первомайской. Дверь в подъезд нараспашку, консьержки нет и в помине. Надо было сразу для Генчика дом за городом покупать, в охраняемом поселке, трехметровым забором обносить. И чтобы никаких гражданских жен. Проститутку заказал, махнул и послал... Жил бы по такой схеме, не лежал бы сейчас в морге... Давно Матвей так не лажался, как сейчас... Но, может, деньги все-таки на месте?

Сева и Дема обследовали подъезд, открыли дверь в квартиру, подали знак, что никого там нет. Матвей поднялся на четвертый этаж, прежде чем войти в дверь, колыхнул пальцем бумажную полоску с гербовым штампом. Опечатана квартира, но его этим не остановишь.

Свет в комнатах включать не стали, Сева фонариком осветил дверь в сейфовую комнату. Она была закрыта на замок, не похоже, что ее пытались взламывать. Матвей набил пальцем комбинацию цифр на кодовом наборнике, замок приветливо щелкнул, приглашая продолжить путь. С помощью потайной кнопки он отодвинул шкаф, снова набрал код, открыл длинную дверцу сейфа. Внутри пустота, но это обман.

Нажатием хорошо скрытой маленькой кнопки он убрал дно сейфа, открылся дополнительный тайник. Но там всего два чемодана из пяти.

— Черт!!!

Матвей просунул руку в глубь хранилища, приподнял чемодан. Судя по весу, золото... И во втором тоже хранился металл...

— Проклятье!

Он не стал вытаскивать чемоданы: не царское это дело. Уступил место Севе, но только тот сунул руку в тайник, как барабанные перепонки сотряс истошный вопль Демы.

— Атас!

Сева выдернул руку, Матвей запустил механизм, который вернул на место дно сейфа. Но дверцу сейфа закрыть он не успел: комната заполнилась серой агрессивной массой из человеческих тел.

Спецназовцы не миндальничали, Матвея швырнули на пол с такой силой, что загудела от напряжения черепная кость, носоглотка заполнилась запахом ржавчины, к горлу подступила тошнота. Руки заломили за спину, на запястья надели наручники, обыскали, кто-то с силой надавил ногой на голову. И только затем в комнате вспыхнул свет.

— Ну зачем же так жестоко? — насмешливо спросил знакомый басовитый голос. — Этого увести, а этого оставить...

Спецназовцы вывели Севу из комнаты, а Матвея усадили на диван. Степан Круча подошел к открытому сейфу, заглянул внутрь.

— Значит, общак здесь у вас был? — не глядя на Матвея, спросил он.

— Все вопросы через адвоката, — угрюмо буркнул Матвей.

Сильно чесалось под правой лопаткой, а на руках стальные «браслеты»... Отвык он уже от такого дискомфорта: давно не заламывали его менты.

— Настаиваешь на адвокате? Ну что ж, раз ты этого хочешь, придется заводить уголовное дело.

— По факту?

— По факту проникновения в чужое жилище, тем более опечатанное и охраняемое милицией...

— Какое оно чужое? Это Гены квартира, друга моего... Он меня в гости приглашал...

— Ты знаешь, где твой Гена. В морге он. Он тебя туда приглашал? Туда хочешь?

Круча пристально смотрел на него, тяжело, Матвей на какой-то миг почувствовал себя тряпкой, из которой сильные руки отжимают воду.

— Ну и шутки у тебя, начальник...

— Может, шутки, а может, и нет... Ночка темная, спецназ — свои люди, сейчас заберем твой общак, вывезем тебя в лес...

Подполковник говорил тихо, без нажима, но именно потому голос его звучал зловеще. В комнате было душно, но Матвею вдруг стало холодно.

— Какой общак, начальник? Ты же видишь, пусто в сейфе...

— А ты видишь видеокамеру? — Круча подошел к окну, показал на железные прутья решетки за ней. — Не видишь. А она есть. И через нее мы видели, как ты руку вниз тянул...

Матвей сжал губы в тонкую злую линию. Он-то думал, что менты не догадаются о втором тайнике. До слез обидно, что надежды рухнули.

— Врешь ты все, начальник! Померещилось тебе. Ночь на дворе, спать охота...

— Может, я сплю и ты мне снишься? — ехидно ус- мехнулся подполковник. — Ты мне, я тебе, да?

— Хотелось бы...

— Но это не сон, Битков. Это жизнь, в которой за свои преступления отвечают головой... Я имею в виду уголовную ответственность, не подумай чего...

Именно о том и думал Матвей, что такой монстр, как этот подполковник, может снять голову без суда и следствия. Он боялся Кручу. И чем больше был страх перед ним, тем сильней он его ненавидел.

— Хорошо вы все продумали, — сказал Круча.

Как слепой по книге с выпуклыми буквами, с такой же вдумчивостью он водил пальцами по внутренним стенкам сейфа, искал кнопку.

— Две бронированные двери, мудреный сейф... Возможно, мамона ваша на месте...

Все-таки он нащупал кнопочку, все-таки добрался до главного тайника. Нащупал один кейс, второй. Но чтобы вытащить его, засунул в тайник обе руки, взялся за бока чемодана, потянул его на себя... Таким же мака- ром он извлек наружу и второй, плашмя поставил на стол. Матвей до крови закусил губу.

— И что там у нас такое? — спросил Круча, язви- тельно глядя на него.

— Не знаю, что там Гена у себя держал...

— А мы сейчас узнаем...

Круча открыл один чемодан. Золото. Второй — то же самое... Не дура губа у Лизки, наличностью взяла. И алмазы прихватила. Сука!..

— Откуда рыжевье? — спросил Круча с упоением рыбака, выдернувшего из проруби волшебную щуку.

— Без понятия, — процедил Матвей.

— Странно, воровской человек — и без понятий, — уколол его подполковник.

— Воровские люди по законам живут...

— Только давай без демагогий... — Круча осмотрел слитки, не касаясь их руками. — Не заводское литье. Сами плавили?

— Что плавили? О чем ты, начальник?

— Битков, я думал, ты умный человек, — разочарованно протянул подполковник. — А ты мне дурака здесь включаешь... Ты же сам знаешь, что на ручке чемодана твои пальчики. Или на золотых слитках...

— Докажи! — раздосадованно буркнул Матвей.

Увы, но на золотых слитках действительно были отпечатки его пальцев.

— И докажу... А алмазы где? — неожиданно и хлестко спросил Круча.

— Какие алмазы? — встрепенулся Матвей.

— Якутские.

Подполковник смотрел на него уверенным взглядом знающего человека.

— Нет ничего, какие претензии?

— Но ведь были алмазы. И деньги тоже...

Круча не просто смотрел на Матвея, он как будто считывал с его глаз скрытую в них информацию.

— Не было ничего.

— А я говорю, было!

— Да нет...

— Было!!

С каждой репликой уверенность в голосе подполковника только крепла. Но Матвей все равно понимал, что его берут на испуг.

— Да не было...

— Ну, не было, так не было... Хватит и этого, чтобы отправить тебя обратно в Магадан...

В Магадан, да еще по этапу, идти не хотелось. А Круча при желании мог отправить его туда, и Матвей это понимал.

— Начальник, может, договоримся? — осторожно спросил он.

— Как?

— Один чемодан тебе, другой — мне.

— Не годится.

— Тогда оба забирай.

— Тем более не годится... Золото мы конфискуем, это даже не обсуждается. И тебя за контрабанду привлечем, — безапелляционно заверил Круча. — Но это не так страшно, от этого и отвертеться можно, а вот как с убийством быть? По логике вещей ты друга своего убил.

— Зачем? — возмутился Матвей.

— Чтобы золото забрать...

— А почему я сразу не забрал?

— Что-то помешало... Не получилось сразу, пришел сейчас.

— Бред!

— Боюсь, что судья с тобой не согласится...

— Гена — мой кореш!

— С каких пор?

— С тех самых!

Матвею нечего было скрывать. С Геной он сошелся в лагере, по второй ходке, вместе с ним отбивался от беспредельных бакланов, ставил зону на понятия. Если б не Гена, неизвестно, смог бы он усмирить отморозков, смог бы взять власть в свои руки... Он мог бы рассказать Круче про Гену, но побоялся осквернить этим память и честное имя своего друга...

— В зоне с ним закорешился? — спросил Круча.

— Не твое дело, начальник.

— Не мое. Но я все равно в курсе. Вы в одной зоне срок мотали, ты в девяносто девятом откинулся, он — годом позже. Думаю, судью святость вашей с ним дружбы не убедит. Напротив, насторожит.

— Не гони волну, начальник.

— Куда девушку дел?

— Кого?

— Лизу.

— Не знаю такую...

— Она с Толстухиным жила.

— А-а, Лиза... Куда я мог ее деть?

— Тебе видней... Гену ты убил, девушку мог забрать с собой...

— Зачем она мне?

— Это ты суду расскажешь...

— Ничего ты не знаешь, начальник. И не надо меня на пушку брать, я тебе не фраер беспонтовый...

— Ну, ну, разухарился... Что делать с тобой будем, Битков?

— А что хочешь, начальник. Не трогал я Гену. И Лизку... Она бабки взяла, ты что, не догоняешь?

— Бабки?! И много она взяла?

— Ничего она не брала, — опомнился Матвей.

— А может, все-таки?.. Все равно узнаем.

— Пустой разговор, начальник. Как узнаешь, так и поговорим. И не надо мне морочить голову. Если есть что предъявить, забирай, закрывай, я тюрьмы не боюсь...

— Ну, что ж, если ты такой смелый, поехали в отдел.

Матвею могло бы польстить особое к себе отношение. Во двор дома его выводил не один и даже не два, а целых три спецназовца. Правда, любезность у них была в дефиците: по пути его как бы случайно приложили лбом о железобетонную стойку, придерживающую козырек над крыльцом подъезда. И так вдруг захотелось в «Пьедестал», в шумный покой конференц-кабинета, в объятия прекрасной Марго...

ГЛАВА 10

Возглавляй Степан, как прежде, уголовный розыск, он мог бы позволить себе прогулять два-три часа, отпросился бы у начальника и остался бы дома досыпать проведенные в ночной засаде часы. Но сейчас в ОВД над ним начальника нет, отпрашиваться было не у кого, поэтому совещание с начальниками служб и отделов началось в установленное время. Глаза слипались, хотелось спать, а он говорил, говорил...

После совещания в кабинете остались Комов и Кулик. Им тоже хотелось спать после ночного бдения, но ни у кого не хватило смелости просить отгул.

— Что с Битковым делать? — спросил Кулик. — По полной оформлять или как?

— И оформлять, и ломать, — кивнул Степан. — Может, все-таки он Толстухина сделал. И Лизу вместе с ним... Да, кстати, фамилию ее установили?

— Да, вчера, в кабинете у Толстухина нашли, — сказал Кулик.

Вытащил из папки несколько ксерокопированных листов, подал их Степану.

— Копия доверенности на автомобиль «Хонда Аккорд», копия прав...

— Так... Гражданка Вершинина Елизавета Михайловна, восемьдесят шестого года рождения, прописана — город Валдай, улица Васильева... Не думаю, что ее можно найти по этому адресу, но все же надо направить туда человека...

— Направил, — кивнул Кулик. — И не только туда направлять надо. Терентьев только что звонил, Вершинина, оказывается, билет на самолет взяла...

— Куда? — всколыхнулся Степан.

Сонливость как рукой сняло.

— Авиарейс до Хитроу-2, из Шереметьева, вылет — восемнадцать тридцать.

— Когда?

— Вчера. Но в списке зарегистрированных пассажиров она не значится. Самолет отправился в рейс без нее...

— Но факт остается фактом, она собиралась покинуть страну.

— И Англию неспроста выбрала, — сказал Комов. — Англия-мать ее не выдаст...

— Если она взяла авиабилет, значит, у нее был загранпаспорт, виза... Где она получала загранпаспорт, как быстро? И главное, нам нужны ее фотографии...

— Уже работаем, — кивнул Кулик.

— Давайте, давайте... Ориентировку по аэропортам разошлите, немедленно, и желательно с фотографиями.

— Тогда я пошел?

Степан отпустил начальника уголовного розыска, пусть работает. Сейчас главное было найти Лизу, и желательно до того, как она пересечет пункт пропуска через государственную границу...

— Вряд ли она с пустыми руками сбежала, — вслух подумал Комов. — Если в Лондон собралась, значит, с деньгами...

— А деньги были, — кивнул Круча. — И я так думаю, много. Если она чемоданы с золотом оставила, значит, и без того большой багаж... Интересно, сколько денег ушло?

— Я бы Биткова допросил, пока он у нас...

— Пока он у нас, — эхом отозвался Степан.

Он и сам прекрасно понимал, что Биткова под следствием долго не удержать. Его люди уже нанимают адвокатов, поднимают прессу — на борьбу с «милицейским произволом».

Можно было обвинить Биткова в дружбе с покойным Геннадием Толстухиным, но крамолы в том никакой нет. Напротив, если он докажет, что дружил с потерпевшим, это позволит ему объяснить, что в квартиру к нему он шел с благими намерениями.

И контрабанду пришить будет совсем не просто. Битков скажет, что его друг Толстухин хвастал ему *своим* золотом, даже разрешил подержать слитки в руках.

Был смысл обвинить его в покушении на кражу. Но и в этом случае адвокаты смогут выпутать Биткова, ведь у него был ключ от квартиры, он знал, как открыть сейф, значит, он имел право на золото. Дескать, Толстухин предчувствовал свою смерть, поэтому завещал ему свое богатство...

И в убийстве Толстухина его не уличишь. Нет пистолета с отпечатками его пальцев, нет других прямых доказательств. Зато наверняка у Биткова найдется железное алиби...

Будь он обычным бандитом, Степан бы даже не сомневался, что сможет упечь его за решетку на долгий срок, но Биток в авторитете и при деньгах, которыми он рано или поздно сломит упорство судей. Будет возбуждено уголовное дело, ему предъявят обвинение, отправят в следственный изолятор, им будет заниматься следователь прокуратуры, за которого в свою очередь возьмутся продажные адвокаты. И не факт, что следователь устоит перед нажимом извне. Степан знал, как будут развиваться события. Сначала Биткова выпустят под залог, а затем дело благополучно развалится за отсутствием состава преступления.

* * *

Майор Комов мало уступал своему начальнику, такая же мощь во взгляде, такая же внутренняя сила. Но Матвей не очень его боялся. Впрочем, и на рожон лезть не решался.

— Влип ты, Битков, — сурово сказал Комов. — Покушение на кражу со взломом, причастность к убийству... Завтра тебе предъявят обвинение, отправят в СИЗО.

— И что? — внешне безмятежно спросил Матвей.

— Я понимаю, тюрьма тебя не пугает, но и попадать тебе туда неохота. Подключишь адвокатов, деньги...

— Подключу. Кстати, где они?

— Вот и я хотел у тебя спросить, где они, деньги? Сколько их было.

— А я хочу спросить, где они, адвокаты?

— Ты же видишь, я с тобой просто беседую. Спокойно с тобой говорю, без нервов. И ты, Матвей Кириллович, не быкуй...

— Я не знаю, о каких деньгах разговор.

— Но Елизавету Вершинину ты знаешь.

— Допустим.

— А ты знаешь, что она пыталась выехать за границу?

— Пыталась?! Вы ее взяли? — заинтригованно спросил Матвей.

— Пока нет, но возьмем.

— Не говори «гоп», начальник.

— Я понимаю, ты ищешь ее по своим каналам. Только не подумай, объединить наши поиски я не предлагаю. С такими, как ты, мне не по пути, — невозмутимо, без дутого пренебрежения сказал Комов. — И договариваться с тобой не хочу. Попал на кражу, будешь отвечать. Одно могу тебе пообещать — не ставить палки в колеса твоим адвокатам. И прокурора на тебя науськивать не буду. Как решится дело, так и решится. Ты меня понимаешь?

— Понимаю.

Матвей чувствовал силу битовских ментов, догадывался, что нелегко ему придется, если они встанут с ним в штыки.

— Вот и хорошо, что ты это понимаешь. И хорошо, если ты мне скажешь, сколько денег у Вершининой.

— Много, три чемода...

Матвея сбила с толку постановка вопроса. Он собирался сказать, какую сумму забрала с собой Лиза, не сразу сообразив, что сдает самого себя. Он спохватился, но было уже поздно.

— Три чемодана?! Ого!..

— Какие чемода... — начал было Матвей.

Но Комов небрежно махнул на него рукой.

— Помолчи... Три чемодана. Наверняка тяжелые. И плюс чемодан с вещами. Как же она это могла унести?

Матвей задумался. Действительно, денег в чемоданах много, тяжесть приличная, и как одна баба могла справиться с ними?

— Она девка крепкая, — вслух подумал он. — Два раза могла сходить...

— Тогда почему чемоданы с золотом оставила?

— А что бы она с ним сделала? В банк его не положишь... Разве что в депозитарий...

— Или закопать, под дерево, по старинке...

— Или закопать, — согласился Матвей.

— Могла бы за золотом в третий раз сходить.

— Но не сходила.

— Значит, не захотела. Или страшно стало...

— Или кто-то вспугнул.

— Может быть.

— Или решила, что ей трех чемоданов хватит...

— Да там почти девять миллионов...

Матвея так увлек мозговой штурм, что он и не заметил, как проболтался.

— Рубли? Доллары? Евро? — ничуть тому не удивившись, спросил Комов.

— Какие рубли? — спохватился Битков.

— Значит, доллары. Или евро?.. Скорей всего так. Килограмм долларов должен стоить больше, чем килограмм золота. Или нет? Почем у нас нынче тройская унция?..

— От семисот до восьмисот долларов, — подсказал Матвей. — Правильно ты говоришь, начальник. Лучше чемодан с баксами утащить, чем с золотом...

— Значит, доллары.

— Ну, в долларах, твоя взяла... Но это чистые деньги, отвечаю, все через банк прошли...

Похоже, Комов ему не поверил.

— Чего же ты тогда боишься? Так бы и сказал, пропало девять миллионов долларов.

— Если точней, восемь девятьсот... И не боюсь я, просто не хотел привязывать эти деньги к золоту...

— А золото контрабандное?

— Я тебе ничего не скажу, начальник.

Комов пристально посмотрел на Матвея, презрительно усмехнулся.

— Не скажешь. Видать, много крови на этом золоте...

— Не знаю. У Гены надо спросить. Он, может, в курсе...

— У Гены уже не спросишь. Теперь все шишки на него, да?

— Не будем об этом, начальник. Оформляй дело, отправляй в камеру.

— Оформим дело, и СИЗО тебе будет, Битков...

В камеру Матвей возвращался в подавленном настроении. Он ощущал себя неудачником: и карты раскрыл, и поблажек себе не выторговал.

* * *

«Фупазор! Пэтэушнег! В газенваген, сцука! Факйу, жывотнае!..»

В том же духе, в том же ключе... Стук, стук, стук, стучит клавиатура! Чморите, мальчики! Чморите всех!..

В сетевой паутине Тимоша чувствовал себя пауком; где-то на высоте летают мухи — актеры, певцы, писатели, журналисты. Пусть летают, а Тимоша будет ловить их, вернее, подлавливать — не так сыграл, не так спел, не так написал. Они талантливые, они успешные, но ничего — вот вам, вот! Стук, стук, стук, зависть выбивает обидные слова на клавиатуре. Всех, вся — ф топку, ф печь, ф пекло!..

Тимоша чувствовал себя богом, низвергателем кумиров. Он так увлекся травлей очередной жертвы, что не заметил, как сзади подошла мама.

— Дурью маешься? — качая головой, с упреком спросила она.

— Слифф защитан! — ляпнул Тимоша.

— Что?

— Да так, ничего, — опомнившись, мотнул он головой.

— Нельзя обижать людей.

— На правду не обижаются.

— За правду еще и бьют.

— Да ладно...

— Там к тебе девушка пришла.

— Оксана?! — ликующе встрепенулся Тимоша.

Не так давно и, как всегда, безуспешно он попытался завязать отношения с красавицей барменшей. Слова ей красивые говорил, стихи читал, и ничего, стоит, как на дурака смотрит. Тимоша лишний раз убедился, что люди нормальный язык не понимают... Правда, Сеня подошел и с ходу взял, казалось бы, неприступную крепость. Еще сказал, что Тимоша крутой. Она почти поверила. А когда Сеня ушел, даже телефон его взяла. Правда, свой не оставила. И звонить ему не обещала...

Тимоша вышел в коридор. На пороге стояла девушка. Не сказать, что красавица, но выглядит эффектно. Прическа, косметика, срез футболки значительно выше пупка, плоский загорелый животик, джинсы с такой низкой талией, что можно заметить щетинку лобковых волос...

— Ты Тимофей? — завораживающе улыбнулась она.

— Я.

Он почувствовал, как от волнения немеют пальцы рук.

— Я к тебе по поручению.

— От кого, от Оксаны? — выпалил он.

— Да.

— Проходи.

— Нет, лучше ты. У вас во дворе так зелено, так хорошо...

Они вышли на детскую площадку в окружении пышных кленов и тополей. Не самое хорошее место. Не так давно Тимоша выгуливал здесь собаку, та навалила кучу, в которую влез маленький братик тринадцатилетнего паренька. Подросток возмутился; Тимошу обидела его наглость, он полез в драку, но получил отпор. Мало того, что тринадцатилетний салага отделал его под орех, так его еще и в милицию забрали, до самого вечера продержали...

На скамейке сидела девушка с собранными в косу во... ...и. Завидев Тимошу, она поднялась, сняла солнц... ...ные очки. Он узнал ее. Это была Эльвира, восходящая звезда эстрады, красавица, умница...

— Ну, здравствуй, подонок! — хищно улыбнулась девушка.

Тимоша вспомнил, что недели две назад проехался асфальтоукладчиком по гостевой книге на ее сайте. На всю страну объявил, что Эльвира — проститутка. И для убедительности наврал, что в прошлом году снял ее на Ярославке и... В общем, нафантазировал вдоволь...

— Если правильно, то падонок, — промямлил он с напором на первую гласную в последнем слове.

— Так и знала, что ты чмошник очкастый! — презрительно воскликнула она.

Тимоше не нравился ее боевой настрой, наряд тем более: рокерские перчатки, футболка с длинным рукавом, просторные льняные штаны, кроссовки с высоким берцем.

— А-а, не знаю... — в дурном предчувствии проблеял он.

— Думаешь, тебя трудно было вычислить, мерзописец?

— Э-э, виноват...

— Виноват. А виноватых бьют...

Эльвира вдруг резко крутнулась на месте; Тимоша даже не успел заметить, как она выбросила из-под себя ногу. Пятка с размаха врезалась ему в скулу; удар оказался настолько сильным, что Тимоша не смог устоять на ногах. Он упал в песочницу, ткнувшись носом в сухую собачью какашку.

Эльвира дождалась, когда он поднимется, и ударила снова. Рукой, в голову. Он попытался защититься и даже коснулся ее кулака, который на полпути повернул назад. Оказалось, что это был обманный удар. Воспользовавшись его оплошностью, Эльвира двинула его ногой в живот, а когда он согнулся, добавила коленкой в лицо...

Он поднимался, она била. Он поднимался, а она... Возможно, она бы его убила, если бы мимо не проходил участковый Козаков.

— Прекратить, милиция!

Эльвира и ее подружка ретировались, а Тимоша остался на месте.

— Бочков, снова ты! — яростно взревел Козаков. — Девчонок обижать вздумал!

— Я обижаю?! — с ненавистью посмотрел на него Тимоша.

В прошлый раз досталось ему, он же и пострадал. Набросился с кулаками на семиклассника, но тот дал отпор — разбил нос и губу. Так он домой потом пошел, а Тимошу отправили за решетку. И сейчас, похоже, та же история — он пострадавший, а его в милицию.

— А то кто же!

Участковый взял его за руку и повел к своей машине.

— Ты задержан, Бочков!

— Но меня избили, я в крови...

— Вот и дашь показания!

От Козакова пахло потом, табаком, пивом, сушеной рыбой и волчьим коварством, Тимоша мог побиться об заклад, что показания придется давать в «обезьяннике», среди уголовников, как в прошлый раз. Но участкового лучше не злить. Когда-то давно, три-четыре года назад, Тимоша в кровь избил его сына, мальчугана детсадовского возраста; за ту блестящую победу он сейчас и расплачивался.

Козаков привел Тимошу в отдел милиции, передал на руки дежурному по части, который отправил его в пустующую камеру временного задержания. Там в тоске и одиночестве он провел пару часов, прежде чем им занялся дознаватель Кипелов, печально знакомый по прежнему инциденту.

— Эх, Бочков, Бочков...

Дознаватель также носил очки, но это почему-то не сподвигало его к солидарности с Тимошей. Он смотрел на него, как на врага всех униженных и оскорбленных.

— С кем ты в этот раз подрался? С девчонкой малолетней?

— С малолетней? Да это ж Эльвира, из «Звездного дома». Ей уже девятнадцать, как и мне...

— А полез к ней зачем? — удивленно спросил старший лейтенант. — Чем она тебе не угодила?

— Да она сама!.. — возмущенно протянул Тимоша.

— Что сама?

Он решил, что не стоит рассказывать о сетевом хулиганстве собственного исполнения. Вряд ли Кипелов похвалит его или попросит обгадить еще кого-нибудь из эстрадных звезд.

— Сама ударила... Я к ней подошел, чтобы автограф у нее взять, а она как даст мне!

Тимоша провел рукой по растекшейся уже шишке под правым глазом.

— Козаков, между прочим, видел, как она меня била. Он за ней не погнался, он меня к вам привел...

— Но в прошлый раз ты первый ударил мальчишку. Сам же и схлопотал...

— Да не трогал я ее, честное слово...

— Заявление будешь писать? На нее, на Эльвиру, заявление...

— Э-э, да надо бы... — замялся Тимоша.

Он осознавал свою вину перед девушкой, но еще более ясно понимал, что за Эльвиру могут вступиться сильные мира сего. Девушка она красивая, знаменитая, может, у нее родители богатые или жених круче некуда. Что, если подъедут к нему брутальные парни в черных костюмах, проломят ему череп и через дырку в нем вежливо попросят его забрать заявление.

— Да связываться неохота...

— Даже не знаю, что с тобой делать. Отпустить? А где гарантия, что снова в историю не влипнешь...

Кипелова из раздумья вывел его коллега. В кабинет стремительно вошел человек в милицейской форме и с погонами капитана; он поздоровался с дознавателем и положил ему на стол лист бумаги с текстом и фотографию.

— Володя, ксерокопии сделай, для розыска, только

побыстрей, — распорядился он, кивком головы показав на копировальный аппарат в углу кабинета.

Тимоша сидел так, что смог разглядеть девушку, изображенную на фотографии. Знакомое лицо.

— А она что, в розыске? — спросил он.

— Кто она? — внимательно посмотрел на него капитан.

— Ну эта, на фото...

— А ты ее знаешь?

— Нет. Но видел...

— Когда видел?

— Ну, позавчера...

— Где? — продолжал наседать капитан.

— Ну, я в баре был, приятель подошел, пивка выпить, а потом она появилась. Они поцеловались и ушли...

— Поцеловались?

— Да.

— И ушли вместе?

— Да, я видел, они в машину садились...

— Машина какая?

— Марку не разглядел.

— Цвет?

— Темно-синий.

— И это было вчера?

— Нет, позавчера.

— Это интересно... Володь, что это за фрукт? — кивнув на Тимошу, спросил капитан.

— Да так, гроза малышей и девчонок. Я его отпускать собирался...

— Тогда я его с собой заберу.

Капитан повел Тимошу в свой кабинет, но по пути встретил своего начальника, рослого кряжистого мужчину средних лет с глубоким и цепким взглядом. Он был в штатском, но светло-серый пиджак не скрывал его темную ментовскую сущность; во всяком случае,

Тимоша сразу распознал в нем милицейского начальника.

— Товарищ майор, я тут свидетеля нашел, — с упором на последнюю букву алфавита сказал капитан. — Он видел Вершинину, позавчера, со своим другом...

— Фамилия друга? — зычным голосом резко спросил у Тимоши майор.

— Не знаю... То есть сержант его называл по фамилии, когда из камеры выводил. Да и не друг он мне, так, приятель... Вспомнил, Балабакин его фамилия...

— Пошли!

Майор провел его в свой кабинет, приставил к нему стул, хлопнул его по плечу — вроде бы не сильно, а ноги прогнулись в коленях. Тимоша сел, растерянно моргая глазами.

— Балабакин, говоришь, его фамилия? В камере с ним познакомился?

— Да, здесь, в вашем отделе, в «обезьяннике», я там четыре часа провел, пока выпустили...

— Разберемся. Значит, позавчера его видел?

— Да. В баре.

— Ну что ж, соберись, парень, с мыслями и рассказывай...

Майор заставил Тимошу описать недавнюю сцену в баре — со своего ракурса и во всех подробностях.

ГЛАВА 11

Жидкокристаллический телевизор, серебристый корпус, черная окантовка, экран дюймов под пятьдесят... Семь месяцев Юрий Косыгин откладывал деньги с зарплаты на такую технику, потому что он честный человек, старший лейтенант, оперуполномоченный уголовного розыска. Нечестные же люди поступали по-другому, и прямо на глазах у Юры. Высотный дом, первый этаж, срезанная решетка прислонена к стене, окно нараспашку, один индивид подает телевизор из квартиры, другой его принимает, несет к «бычку» с открытым фургоном.

И тот и другой — амбалы, и не только потому, что грузчики. Рослые, плечистые, рукастые. Оба в рабочих комбинезонах, в одинаковых кепках с длинными козырьками, ни дать ни взять стивидоры из солидной фирмы. Но что-то не понравилось Юрию в облике здоровяка с телевизором. Лицо невозмутимое, но взгляд беспокойный, вороватый. Расплывчатые черты носа, смазанные контуры надбровий — такой дефект можно наблюдать у юношей в переходном возрасте и у зэков, восемнадцать лет которым стукнуло в колонии для несовершеннолетних. У нормальных людей подростковый изъян проходит без следа, а у закоренелых уголовников печать подросткового возраста остается, видимо, из-за особых условий в неволе. Остается и грубеет вместе с ними... Может, Юрий и ошибался в своих суждениях, но бывших зэков он чувствовал за версту...

Он дождался, когда грузчик установит телевизор на диван, подошел к нему и вежливо попросил предъявить документы и путевой лист.

Амбал смерил его пренебрежительным взглядом. Но вот что-то изменилось в его глазах, всколыхнулась гладь тихого омута. Юрий был ниже его чуть ли не на голову, обхват плеч раза в два меньше — выглядел он не очень грозно, мягко говоря. К тому же он был в штатском... Но у амбала тоже был свой, профессиональный нюх, он распознал в нем сотрудника милиции, своего врага.

— Ты это, шел бы ты отсюда, мусорок! — оглянувшись, угрожающе надвинулся на Юрия здоровяк.

Три часа пополудни, тротуар вдоль пожарно-объездной дороги с тыльной стороны высотного дома, боком припаркованные к бордюру легковушки. Время рабочее, место безлюдное, а наглости амбалу не занимать.

Юрий был, что называется, упакован — пистолет в оперативке под полой светло-кремовой джинсовки, под той же курткой скрыта пара наручников на поясе. Он оперативник, он при исполнении в любое время дня и ночи. А то, что ростом он не вышел и объемом, так это есть чем компенсировать...

— Так, понятно, — уперев руки в бока, проясненно посмотрел он на здоровяка.

— Паш, че там за дела? — донеслось из распахнутого окна.

Второй амбал смотрел на Косыгина недоуменно и с досадой. Он еще не догадывался, с кем имеет дело.

— Сейчас!

Уголовник развернулся корпусом в сторону своего напарника, но ступни ног оставались на месте. Неспроста он скрутил свое тело жгутом. Юрий был начеку, поэтому и успел присесть, когда бывший зэк пружинисто рубанул рукой, чтобы ударить в голову. Ответный удар в печень, захват руки, болевой прием...

— Пусти, ментяра! — в отчаянии захрипел задержанный.

Отпускать его было нельзя. Надеть наручники, но это время. А второй амбал уже смекнул, что к чему, — его нужно срочно брать, чтобы не удрал.

Косыгин не растерялся — ребром собранной в кулак ладони ударил уголовника по затылку, в спринтерском рывке бросился к его подельнику. Он много занимался спортом — карате, самбо, силовая гимнастика и легкая атлетика. Ему ничего не стоило с ходу подбросить ногу, зацепиться ею за выступ фундамента, руками схватиться за подоконник, впрыгнуть в оконный проем...

Второго преступника он поймал у дверей обворованной квартиры. Тот никак не мог справиться с замком, а завидев Косыгина, развернулся к нему лицом, замахнулся, но удар в пах поставил его на колени. Дальше «ласточка»: один браслет наручников на руку, другой на ногу, смычка вдоль позвоночника. В таком положении задержанный мог только ползти...

Оставив одного вора в квартире, Косыгин отправился к другому, опять же через окно, поскольку не хотелось тратить время на то, чтобы обойти длинный дом. Амбал в себя еще не пришел, в паре с подельником его в отдел не доставишь: тяжело. И воровской машиной не воспользуешься — по большому счету это вещдок, с ней должны криминалисты поработать. Закрыл фургон, остановил проезжавшую мимо машину, не обращая внимания на протесты водителя, засунул задержанного в салон.

В отделении он передал задержанного в дежурную часть. Собрался было возвратиться за вторым амбалом, но к клетке подошел его начальник.

— Косыгин, где тебя черти носят? — угрюмо спросил Кулик.

— Если черти, то за чертями... Двоих задержал, на Марксистской хату выставили...

Юрий уже четвертый год служил в уголовном розыске и считал себя вправе вкручивать в свой лексикон жаргонные словечки, как это делали его старшие товарищи, мастера сыскного дела.

— Случайно увидел, среагировал...

— Это хорошо, хорошо...

Майор Кулик явно был чем-то озадачен, и это мешало ему в полноте воспринять отрадную, по мнению Косыгина, новость.

— Вот один. — Юрий кивнул на вора, отделенного от него толстыми прутьями решетчатой стены.

— Пусть там пока посидит, — перебил его начальник.

И медленно, в думах, направился вдоль по коридору.

— Так мне за вторым надо идти...

— Успеешь. Сейчас на улицу Свободы поедешь... Лиза Вершинина не одна была. С ней придурок один, Балабакин фамилия, за ним надо съездить...

— Что-то знакомое. Он тещу Комова сбил?

— Ну, не совсем он, но да, по делу проходил... Свидетеля нашли, похоже, у Вершининой с Балабакиным любовь...

— Любовь-морковь и куча денег...

— Вот именно. Балабакин еще тот жук, мог подбить девку... Там миллионы, Косыгин, большие миллионы... Короче, возьмешь наряд, и дуй на улицу Свободы. Санкций у нас никаких нет, так что действуй по обстоятельствам. Если вдруг Балабакин дома, хватай его и вези, если нет, пробивай адреса, по которым он может скрываться...

В приложение к инструктажу Косыгин получил двух сотрудников группы быстрого реагирования, машину. Предполагалось, что Балабакин мог оказать сопротивление, поэтому Юрий отнесся к предстоящей поездке с предельной серьезностью.

О том, что ему следовало бы вернуться на Марксистскую улицу и забрать второго задержанного, он подумал, когда входил в подъезд дома на улице Свободы. Он решил, что захватит амбала на обратном пути.

На клавишу звонка он жал левой рукой, правую держал вдоль бедра, сжимая в ней рукоять табельного пистолета. Помощники рядом, их через дверной глазок не увидать; автоматы на взводе, пальцы на спусковых крючках.

Но меры предосторожности были напрасными. Дверь открыла сухопарая, болезненного вида женщина лет пятидесяти. Она близоруко щурилась, глядя на визитера.

— Здравствуйте, я из милиции, — мило улыбнулся ей Косыгин. И сухим казенным языком выдал: — Мне бы хотелось сообщить вам, что уголовное дело в отношении вашего сына закрыто.

— Да, Арсений говорил мне...

— Он сейчас дома? Мне бы хотелось сообщить ему приятную новость...

— Нет его дома.

— А когда будет?

— Не знаю... Он здесь не живет. Он в Москве квартиру снимает...

— Адрес не подскажете?

— Э-э, где-то у меня записано... — Женщина подозрительно покосилась на Косыгина. — А вам зачем?

— Дело в том, что у меня неприятная новость.

— Вы же сказали, что приятная?

— Разве? Значит, я оговорился... Дело в том, что вашему сыну угрожает опасность... Моя фамилия Косыгин, старший лейтенант, уголовный розыск, если не возражаете, я войду в квартиру... А вы останьтесь!

Юрий нарочно обратил внимание на своих помощников. Форма, снаряжение, оружие — это произвело на женщину впечатление. И она даже не потребовала предъявить удостоверение, впустила незваного гостя.

Квартира двухкомнатная, запах прокисшего борща и тлена. Потемневшие от времени обои, убогая обстановка. Юрий осмотрел пол в прихожей, мужских туфель у порога не было. В доме тихо, только слышно, как тикают ходики.

— Мне бы лично хотелось сказать Арсению, какая опасность ему угрожает, — сказал Косыгин.

И под этим предлогом зашел в одну комнату, в дру-

гую, не постеснялся заглянуть в ванную и туалет. Балабакина нигде не было.

— Я же говорю, нет его.

— Вы должны знать номер его мобильного телефона.

— Конечно, знаю, он же мне не чужой...

— И адрес московский...

Юрию не пришлось сочинять душещипательную
историю, чтобы застращать мать Арсения. Она без этого дала ему и номер телефона, и адрес.

Косыгин сначала позвонил, но смог только выяснить, что «телефон временно заблокирован». Видимо,
Арсений избавился от него.

Чтобы не терять времени, Косыгин отправился в
Москву, на съемную квартиру, с мыслью, что напрасно
теряет время...

* * *

Матвей лежал на нижней полке нар, обтянутых но-
вым пахучим дерматином. В камере совсем недавно
сделали ремонт, стены гладкие, верхняя половина по-
белена, нижняя — покрашена, в углу тихонько журчит
унитаз, с краника над железным «тюльпаном» капает
вода. Всего четыре спальных места, но арестантов, по-
мимо него, нет.

Все хорошо, только духота донимает. Ни вентиля́то-
ров нет, ни кондиционеров. Но Матвей человек быва-
лый. На дерматин он постелил майку, лег на нее, сверху
набросил намоченную под краном и крепко выжатую
рубаху.

Комов, похоже, сдержал свое обещание: не прессо-
вал, палки в колеса не ставил. Адвокаты уже на ушах.
Завтра Матвею предъявят обвинение и сразу же отвезут
в суд, определять меру пресечения. Если Круча с ком-

панией не вмешается, судья отпустит Матвея под залог, а со временем дело и вовсе развалится...

Завтра он снова будет на вершине «Пьедестала»; сначала посмотрит, как танцует Марго, а потом уединится с ней... А если откажет ему, он возьмет ее силой... Матвей был зол на ментов, на себя, на всех, кто его окружал. И готов был порвать всякого, кто решился бы пойти против его воли...

Дверь в камеру открылась, послышался голос надзирателя, топот шагов.

— Проходи, чего встал?

— Не гони, начальник! — пробасил прибывший «пассажир». — Я у себя дома.

Матвей не пошевелился. Плевать ему, кто там пожаловал. Это не тюрьма, это всего лишь предвариловка, здесь он не обязан принимать-располагать.

Он не открывал глаз, но услышал, как подошел к нему новый постоялец, даже почувствовал на себе его взгляд.

— Ты чего развалился, мужик? — нахально, трубным голосом спросил новичок. — Шнифты раскрой, дай в буркалы твои глянуть...

Матвей открыл глаза, сурово глянул на грубияна. Здоровенный жлоб, с тяжелым взглядом привыкшего к тюрьме человека. Дурацкий комбинезон, кепка задом наперед.

— Чего выставился? — ухмыльнулся арестант. — Только крутого мне здесь ставить не надо. Кто тебя сюда заслал, менты?

Матвей вскочил со своего места так резко, что нахал тот отшатнулся. И тут же дернулся вперед, чтобы наказать нахала, посмевшего его напугать. Но застыл как вкопанный, заметив шестиконечные звезды под ключицами; отпрянул, споткнувшись о скамейку. Пока он пытался восстановить равновесие, Матвей мог толкнуть его в грудь, тогда бы он точно распластался на полу. Но лень было затевать драку, да и зачем?

— Извини, брат, обознался, — промямлил постоялец.

— Ты кто такой?

— Гига я, может, слыхал? Владимирский централ, Мордовия...

— Нет, я здесь мало кого знаю. Биток я. Магадан.

— В законе?

— Нет, положенец.

— Ну и то авторитет... Из Магадана, говоришь. Далеко тебя занесло, брат, — заметил Гига.

— Ты что, за наседку меня принял? — жестко спросил Матвей.

— Извини, братан, менты попутали...

— Язык бы вырвать тебе за твой базар, ну да ладно...

В ореоле своего воровского величия Матвей вернулся на место, но ложиться не стал, сел.

— Ты сам каких мастей?

— Да наших, черных... В отрицалове был, зону размораживали...

Далее следовал короткий, но утомительный список из имен уважаемых, по мнению Гиги, людей. Матвей только сделал вид, что внимательно слушает. Как и ожидалось, никого из этого списка он не знал. И знать не хотел.

— Ну, располагайся, Гига, — сказал он. И, выдержав паузу, добавил: — Если это твой дом.

— Дом, — кисло улыбнулся парень. — Кажись, надолго заехал.

Матвей всем видом показал, что ему не интересно, за какие грехи арестовали Гигу. Не верь, не бойся, не проси. А главное, ни о чем не спрашивай, если не хочешь, чтобы тебя приняли за наседку...

— Представляешь, какой конфуз, — натянуто улыбнулся Гига. — Двое нас было, менты обоих повязали. А закрыли только меня. А Тюлень на хате остался. Менты за ним собирались ехать, да забыли про него...

— Откуда знаешь, что забыли? — подозрительно спросил Матвей.

— Откуда знаю? — опешил Гига. И в оправдание сказал: — Своими ушами слышал, как начальник опера своего отправлял. Тот за Тюленем собрался ехать, а начальник за каким-то Балабакиным его отправил...

Матвей вспомнил, что где-то уже слышал эту фамилию.

— За кем?

— За Балабакиным... Прикольная фамилия, типа балаболка...

— Балаболка, говоришь?

Он мог бы сказать, что Гига сам ведет себя как балабол, но не стал делать этого. Тем более что вспомнил, кто уже называл при нем эту фамилию. Балабакин, он же балаболка. Васек говорил про него, он пытался подвести парня под монастырь. Сам сбил женщину, а подставил Балабакина... Впрочем, ничего интересного в этом открытии не было.

— Ага... С Лизой он там какой-то, — продолжал Гига.

— С кем? — всполошился Матвей.

— Лиза какая-то, Вершкова, кажись... Или Вершинина...

— Вершинина, — кивнул Матвей.

Он знал, о ком речь. Лиза Вершинина, сожительница покойного Генчика. А с ней Балабакин...

— Что еще они говорили?

— Говорили, да я не слышал. Уходили они, на ходу говорили... А ты что, их знаешь?

— Ты случаем не наседка? — свирепо спросил Матвей.

Гига сиротливо поежился и надолго замолчал.

154

* * *

Кулик накопал много, но до сути так и не добрался. Он узнал адреса, по которым могли скрываться Вершинина и Балабакин, выяснил, что у них были билеты на один и тот же авиарейс до Лондона. И загранпаспорта они оформляли быстро, по блату, купленному за деньги. Но их самих так и не нашли.

— Куда они могли деться, куда? — спросил Степан.

— Не знаю, может, затаились где... — пожал плечами Кулик. — Ищем, да все впустую... И машина как сквозь землю...

— Железнодорожные кассы пробивай, ищи, на какой поезд они могли взять билеты.

— Пробиваем, контролируем. Ориентировки разосланы, работа идет.

— Но пока никаких результатов. Скорее всего затаились...

— Сначала взяли билеты, а потом затаились... Я понимаю, что-то могло их вспугнуть, но как они собирались переправить деньги через границу? С собой в чемоданах? Глупо. Сейчас весь багаж досматривается...

— Открыть здесь счет, с собой взять банковскую карточку, за границей снимать деньги. Я думаю, такой вариант вполне мог их устроить, — предложил версию Комов.

— Так просто банк деньги не примет. Их обосновать надо, счет открыть...

— А это смотря какой банк... Балабакин — попсовый композитор, вращался в богемной среде, возможно, он знал, к кому можно обратиться...

— Пробивай эту среду, Саня. Ищи банк через богему, попробуй найди список неблагонадежных банков, делай запросы. Должны ребятки где-то засветиться, должны...

— Я понял, Степаныч, будем работать...

— Что с Битковым у нас? — глянув на Комова, сурово спросил Круча.

— Сегодня ему обвинение предъявят. Будет суд, скорее всего выпустят под залог. Дружков его еще вчера освободили...

— Так, понятно. Посетители у Биткова вчера были?

— Нет, я распорядился никого к нему не пускать.

— Плохо. Надо было с дежурной частью договориться, чтобы они деньги за него взяли, чтобы камеру выделили, для встреч. А в камеру аппаратуру поставить...

— Не думаю, что Битков бы повелся. Он же помнит, как мы его в толстухинской квартире спалили... Но в принципе попробовать можно, — с досадой на себя сказал Федот. — Обвинение предъявят завтра...

— И завтра же он предъявит обвинение нам, что мы держали его под стражей незаконно...

— Ничего, выкрутимся...

— Если часто крутиться, геморрой можно накрутить... Пусть все идет как идет. Решит судья, что можно под залог, пусть так и будет. Но за Битковым глаз да глаз... Саня, задействуй все ресурсы. Знаю, что людей не хватает, но что-нибудь придумай. Биткова надо под контролем держать. Наверняка он Вершинину ищет...

— Ищет. Его бычье уже по Валдаю прошлось, я это знаю точно, — кивнул Кулик.

— Тем более... Проследить за ним надо, а то ведь если он первым до Вершининой доберется, нам она точно не достанется...

Степан почти уверен был, что Толстухина убила его сожительница или ее любовник. И не хотелось бы, чтобы они угодили под бандитский каток.

* * *

— Ну, бывай, Гига!

Матвей небрежно попрощался со своим сокамерником. За плечами у парня две ходки, с малолетства мыкается по зонам, и все по уважаемым статьям. Рослый, сильный, отчаянный, но не фартовый. Только-только из лагеря вернулся и сразу же под раздачу попал, новый срок ему светит. Был бы умней, не попался бы... Матвей уважал людей удачливых, а невезучими пренебрегал.

Во внутреннем дворе здания Матвея ждал «воронок», который отвезет его в суд. Адвокаты уже в полной боевой, судья подмазан, вопрос должен решиться на раз.

— Думаешь, все, не вернешься? — как-то тоскливо спросил Гига.

— Уверен.

— Мне тоже может подфартить. О Тюлене, похоже, забыли, значит, и про хату тоже...

Надзиратель снова открыл дверь.

— Битков, ты долго там? — грозно рыкнул он.

— А ты не тыкай мне, начальник, я тебе не сявка! — одернул его Матвей.

Он уже собирался забраться в фургон автозака, когда его окликнули. Он обернулся, увидел человека-глыбу Комова.

— Битков, мой тебе совет, не убивай девчонку, — сурово и без предисловий сказал майор.

— Это ты о чем, начальник? — ухмыльнулся Матвей.

— Сам знаешь. Твои люди охотятся за Лизой Вершининой. Если найдешь, можешь забрать у нее деньги: по большому счету, это твое право. Но убивать ее не надо, за такой беспредел мы спросим с тебя очень серьезно. Очень-очень... И контрабанду вспомним, и покушение на кражу — под завязку тебя загрузим, никакой суд не поможет. Ты меня понимаешь?

Матвей снова попытался ответить ухмылкой, но губные мышцы схватил спазм. Матвей готов был задушить самого себя за допущенную слабость.

— Ты у нас под колпаком, Битков, — продолжал дожимать его Комов. — И мой тебе совет, не будь дураком... Как только найдешь Вершинину, сразу дай нам знать.

Матвею пришлось поднапрячься, чтобы унять оторопь.

— А ты не учи меня жить, начальник, — через силу растянул он губы. — Ты оперов своих учи, как жить. Вчера твой опер двоих на хате повязал, одного закрыл, а другого в хате оставил...

— Что ты несешь? — озадачился Комов.

Матвей возликовал. Все-таки смог он выбить майора из колеи. Мелочь, но для самоутверждения полезно.

— Вы тут сами с собой разберитесь, а потом уже передо мной пальцы веером кидайте...

Моральный ущерб хоть и частично, но был возмещен. Матвей повернулся к майору спиной и забрался в фургон автозака. Конвойный с грохотом закрыл за ним дверь.

ГЛАВА 12

Майор Кулик гневно свел брови.

— Ну и как так вышло, что задержанный всю ночь провел в обворованной квартире?

Старший лейтенант Косыгин чувствовал за собой вину, но было у него и оправдание.

— Так я вам же говорил, что двоих взял. За вторым

собирался идти, а вы меня за Балабакиным отправили. Я за ним всю ночь гонялся...

— Мог бы мне сказать, я бы принял меры.

— Да говорил, вы меня слушать не захотели...

— Что значит — не захотел? Ты мне, Косыгин, бабушку из дедушки не делай.

— Виноват.

«Ты начальник — я дурак» — этот армейско-милицейский принцип не упразднить никакими реформами, инструкциями и приказами не смягчить. Даже если ты прав, притворись виноватым и жди своего часа, когда сам станешь начальником и сможешь делать дураков из своих подчиненных.

— Виноват он... А Тюленев, между прочим, всю ночь провел в квартире. Обделался, обгадился...

— Хозяева позвонили? — уныло спросил Косыгин.

— Если бы... Битков нас носом ткнул. Битков, законный вор, указывал нам, как надо работать... Он знал про Тюленева, а мы нет. Скажи, тебе стыдно?

— Ну, стыдно...

И стыдно было Юрию, и обидно. Всю ночь убил на поиски Балабакина. Самого по московскому адресу не нашел, но застал в квартире его приятеля с какой-то девкой. Прижал его к стенке статьей о незаконном проникновении в чужое жилище, расколол, установил круг людей, у кого мог бы скрываться Балабакин. Почти всю ночь гонял по адресам, но лишь время потерял. Только под утро приехал домой, лег спать. Сон оказался таким крепким, что трезвон будильника не смог справиться с ним. И телефонные звонки не смогли нарушить его покой. Только в первом часу дня Косыгин пришел на службу и сразу получил плюху.

— И мне стыдно. За тебя... Мог бы позвонить, сказать...

— Замотался... А машину взяли?

— Какую машину?

— Ну, с награбленным... Они в машину мебель загружали, технику...

— Не было никакой машины... Рапорт надо было написать, объяснить, что да как...

— Вы же меня сами за Балабакиным направили...

— Ну что ты заладил, сами, сами... Значит, машина была, говоришь?

— А Передрыгин, ну второй который, что говорит?

— Жаловаться, говорит, буду, самому главному прокурору... Прокурора нам только и не хватало... Поехали, покажешь, где машина.

Кулик не стал ждать, когда подготовят к выезду служебную машину — к месту происшествия отправились на его «Фольксвагене». Юрий был уверен, что «бычок» с фургоном стоит на том же месте, где он его оставил. Но, увы, «зилка» нигде не было, и краденые вещи, разумеется, пропали вместе с ним.

— Ну и куда все подевалось? — сурово спросил Кулик.

— Не знаю... Я лично фургон закрыл... Может, третий сообщник был?

— Тогда почему он Тюленева не забрал?

— Может, нестыковка какая-то...

— Нестыковка, — передразнил Косыгина его начальник. — С такой нестыковкой Тюленев жалобу накатать может...

— А то, что квартиру взломали? Вот, решетку с окна срезали...

— Ладно, разберемся... — начал успокаиваться Кулик. — Номера запомнил?

— Да, но только цифры...

Косыгин вчера был так уверен, что в скором времени вернется на место происшествия, что не зафиксировал внимания на номерных знаках. Но спасла цепкая память. Когда он закрывал створки фургона, прошелся взглядом по цифрам на них.

— Триста восемнадцать, Подмосковье...

— Ну хоть что-то... — Совсем уже успокоившись, начальник достал блокнот, записал данные. — В принципе сами виноваты, надо было сразу Передрыгина крутить, а мы его в камеру к Биткову сунули, не разобравшись... А Битков разобрался, носом нас в грязь ткнул. Тебе звонили, бесполезно... Передрыгин показал. Где ты незаконно его задержал, показал. Ладно, если бы это, а то Битков нас подколол. Комов злой, тебе лучше на глаза ему не показываться... Поехал я, а ты оставайся. Ищи свидетелей, которые видели, как Передрыгин с Тюленевым решетку срезали, как хату выставляли и, главное, как машину загружали. Прежде всего это нужно тебе...

— Будут свидетели, — уныло кивнул Косыгин. И зло добавил: — А Биткову привет.

— Он в суде, и вряд ли его обратно привезут.

— Ничего, сам доставлю, когда-нибудь.

— Есть за что? — с интересом и насмешливо спросил Кулик.

— Найду.

— Битков — товарищ серьезный.

— Не товарищ он мне.

— Это ты верно сказал. Не товарищ он нам. Мне твой настрой нравится. Но про Биткова забудь. Времени у тебя немного, через два часа жду тебя в отделе, Вершинину дорабатывать надо...

Кулик оставил ему ключ от злополучной квартиры, уехал, а Косыгин остался стоять на плавящемся от солнца асфальте. Многоэтажка новая — деревья на газоне в зачаточном состоянии; солнце почти в зените, если тень есть, то с другой стороны дома. Рабочий день в самом разгаре, машин вдоль бордюрной линии мало. И злосчастного «бычка» нет...

Юрий собрался обойти дом, чтобы попасть в квартиру, осмотр которой он должен был произвести еще вчера. Хозяева отсутствовали, по всей видимости, на курорте, дверь вскрывали слесаря из ДЭЗа, они же поставили новый замок... Эх, не было бы этого сегодня, если бы вчера Кулика не укусила бешеная муха...

В расстроенных чувствах он лишь скользнул взглядом по стильной красотке. До совершенства отточенной походкой от бедра она шла по дороге параллельным с ним курсом. Темно-каштановые волосы, короткая стрижка, длинная красивая шея, смуглая кожа, изящный профиль лица. Ухоженная, лощеная, сексуальная. Смелая маечка на длинных бретельках, высокий, крепко зафиксированный грудными мышцами бюст, короткая клетчатая юбка с запа́хом, босоножки на шпильке...

Мужчина с правильной жизненной позицией не мог не обратить внимания на столь прельстительную девушку. Но Косыгин был не в том настроении, чтобы любоваться ею и тем более восхищаться. Но как только он понял, что красотка направляется к своей машине, интерес клюнул его в самое темечко.

— Девушка! Можно вас на пару избитых фраз? — окликнул ее Юрий.

Она остановилась возле своей крохотной «Дэу Матиз», крутнув на пальце связку ключей, с любопытством посмотрела на него.

— За две битые лучше одну небитую, — приподняв накрашенную бровь, заинтригованно улыбнулась она.

— Тогда не подскажете, куда «бычок» делся?

— Оригинально! — развеселилась девушка. — Но грубо. Вы из какой деревни, молодой человек?

— Бычки не только в деревне водятся, — ничуть не

смутившись, сказал Косыгин. — Бычки пасутся на лугах, бычки водятся в море, бычки валяются в курилках. Еще бычками зовут недоразвитых быков из криминальных группировок. Ну а также бычком называется грузовой автомобиль, в частности, «ЗИЛ-5301»...

— Это не ко мне. У меня коробчонка, — с иронией сказала она, кивнув на свою машину. Чуть подумав, добавила: — Для лягушонки...

Глаза у нее большие, губы длинные, скулы широкие, но сравнить ее с лягушкой мог только ярый женоненавистник...

— Я бы сказал, для Царевны-лягушки... э-э, для Елены Прекрасной...

— Меня зовут Рита.

— А я Косыгин... То есть старший лейтенант Косыгин...

Юрий отвел в сторону полу пиджака, невольно обнажая рукоять вложенного в кобуру пистолета, вынул из внутреннего кармана корочки с золотым тиснением, раскрыл их, показывая Рите.

— Битовский ОВД, оперуполномоченный уголовного розыска.

— Я думала, вы интересуетесь мною, — колко усмехнулась она. — А вас, оказывается, интересует бычок...

— Да, о четырех колесах, с зеленой кабиной и белым фургоном... Вы часто ставите здесь свою машину?

— Каждое утро, если место есть, — уже без иронии ответила девушка.

— А живете где?

— В этом доме. В однокомнатной квартире, на четвертом этаже. Оба окна выходят на эту сторону, поэтому мне удобно оставлять машину... Номер квартиры вам говорить?

Похоже, ей трудно было усидеть на серьезном коньке. Образцово-показательные зубы непроизвольно, казалось, обнажались в смешливой улыбке.

— Зачем?

— Ну, может, все-таки я вас интересую? Или лучше не надеяться?

— Вам весело, а кого-то в вашем доме обокрали. Я ищу машину с ворованными вещами...

— «Бычок», то есть «ЗИЛ», зеленая кабина, белый фургон? — спросила она, приложив большой и указательный пальцы к надбровьям.

— Да.

— Здесь стояла?

— Да.

— Вчера?

— Да, да.

— Вспомнила, была машина... Я в пятом часу проснулась, выглянула в окно, на коробчонку свою глянуть. Стоял фургон, через три машины от моей...

— Кто-нибудь возле нее был?

— Нет.

— Фургон был закрыт?

— Вроде да... А когда я выходила, машины уже не было...

— Когда вы выходили?

— Без двадцати шесть вечера. Клуб здесь рядом, за пять минут успеваю. Нас без пятнадцати шесть собирают, я девушка дисциплинированная...

— Клуб?

— Да, казино «Пьедестал», ночной клуб, эротические танцы, я там танцую.

— Стриптиз? — брякнул Косыгин.

— Ну зачем так грубо? — укоризненно качнула головой Рита. — Я исполнитель эротических танцев...

— Понятно.

— Приходите к нам сегодня, будет весело.

— Боюсь, что меня самого заставят исполнять эротический танец, — сардонически усмехнулся Юрий.

— Кто?

— Начальство.

— Бесплатно?

Косыгин многозначительно промолчал.

— Веселая у вас работа, товарищ оперуполномоченный.

— Да, не скучная.

— Ну, желаю успехов!

— Спасибо...

Юрий повернулся к Рите боком, чтобы продолжить путь.

— Вы ничего не забыли? — насмешливо спросила она.

— А-а, до свидания, — спохватился он.

— Хорошо, что не прощай... Телефончик свой оставить не хотите? Понимаю, я стриптизерша, падшая девушка, вас такие не интересуют...

— Ну нет, почему... — сконфуженно протянул Косыгин.

— Да ладно, по глазам вижу... Но телефончик бы все-таки оставили, вдруг что вспомню, позвоню...

— Да, конечно...

Он сунул ей служебную визитку. Она небрежно покрутила ее перед глазами.

— Юрий Васильевич, здесь только служебные телефоны. А что, сотовый зажали?..

Она сама вынула из сумочки авторучку, протянула ему вместе с визиткой. Он нацарапал номер своего мобильника.

Спрятав карточку, она достала блокнотик, написала номер своего телефона, вырвала листик, двумя пальчиками подала ему.

— Если вдруг скучно будет, можешь позвонить...

В насмешку напустила в глаза томного тумана.

— Я когда-то в сексе по телефону работала, — на особом сексуальном придыхании сказала она и для пущего эффекта облизнула языком сочно накрашенные губы. — Позвони мне после полуночи, я тебе что-нибудь расскажу. Чтобы навык не потерять.

— Издеваешься? — насупился Косыгин. — Я ведь и разозлиться могу.

— Тогда не звони, — жеманно надув губки, сказала она.

Скомкала листик, с дурашливой досадой отбросила его в далеко в сторону.

— Надеюсь, вы не оштрафуете меня за то, что мусорю?

Косыгин посмотрел на часы. Двадцать пять минут четвертого.

— Рита, мне кажется, вы рано проснулись, — насмешливо сказал он. — И что, часто с недосыпа на вас находит?

Она гневно глянула на него, как женщина, оскорбленная в своих лучших чувствах. Как будто она заигрывала с ним, а он жестоко насмеялся над ней.

— Да пошел ты! — обиженно бросила она и села в свою машину.

Не разогревая мотор, отправилась в путь. Напрасно Юрий смотрел ей вслед, так бы он не увидел, как она высунула из окна руку с высоко поднятым средним пальцем.

ГЛАВА 13

Предвариловка и суд, суета и маета. Но, как и ожидалось, все закончилось хорошо. Постановление об освобождении под залог, лимузин с эскортом, баня-сауна, очистительное пекло парилки, бодряще холодная вода бассейна. И трапеза — на первое горячий обед, на второе — деловые проблемы, девочек на десерт еще не подавали, хотя они уже где-то парятся в ожидании. Девочки смазливые, но сейчас они поднять могли все, что угодно, кроме настроения. Три чемодана с деньгами клином были вбиты Матвею в голову, и нечем было их оттуда вырвать.

— Мне в ментовке информацию подбросили, — сказал он и дунул на пивную пену в кружке. — Не знаю, деза это или как. Но похоже, что «или как»... Короче, Лизка не одна была, Балабакин с ней был...

— Балабакин? — смахнув с шеи присохший к ней банный лист, напряженно спросил Сева. — Что-то знакомое.

— Васек из-за него пострадал. Или наоборот? В общем, не важно... Где Васек?

— Да здесь где-то. Позвать?

Волынку не хватало веса для того, чтобы сейчас находиться с Матвеем за одним столом. Но он был достаточно надежен для того, чтобы охранять его спокойствие. Нехорошая ситуация, личную охрану должны составлять только проверенные, битые таежным гнусом люди.

— Зови.

Васек зашел в трапезную с плохо скрытым недовольством во взгляде.

— Что-то не так? — хлестко спросил Матвей.

— Да нет, нормально все, — вздрогнув, угодливо улыбнулся Волынок.

— А глаза чего тупишь? В баньку не пригласили? Так рылом ты еще не вышел... Выкладывай, что ты про Балабакина знаешь?

— А что такое? — настороженно встрепенулся Васек.

— Да я смотрю, пацан, косяк за тобой, — вперившись в него пытливым взглядом, грозно сказал Матвей.

— Да нет, какой косяк! — растерянно мотнул головой Волынок.

— А чего тогда шугаешься?

— Э-э, я думал, что это чисто мои дела, не стал тебе говорить...

— Ну!

— Матвей, не косяк это!.. Сафрон ко мне подошел, так, мол, и так, не тронь пацанчика, он типа под моей «крышей»...

— Сафрон?! Какого пацанчика? Балабакина?

— Ну да...

— И ты мне ничего не сказал?

— Ну, я думал, это чисто мои проблемы. Ты же не любишь, когда мы свои проблемы на тебя перекладываем...

— Глохни. Перезагружайся и давай с самого начала.

— Хорошо, с начала... Ты сказал, оставить его в покое, ну, Балабакина... А мне деньги нужны были, чтобы от прокуроров откупиться. Ну, я наехал на Балабакина, давай, говорю, бабки. Машину забрал. И еще на двести тысяч поставил, в рублях... Врать не буду, он деньги принес, все до копья, да. А потом Сафрон подъехал, ты, говорит, Балабакина не тронь, он под моей «крышей». Типа это его город, и за беспредел он конкретно спрашивает. Да, и еще... Еще сказал, что ему плевать на тебя, — нерешительно выдавил Волынок.

— Что, так и сказал? — набычился Матвей.

— Ну да... Типа мы беспредел в городе разводим, а он чисто по понятиям живет...

— Сева, ты слышал? Местная шавка волком себя почувствовала...

— За такой базар язык резать надо, — кивнул Сева.

— И гланды вырывать, — добавил Дема.

— Это вы погодите, браты. Это мы завсегда успеем... Ты мне, Васек, скажи, с какого наха Сафрон за Балабакина подписался?

— Не знаю... — выпятив нижнюю губу, пожал плечами Волынок.

— А кто знает?

— Ну, может, Балабакин пожалился ему... Может, еще что...

— Ладно, другой вопрос. Ты знал, что Лизка Генчика с Балабакиным якшается?

— Нет... Надо у Стелки спросить...

— У Стелки? Она что-то может знать?

— Ну да. Лизка иногда к ней заходила...

— Точно? — всколыхнулся Матвей.

— Ну да.

— И ты молчал?

— Ну, я думал, ты в курсе...

— Не, ну ты не урод? Мы с ног сбились, Лизку ищем... Где Стелла, мать твою? Сюда ее тащи! Живо!

Волынок исчез.

— Ну и как все это называется? — гаркнул Матвей. — Развели лядство по самые коконы!

— Да мы бы все равно до Стеллы добрались, — обескураженно буркнул Сева. — Уже бы добрались, если б менты не попутали. Ты сегодня вышел, а я вчера...

— Сева, еще раз такой конфуз, и я не посмотрю, что ты мне за брата. Гадом буду, за Генчиком пойдешь, спросишь у него, куда его сучка могла подеваться... И за ментами глаз да глаз, делай что хочешь, но чтобы я был в курсе, как у них там дела делаются...

— Я понял, брат.

— Ну, если понял, одевайся и пошел работать. Хватит здесь без понту хуками трясти... Толик, пошел к охране. Дема, займись персоналом, пробей еще раз, кто к

нам пришел, откуда, может, Сафрон к нам казачка заслал...

Матвей разогнал всех, дал отбой горячим девочкам.
Оделся сам, велел впустить в трапезную прохладу со
сплит-систем, чтобы не зажариться. Кондициониро-
ванный воздух слегка остудил его пыл, но с появлением
Стеллы его кровь снова разогрелась.

Раньше Стелла танцевала стриптиз у Сафрона, в самом затрапезном из его клубов. Как только Матвей
объявил набор для «Пьедестала», перешла к нему. Она
круто зажигала вокруг шеста, но еще больше толку от
нее было в постели. Матвей крутил с ней, пока она ему
не надоела. Эстафетную палочку перехватил Васек, и
так ему понравилось, что до сих пор ее не вынимает...

Из уважения к Волынку Матвей повысил Стеллу до
администратора стриптиз-шоу, больше она не танцевала, но за своей внешностью следила ревностно. Оде-
валась вульгарно и очень эротично. Двести двадцать
вольт по шкале сексуального напряжения, а сейчас в
ней буйствовали все триста восемьдесят единиц...

Она истомленно глянула на Матвея из-под длинных, густо накрашенных ресниц, кокетливо смахнула
со лба золотистый локон.

— Зачем звал? — Голос у нее не грубый, с легкой
хрипотцой, низкой тональности, приятный на слух.

— А Васек не сказал? — внимательно посмотрел на
нее Матвей.

— Сказал, — не моргнув глазом кивнула она. — Сказал, что ты Лизкой интересуешься.

— А ты не знала, что я ею интересуюсь?

— Да, Васек говорил, что ее ищут, — замялась Стелла.

— Что ты про нее знаешь? — резко спросил Матвей.
Он уже догадался, что девушка темнит.

— Ну, она приходила ко мне...

— И что?

— Балабакин тоже приходил. Деньги приносил... Тебя же и Балабакин интересует? — в смятении спросила она.

— Короче! — подхлестнул ее Матвей.

— Ну, Лизка у меня была, когда он пришел, увидела его, глазки загорелись, — зачастила Стелла. — Он тоже на нее запал... Короче, он ушел, а она за ним... Я из окна дома видела, как он к ней в машину садился, поехали они куда-то...

— Когда это было?

— Ну, недели две назад... А еще за день до того, как Геннадия убили, Лизка мне звонила, сказала, что ко мне едет. Не приехала... Наверное, Балабакина своего встретила...

— И об этом я узнаю только сейчас? — рассвирепел Матвей.

— Ну, я не думала, что это нужно! — В испуге Стелла легонько хлестнула себя по щекам.

— А может, ты чего-то боялась? — наседал он.

— Чего я могла бояться? — запаниковала она.

— Может, ты с ними заодно была?

— С кем с ними? С Лизкой и Балабакиным?! Да что ты такое говоришь?

— То, что вижу, то и говорю!

Матвей поднялся с дивана, подошел к Стелле, двумя пальцами взял ее за щеки, заглянул в расширенные от боли глаза.

— Признавайся, сука, с ними была?

Стелла открыла рот, но Матвей продолжал давить — щеки, не сдерживаемые зубами, сомкнулись меж собой, и она замычала. Он отпустил ее.

— Ну!

— Да ты что, Матвей! Как я могла!.. А если бы я могла, что бы я здесь сейчас делала?

— А где бы ты сейчас была и что делала?

— Василь говорил мне, что там денег уйма. Да я бы спряталась где-нибудь...

— Где бы ты спряталась?

— Не знаю, но чем глубже, тем лучше. И ждала бы, пока обо мне забудут...

— Я бы о тебе не забыл, дура, — снисходительно хмыкнул он. — И этих никогда не забуду...

Матвей в раздумье сделал круг по комнате. Он думал о том, что, если бы Стелла была заодно с беглецами, она бы не стала рассказывать про то, как они познакомились у нее дома. Впрочем, она могла бы сговориться с Вершининой и Балабакиным, а затем что-нибудь да сотворить с ними, прибрав к рукам деньги. Но в этом случае она сразу бы сдала их, чтобы поскорее выгородить себя. А она тянула. Потому что идиотка... Нет, не могла она быть в сговоре с крысиной парочкой, слишком это сложно для нее — отпустить их, чтобы самой остаться здесь. Нет, она бы сбежала вместе с ними...

— Что Лизка тебе про деньги пела? — уже мягче, но еще не смиренно спросил он.

— Лизка?! Про деньги?! Ничего не пела...

— Откуда ты тогда про них знала?

— Не знала, — в страхе, но уверенно сказала Стелла. — Пока с Геной не случилось, не знала. Потом Василь рассказал... Сказал, что Лизка убила Гену и деньги забрала... А про Балабакина я даже не думала... А ведь они могли уйти вместе...

— И ты им в этом помогла! — Матвей еще раз вгрызся в нее взглядом.

— Нет! — снова запаниковала она.

Стелла боялась, но не более того. Не было в ней злой правды, хоть одна капля которой могла бы сейчас просочиться наружу.

— А я говорю, помогла! Ты кому говорила, что Лизка Балабакина в машину к себе сажала?

— Никому. Только тебе...

— Ты это сейчас мне сказала. А надо было сразу сказать, что у Лизки шуры-муры, Генчик бы сразу ей ноги выкрутил...

— Не сказала сразу, — растирая слезы на глазах, всхлипнула Стелла. — А потом, когда узнала, боялась сказать...

— Только сырость здесь разводить не надо, — поморщился Матвей.

— Извини...

— Извини, — хмыкнул он. — Миллионы из-за нее пропали, а она «извини»...

— Но я же не знала, что у них шуры-муры...

— Ну как же не знала, а в машину кто кого сажал?

— Балабакин к Лизке садился. Но ведь он мог напроситься, чтобы она к дому его подвезла. Он такой, у него язык на шарикоподшипниках, он мог ее заговорить... Домой его подвезла, и все...

— Ты же говорила, что у Лизки глазки загорелись, когда она Балабакина увидела.

— Да? Говорила? — пугливо съежилась Стелла.

— И что Лизка должна была к тебе приехать, а не приехала, потому что с Балабакиным могла быть?

— Ну, это же предположение, — жалко пролепетала она.

Глядя на нее, Матвей понимал, что не могла она быть в сговоре с Лизкой и ее ухарем. На это у нее могло хватить смелости — тогда; но не смогла бы она выдержать психологический натиск — сейчас.

— Запуталась ты, Стелла. Врешь, потому и запуталась... Надо было сразу сказать, что у Лизки с Балабакиным любовь вышла, не плавала бы сейчас...

— Надо было, — размазывая тушь по щекам, кивнула Стелла.

— Что мне с тобой сделать?

— Прости!

Она бухнулась перед ним на колени, обхватила руками его ноги. Он ощутил сильный толчок внизу живота: лакуны пещеристых тел почти мгновенно напитались кровью.

— Прощенье нужно еще заслужить.

Стелла поняла, чем она могла заслужить его милость. Но прежде чем взяться за дело, она достала из своей сумочки влажную салфетку, чтобы стереть с лица размазанную тушь. И пока она этим занималась, Матвей вспомнил, что Стелла принадлежит Волынку. Он не имел морального права пользоваться его женщиной. Нельзя обижать верных людей, даже если они полные идиоты...

— Пошла!

Матвей коленом оттолкнул Стеллу и взялся за трубку телефона. Можно было бы призвать к себе Марго, но взять ее будет не просто, возможно, даже придется применить силу.

С ней Матвей увиделся не раньше чем через два часа. Он вызвал ее к себе в кабинет, она явилась к нему в коротком платье с оголенной спиной. Высоко поднятая грудь, с трудом удерживаемая символическим лифом; красивые, открытые по всей длине ноги в босоножках с толстой прозрачной подошвой. Матвей физически улавливал завихрения сексуальной энергии вокруг ее тела. Не женщина, а оголенный провод высоковольтной линии...

— Ты по мне скучала? — небрежно спросил он, нарочно удержав себя в мягком кресле за журнальным столиком.

Марго нежно, чуть ли не влюбленно улыбнулась ему.

— Нет.

— Плохо.

Он показал ей на широкий подлокотник своего кресла. Она приняла приглашение, села рядом с ним, позволила обнять себя за талию.

И снова он ощутил толчок... Как будто и не было никакой массажистки.

— Ты должна была скучать, — назидательно сказал он.

— Если должна, то скучала... И вчера. И сегодня, но только до трех часов пополудни...

— Не понял. А потом что, не скучала?

— Потом я думала об одном молодом человеке.

— Это ты о ком? — всполошился Матвей.

— О молодом человеке... Он мне очень понравился, — спокойно, как о чем-то правомерном сказала она.

— Ты нарочно меня злишь? — догадался он.

— Нарочно? Злю?.. А вас это злит?.. Если злит, я не буду...

— А я буду...

Он положил руку на ее бедро, в надежде, что девушка расслабит плотно сдвинутые ноги. Но Марго как будто не заметила, что его рука, скользнув по внешней стороне бедра, коснулась тонкой резинки трусиков. И ноги ее не дрогнули...

— Что это за молодой человек? — ревниво спросил он.

— Милиционер.

— Что?

— Ничего... И если будете приставать, я ему пожалуюсь.

— Точно, ты надо мной издеваешься!

— Нет. Но, возможно, выдаю желаемое за действительное... Его зовут Юра, старший лейтенант милиции, из уголовного розыска...

— И что?

Другой рукой Матвей огладил ее голую спину, просунул пальцы за срез платья, продолжил движение вниз. Она никак не отреагировала на это, ничуть не расслабилась. Или ничего не замечала, или нарочно уподоблялась бесчувственной кукле...

— Он мне понравился, и я ему тоже. К нам в клуб пригласила, чтобы он на меня посмотрел... Он не придет, — опечаленно сказала она. — Я это поняла по его глазам. Ему порочная натура не нужна.

— А мне нужна.

Матвей слегка приподнял Марго, стянул с нее платье. Но был за это наказан. Девушка вырвала у него из рук платье, быстрым тренированным движением облачилась, перешла на другое кресло, села, плотно сдвинув ноги. И обиженно сомкнула губы.

— Зачем ты мне про своего мента рассказала? — раздраженно спросил он.

— Чтобы вы руки не распускали, — насмешила его Марго.

— Ты ж ему не нужна, — усмехнулся он.

— А может, и нужна... Уйду от вас, устроюсь работать в милицию...

— Чего?

— А что, у меня высшее экологическое образование.

— Какое?

— Экологическое. Новосибирский филиал института водных и экологических проблем.

— Значит, ты из Новосибирска.

— Да.

— А я из Якутска. И тоже в институте учился. В горно-геологическом. Недоучился...

Матвея отчислили с третьего курса, за мордобой. Собирались забрить в армию, но взяли на краже, впаяли срок. С этого и началась его уголовно-криминальная эпопея...

— А в Москву зачем приехала? — спросил он. — За легкой жизнью погналась?

— Почему погналась? Я и в Новосибирске танцевала. Днем учусь, ночью танцую...

— В экологическом?

— Да.

— А при чем здесь милиция?

— Есть же экологическая милиция.

— Есть... Ты что, серьезно насчет милиции?

— Нет, конечно...

— А насчет старшего лейтенанта?

— Не знаю... Может, я нарочно про него сказала, чтобы вас позлить.

— Я так и понял... Ты мне скажи, Марго, зачем ты меня динамишь? Я что, на сопливого фраера похож?

— Нет, — смутилась она.

— С огнем играешь, девочка, — угрожающе процедил Матвей.

— Но динамо не кручу. Динамо — это когда дразнят...

— А ты что делаешь?

— Но я же к вам не напрашиваюсь.

— А ты напрашивайся...

— Не хочу... Не нравитесь вы мне.

Ее голос звучал робко, но в глазах смелость. Страшно ей, но правду все-таки сказала.

— И чем же я тебе не угодил?

— Сложно сказать. Но не угодили...

— Всем нравлюсь, а тебе нет, — уязвленно покривился Матвей.

— Нравитесь, потому что мужчина интересный. А кто-то выгоду ищет...

— Ты выгоду не ищешь?

— Ищу.

— Тогда я должен тебе нравиться.

— Если с этой точки, то нравитесь...

— Тогда иди ко мне и не ломай здесь комедию...

— Приду. А что мне за это будет?

— А что тебе нужно?

— Чтобы все чаевые у меня оставались.

— И это все?

— Пока все.

Она жеманно поднялась со своего места, колышущейся походкой приблизилась к музыкальному центру, включила музыку, подстроилась в такт, жарко посмотрела на Матвея и темпераментно колыхнула бедрами...

Это был самый обыкновенный «приват», но в оригинальном исполнении. Матвей завелся на все обороты еще до того, как Марго сняла с себя платье. Когда же она осталась в одних босоножках, он с ревом набросился на нее. Но девушка совершила какой-то хитроумный финт, и Матвей сгреб в охапку только воздух.

Он мог бы ее догнать, облапить, завалить на спину, но любопытство вернуло его на место. С опаской она приблизилась к нему, в танце оседлала его колено, едва прикасаясь к нему. Матвей неосторожно потянул к ней руку, но Марго вмиг отпрянула. Прошло время, прежде чем она снова рискнула вплотную подобраться к нему. Он решил больше не наглеть, замер в ожидании, что будет... А Марго продолжала бросать уголек в его топку, довела давление в котле до критической отметки. Он терпел, а когда понял, что надо спускать пар, было уже поздно. Котел взорвался на холостом ходу... Такого конфуза с ним еще не приключалось...

ГЛАВА 14

Генеральная репетиция, Ленусик на сцене. Смелое лаковое платье, такие же сапоги-чулки. Фонограмма уже крутится, ей только и надо, что рот в такт откры-

вать. А двигаться на сцене она умеет... Неплохо у нее
получается, очень неплохо. Сафрон восторженно под-
прыгивал на своем месте, сдерживаясь, чтобы не ударить в ладоши.

Ленусик остановилась на последнем припеве. Музыка играла, песня звучала, она стояла, негодующе уперев руку в бок. Сафрон обернулся и вздрогнул, увидев
Битка со свитой. И музыка заглохла.

Биток, с ним двое, все грозные, агрессивные. Сафрон был выбит из колеи. Как так могло случиться, что
эту троицу пропустили в зал, не испросив у него позво-
ления? Время нерабочее, клуб откроется только через
четыре часа... Успокаивало то, что за Битком уже обра-
зовалась толпа охранников и вышибал. Обозленный
Ядреныч ждал команду «фас».

— Братан, разве я тебя приглашал? — свирепо спросил Сафрон.

— Нет, — ответил невозмутимо Биток.

— И стрелу с тобой не забивал.

— А что, надо было забить?.. Разговор у меня к тебе,
Сафрон.

— Когда разговор добрый, в дом, как ты, не вламы-
ваются...

— А кто тебе сказал, что разговор добрый? — желч-
но спросил Биток. — Косяк за тобой, Сафрон...

Сафрон не знал, что делать. Забить стрелу с Битком? Но на это уйдет время. Разобраться с ним прямо
сейчас, так место неподходящее... Он обратился к Яд-
ренычу.

— Как эти сюда прошли?

— На третьем посту прозевали, — раздосадованно
махнул рукой начальник охраны.

— Никого не тронули?

— Нет.

Сафрон требовательно посмотрел на Битка.

— Волыну скинь!

— Нет ничего.

Биток приподнял руки, приглашая убедиться в истинности своих слов. Кто-то из охранников поднес к нему рамку металлодетектора... И его спутников обыскали. Чисто.

— Ну, присаживайся, раз пришел. — Сафрон небрежно показал на кресло за своим столом.

Биток присел, его спутники остались стоять.

— А ты смелый, — продолжая демонстрировать свою неприязнь, сказал Сафрон. — В клубе только свои, посторонних нет, можешь ведь здесь остаться...

— Не пугай пуганого, — безмятежно усмехнулся Биток.

— Короче, зачем пришел?

— На жену твою посмотреть. Хорошо поет.

— Абсолютный хит, — не удержался от бахвальства Сафрон.

— Кто тебе такое сказал? — Биток небрежно приподнял краешек верхней губы.

— Сам знаю. И специалисты говорят... Чтоб ты знал, эту песню «Европа» в ротацию взяла...

— Я не знаю, кто там что у кого и куда брал. Я знаю, что такое абсолютный хит. Абсолютный хит — это бриллиант, который у меня украли. Сорок шесть карат весом. Я его называю «Олений глаз».

— Да хоть лосиный, я здесь при чем?

— Лоси в тундре не водятся. А ты, возможно, при чем... Балабакин где?

— Кто? — оторопел Сафрон.

Он гадал, в чем может обвинять его Биток, но про Балабакина ни разу не подумал. Неужели из-за этого сопляка сыр-бор?

— Балабакин. Сеня его зовут, — отчеканил Биток.

— Нет его здесь. А что такое?

— А бывает?

— Ну, был...

— А когда будет?

— Не знаю... Давно уже не появляется...

— Где он может быть?

— Ты прямо как следак, — набычился Сафрон.

— За словами следи! — парировал Биток.

— Зачем тебе Балабакин?

— Затем, что ты его крышуешь.

— Крышую? Ну да, крышую... Ты что, бодаться из-за него пришел? Давай бодаться, если тебе жизнь спокойная надоела...

— А что, есть за что бодаться? — пристально всматриваясь в собеседника, спросил Биток.

— Он никому ничего не должен...

Балабакин даже не мелкая сошка, он вообще никто, но если Сафрон сказал за него слово, он со своего не сойдет.

— Должен.

— Он тачку свою отдал. И двести тысяч. Что еще нужно?

— Тачка? Двести тысяч?.. Не о том разговор...

— А о чем?

— Балабакин твой человек. Ты за него подписывался.

— И что?

— А то, что он девять зеленых «лимонов» у меня дернул! — взвился Биток. — И «Олений глаз»!

— Девять зеленых «лимонов»?! — опешил Сафрон. — «Олений глаз»?!

— Ты как будто про это не знаешь.

— Нет... Я его вообще не знаю...

— Кого ты не знаешь?! Балабакина?.. Ты кому вола водишь, пацан?.. Ты за него подписывался, ты за него и отвечаешь, понял?

— Ты меня на понял не бери! — Сафрону было не по себе, но держался он с достоинством важного человека. — Если предъяву бросил, то слушай сюда, пока я добрый. Балабакин — композитор, он песню моей жене продал, за тридцать тысяч евро...

Биток слушал с непроницаемо спокойным выражением лица. Как будто и не слышал ничего.

— Песня супер, не вопрос, но тридцать тысяч — это слишком, — продолжал Сафрон. — Вторую песню я у него брал, тоже за тридцать тысяч, но в рублях. Развел, короче, а чтобы он зуб на меня не держал, к Волынку твоему подошел...

— Легче на Волынка было наехать, чем тридцать тысяч в евро отстегнуть? — зло спросил Биток.

— Да какой там наезд? Так, поговорили...

— А он говорит, что наезд был... Типа Битово — твой город, а я беспредел здесь развожу...

— Не было такого, — не очень уверенно сказал Сафрон.

Он уже и не помнил, что наговорил Волынку.

— А на меня кто плевать хотел?

— Этого точно не было!

— Короче, ты за Балабакиным стоишь, и ты в ответе за него, — озлобленно проговорил Биток. — Делай что хочешь, но девять зеленых «лимонов» мне верни... И «Олений глаз» тоже...

— Ты с кем разговариваешь? — взорвался Сафрон. — Ты кого за лоха держишь?

Он разбушевался не на шутку, но Биток ничуть его не испугался — молча поднялся и направился к выходу. Сафрон мог бы отдать команду «фас», но даже в ярости не решился на это. Во-первых, Биток в авторитете; а во-вторых, не все из охраны клуба проверенные люди...

* * *

Степан собирался ехать на обед. Жена уже заказала столик в уютном ресторанчике около Глубокого озера. Жареная форель по-шотландски, бокал холодного белого вина... Майор Кулик не значился в меню ни под каким соусом, поэтому Круча о нем не думал. Но именно Саня попался ему в коридоре, подбросил жареного петуха взамен форели.

— Степаныч, разведка донесла, Битков у Сафрона был, — выпалил он.

— Когда?

— Только что. Говорят, Битков очень злой. Что-то они не поделили...

— Из-за чего сыр-бор?

— Не знаю. Но что-то нехорошее, как бы война у них не началась...

— Ладно, поехали.

Степан не стал звонить Жанне. Клуб-казино «Реверс» находился по пути, если ничего серьезного, он еще успеет к обеду.

Они с Куликом проигнорировали парадное крыльцо, воспользовались рабочим входом. Там должен был быть пост, но двери нараспашку и ни одного охранника. Зато в небольшом полутемном холле — светопреставление. На полу, закрыв лицо руками, а живот — коленками, лежал парень в белой рубашке. Сафрон с ревом ударил его ногой по почке.

— Уррою, козел!

Удар, еще, еще... Вокруг жертвы еще три охранника, все молчат, как будто в назидание наблюдают за расправой.

— Хватит! — гаркнул Степан.

Сафрон остановился, бешеными глазами глянул на

него. Лицо багровое от излишка горячей крови, рот перекошен, на губах пена.

— Ты кто такой? — в исступлении заорал он и попер на Степана.

Сафрон был невменяем, и Круча понимал, что словом его не остановить. Угомонить его можно было только силой... Степан ударил кулаком — правой, точно в подбородок и с таким расчетом, чтобы не отправить Сафрона в глубокий нокаут.

Сафрон остановился, крутнул головой — как подбитый танк башней. Взгляд прояснился, рот выправился, краска схлынула с лица.

— А-а, Степан Степаныч! — с гримасой радости на лице протянул он к нему руки.

Кулик тут же воспользовался этим: набросил браслет наручников на одно запястье, тут же — на другое.

— За что? — возмутился Сафрон.

— Покушение на убийство, — сообразил Степан.

И взглядом показал на поднимающегося с пола охранника.

— Ты чего, начальник? — вытаращился на него Сафрон. — Это у нас тренировка!

— Кого ты лечишь? — возмутился Кулик. — Если б не мы, забил бы парня до смерти...

Степан заметил, как кто-то из охранников легонько толкнул потерпевшего.

— Да тренировка это, — выдавил тот и для большей убедительности кивнул.

— Говорю же, тренировка! — подхватил Сафрон. — Не было злого умысла, начальник!

— Не было, — подтвердил избитый охранник.

Степан глянул на Кулика, разочарованно развел руками. Он был уверен, что пострадавший ни за что на свете не напишет заявление на своего босса. Уголовное дело можно возбудить только по факту избиения, но это дохлый номер: свидетели есть, но показаний никто не даст.

— Ну, на нет и суда нет, — расхоложенно сказал Кулик.

И вяло, без охоты снял с Сафрона наручники.

— Начальник, ну как ты мог? — раздосадованно протянул тот.

— А это тебе предупреждение, — в хитрой улыбке изогнул губы майор.

— За что?

— За то, что обедом не угощаешь...

— Понял, начальник, сейчас все будет...

— А там уже убрали?

— Где там? — не понял Сафрон.

— В кабинете, за Битком.

— Да мы не в кабинете... Эй, начальник, какой Биток?

— Это ты нам сейчас и расскажешь.

Степан позвонил жене, извинился и попросил перенести обед на ужин.

Сафрон распорядился накрыть стол в ресторанном кабинете. Круча обратил внимание, что на пост у входа встало сразу несколько охранников.

— Боишься Биткова? — спросил он. — Или просто опасаешься?

— Было бы кого бояться, — буркнул Сафрон.

— Что у вас там стряслось?

— Биток с катушек съехал, вот что.

— Это не ответ.

— За Балабакина мне предъявил. Типа, он у него девять миллионов скрысил... Как будто это правда.

— Правда, — кивнул Степан. — А если точней, то есть подозрение... Так сколько там скрысили?

— Девять миллионов долларов. И еще какой-то алмаз.

— Про алмаз мы не знаем.

— Так и возвращать вам его не надо... И мне тоже... Пусть Биток только сунется, я его, суку...

— Тихо, тихо, не кипятись. Он что, деньги с тебя взять хочет?

— Выходит, что так.

— А какое ты имеешь отношение к Балабакину?

— Оказывается, имею... Он для моей Ленки песню написал, а на него Волынок битковский наехал, из-за долга, я решил помочь парню... Помог на свою голову. Теперь Биток думает, что я заодно с Балабакиным... А я даже не знаю, как он деньги скрысил. Они что, на дороге валялись?

— В сейфе. И не валялись, а лежали. Казначей у Биткова был, а у казначея девушка. Лиза ее зовут, ты ее знаешь, — как о чем-то достоверно известном сказал Степан.

Но Сафрон не поддался на уловку.

— Не знаю.

— Полненькая такая, симпатичная.

— Не видел...

— В общем, она выкрала деньги. И с Балабакиным сбежала...

— Девять миллионов долларов и алмаз! Ну не хило загулял пацан! — возмущенно протянул Сафрон. — Он в шелках, а я в долгах!

— Будешь выплачивать? — удивленно спросил Степан.

— Да это я к слову, что в долгах... Не буду!

— А что будешь делать?

— Не знаю, но без боя не сдамся... Он мне зачем девять «лимонов» предъявил? Это наезд, Степаныч, реальный наезд. Не на того нарвался, козел...

— Миром надо решать. Мне война в городе не нужна. Битков начнет — получит по полной. Ответишь ему — будешь отвечать передо мной... Ты меня понимаешь?

Из двух зол Круча выбирал меньшее, то есть Сафрона. Но поблажки ему делать он готов был только в мирное время. Если между ним и Битковым начнется война, то компромисса не будет ни для одной из сторон...

* * *

Матвей не начинал войны с провокаций. Обычно он бил без предупреждения и наверняка. Но сейчас не тот случай. Москва, цивилизация, угро и спецназ. И не столько он боялся ментов, сколько — потерять свой клуб: слишком долго шел он к нему, и очень много денег вложено в бизнес.

Но и Сафрону он спуску давать не собирался. Предупреждение сделал, сейчас на очереди провокация, если тот не сделает правильных выводов, начнется настоящая война — с пожарами, взрывами, стрельбой...

— Едут! — сообщили по рации.

— Готовность раз! — распорядился Сева.

Он держал в руках все ниточки, он тянул за них, а Матвей лишь наблюдал за действом. Если Сева режиссер, то он — продюсер, но за результат в ответе оба.

— Едут, — обратившись к нему, сказал Сева.

Они находились в одной машине, в лесополосе с выездом на трассу Битово — Москва. Разведка не обманула: Сафрон едет в столицу. Его нужно остановить, закапать глаза луковым соком. Дело не простое, Сева готовился к нему три дня. Сколько людей задействовано, техники, а сколько денег ушло...

— Едут — и пусть едут, — спокойно сказал Матвей. — Ты про меня забудь, сам рули...

— Нормально все будет, — заверил его Сева.

Матвей промолчал. Будет результат, тогда и поговорит...

* * *

— Э-э, что за черт? — возмущенно протянул водитель.

— Ремонт дороги, объезд, — более спокойно отреагировал Ядреныч.

Сафрон глянул в лобовое окно. Две полосы перекрыл длинный грейдер, на подножке которого стоял человек в рабочей каске и оранжевом жилете. Еще один дорожник регулировал движение — показывал машинам на объездную дорогу.

— Что делать? — спросил Ядреныч.

— Что делать, что делать, — передразнил его Сафрон. — Ехать, вот что делать! Давай по объездной!

Он ехал в Москву, к важным людям, которые могли помочь ему решить вопрос по Битку без крови. Война ему не нужна...

— Хреновая там дорога!

В подтверждение своих слов Ядреныч показал на проселок, над которым колыхалась поднятая машинами пыльная взвесь.

— Да и ловушка это может быть...

— Ловушка? — забеспокоился Сафрон. — Может, и ловушка...

На проселочной дороге машина теряет скорость, ее легче обстрелять. А еще можно вкопать в землю фугас...

— Что делать? — нервно спросил он.

— Вот я и думаю... Можно по встречке.

— Не вопрос, — соглашаясь, кивнул Сафрон.

Из двух встречных полос свободной была только одна, в нее одна за другой встраивались машины, они шли медленно, вереницей. Простым смертным этот поток не пройти, но Сафрон — большой человек. Джип с охраной пойдет впереди, потянет за собой машину с боссом.

Взвизгнула сирена, замельтешил синим светом про-блесковый маячок, вспыхнули дальним светом фары... Первый джип нагло выехал навстречу движению, оста-новил его, потеснил. За ним потянулся черный «Гелен-дваген» Сафрона. Обе машины обогнули грейдер, свер-нули на свою полосу. Рабочие машут руками, матерят-ся, но кто на них, сермяжных, обращает внимание?..

— Ну вот и...

Ядреныч замолчал на полуслове, улыбка сошла с его лица.

— Я так не играю, — ошеломленно пробормотал во-дитель.

Мало того, что дальше на пути стоял еще один грей-дер, со встречной дороги сошел микроавтобус, из кото-рого уже выскакивали крепкие ребятки в милицейском камуфляже и с автоматами. Они на ходу раскатывали шапочки, превращая их в маски.

Их было не так уж много, человек пять-шесть, но на их стороне правда. Видимо, спецназовцам не понрави-лось, с какой наглостью джипы вклинились во встреч-ный поток, помешали ехать им самим.

От спецназа не уйти: впереди грейдер и сзади, слева встречные машины, справа крутой съезд с обочины. А у спецназовцев автоматы. Да и неблагодарное это дело — удирать от представителей власти.

— Пойди, разберись, — глянув на Ядреныча, распо-рядился Сафрон.

Но начальник его личной охраны и без того уже от-крыл дверцу.

Два или три спецназовца держали под прицелом пе-редовую машину с охраной, двое развернули вышедше-го к ним Ядреныча лицом к капоту. Еще один открыл дверцу машины, направил на Сафрона автомат.

— Выходим!

— Ксиву покажи! — потребовал он.

189

Но вместо того, чтобы показать документы, спецназовец резко протянул к Сафрону руку, схватил его за пиджак и с такой силой дернул на себя, что сорвал с места, вытащил из машины. Падая на землю, Сафрон мог только дивиться силе, которой обладал безликий боец.

К одному спецназовцу присоединился второй — Сафрон и выматериться не успел, как оказался в салоне микроавтобуса. И в тот же момент в оглушительный унисон слился треск автоматных очередей. Стреляя по джипам, спецназовцы один за другим впрыгивали в свой микроавтобус. А тот уже медленно пятился ко второму грейдеру.

Сафрон лежал на полу, он не мог видеть, как грейдер сдал назад, но, пропустив микроавтобус, вернулся на место. Машина помчалась по пустующей полосе в сторону Москвы, метров через триста-четыреста свернула влево на проселочную дорогу, въехала в безлюдный лесок.

Спецназовцы вытащили Сафрона из машины, швырнули на пепелище давно потухшего костра.

— Ну, чего разлегся? Поднимайся! — потребовал знакомый голос.

Сафрон испуганно вздрогнул, поднял голову... Он бы не очень удивился, если бы увидел Кручу, но перед ним стоял Биток. Носок его туфли врезался в слой застарелой сажи, взбил ее и швырнул в лицо Сафрону.

— Я сказал, поднимайся!

Сафрон встал, глянул на черные от сажи руки. Понуро посмотрел на Битка, уныло спросил:

— Твоя работа?

— Моя.

— Переиграл.

— А ты думал, я в цацки с тобой играть буду...

— Не думал.

— Тогда где бабки?

— Не брал я твои «лимоны». И про алмаз ничего не знаю...

— Сафрон, я же знаю, ты мужик умный. Потому и не попер на объездную, потому и пошел по встречке, что не дурак... Но я-то умней. И шутить, как видишь, не люблю...

— Но я не брал деньги...

— Может, и не брал. Но Балабакин — твой человек, это я знаю точно. Он бы в одиночку против меня не пошел, значит, за ним стоял ты.

— Это бред.

— Не знаю, не знаю. Деньги по-любому надо будет отдать. И за алмаз расплатиться тоже... Срок у тебя всего неделя. Три дня уже прошло, осталось четыре. И ментам жалиться не советую...

— Кто ментам жалится? — озлобленно буркнул Сафрон.

— Ты. Круча после нашего с тобой разговора к тебе приходил, не ко мне.

— Я не знаю, откуда он про наш разговор узнал... Сам пришел...

— Ладно тебе пену пускать, я же знаю, что ты с ментами вась-вась. Но менты тебе не помогут, отвечаю... И к московским ворам обращаться не надо, они тоже тебе не помогут. Лучше думай, как деньги отдать...

Сафрон думал о том, что Биток переиграл его по всем статьям. Первоклассно его братва сработала, и разведка у него недурственная, если он владеет информацией — и про Кручу знает, и про воров.

— Думаю.

— Вот и хорошо... Если через четыре дня не будет денег, отдашь мне «Реверс», — флегматично сказал Биток.

— Чего?! — встрепенулся Сафрон.

Биток ничего не сказал, но жестом подал знак своим людям. Два «спецназовца» одновременно ударили Сафрона по ногам — аккурат под сгиб колена. Сафрон упал, и тут же в его затылок уперся ствол автомата. Угрожающе клацнул затвор...

Сафрон понял, что все, закончилась его жизнь. Если Биток положил глаз на его «Реверс», то ему нужно с ним кончать: тогда уж точно никто не помешает ему завладеть клубом... Умирать не хотелось, ведь жизнь так прекрасна. Но раз уже пришел черед, то Сафрон примет смерть достойно. Он зажмурил глаза в ожидании выстрела. Мольбы о пощаде не услышит от него Биток...

Время шло, а выстрела не было... Прислушавшись, Сафрон вдруг понял, что вокруг ни души. Давление на затылок все еще чувствовалось, но самого ствола уже не было. Слишком сильно «спецназовец» вдавил в него дульный компенсатор своего автомата, отсюда и остаточное ощущение...

Ушел Биток, увел своих бойцов, но претензия осталась. Или девять миллионов плюс алмаз, или «Реверс». Если ни то и ни другое, то придется отдать жизнь... Сафрон в отчаянии обхватил голову руками. Настроение было такое, что в самый раз посыпать ее пеплом...

* * *

Матвей не стал убивать Сафрона, но все равно победа осталась за ним.

— Теперь это чмо знает, с кем имеет дело, — похлопав Севу по плечу, самодовольно сказал он.

— Знает. Или деньги отдаст, или клуб. А потом и весь город сдаст...

— Все равно глаз да глаз за ним...

— Да с этим все в порядке, — кивнул Сева. — Работают люди... Только как бы он в ментовку не побежал...

— Ничего, у нас и там люди.

— Да я бы не сказал. Похоже, Круча закрутил гайки, я позвонил капитану, а он сказал, что знать меня не знает. Боится...

— Сдай его Круче, если он такая тварь неблагодарная, — расстроенно посоветовал Матвей.

— Нет, тогда точно с нами никто контачить не захочет... Есть у меня выход на одного человечка...

— Кто такой?

— Не скажу, что это удача. Офицер из постовой службы... Но хоть что-то...

— Чешуя... Уголовный розыск нужен, следственный отдел, там вся информация...

— Да знаю. Но там Круча рулит, он, говорят, ментов под себя подбирает. И капитан очень жалеет, что дал маху... Не будет он сливать нам...

— Семья у него есть?

— Да.

— Надави на семью.

— А если он Круче скажет?

— Может и сказать, — согласился Матвей. — Тогда он в нас болты вкручивать начнет...

— И без того начнет. Шухер мы на дороге навели, менты этого так не оставят. И Сафрон скажет, что мы нахимичили. Надо было замочить его...

— Ты же сказал, что все в ажуре?

— В ажуре, но мало ли что...

— Ничего, с ментами разберемся... А капитана трогать не надо, пусть живет, если жить охота... А казачок нам нужен. Есть вариант...

Матвей вспомнил о Марго и о старшем лейтенанте, о котором она рассказывала...

Владимир Колычев

ГЛАВА 15

Косыгин возвращался домой поздно и в унынии. Розыск Вершининой и Балабакина зашел в тупик, но начальство по-прежнему требует биться головой об стену — как будто от этого может быть прок. С Передрыгиным и Тюленевым проблема. Юрий смог найти свидетелей, которые видели, как они загружали машину вещами, одного даже опознали, но этих доказательств их вины хватало только для того, чтобы возбудить уголовное дело. Следователь требует найти машину с ворованными вещами, но ее и след простыл. И даже регистрационный номер не помог — владельца установили, но тот, как выяснилось, уже неделю назад заявил об угоне... Если бы только это. Еще инцидент на трассе Битово — Москва давит, сверху — на мозговой клапан, снизу — на пятки: устали ноги бегать по дорожно-строительным управлениям в поисках владельцев злополучных грейдеров...

Без четверти одиннадцать вечера, в ногах гудящая тяжесть от усталости, а завтра утром снова на службу, и опять начнется беготня. Хорошо, если машину дадут, а если нет — снова ноги в руки...

Он подходил к троллейбусной остановке, когда зазвонил телефон.

— Привет, это Рита... Если помнишь... Извини, что разбудила...

— Разбудила?! Ну ты меня и развеселила!

Если бы Косыгин сейчас рассмеялся, прохожие могли бы стать свидетелями истерического хохота.

— Хотя, в общем, ты права, я как раз собирался лечь спать, на заднем сиденье троллейбуса. Правда, он еще не подошел...

— Мне кажется, настроение у тебя не очень... Ты сейчас где?

194

— А что?

— Я домой еду. Если ты возле милиции, могла бы подвезти тебя...

— Да, я как раз там. На остановке...

— Если подождешь, через три минуты буду...

Рита его не обманула: уже через пару минут он садился в ее малютку «Дэу».

— Не тесно? — с извиняющейся улыбкой спросила она.

Фееричная красотка, сексуальная, благоухающая. Футболка, короткие шорты; обнаженные ноги притягивают взгляд.

— Да нет, — глянув поверх нее, пожал он плечами. — Нормально... Если б мой начальник сел, было бы тесно...

— А зачем он нам нужен, твой начальник? — игриво подмигнула ему Рита.

— Да нет, если бы он вместо меня сел, — замялся он.

— А не нужно никого вместо тебя... Ты же пропавший «бычок» ищешь... Или твой начальник тоже?

— Он тоже, но через меня... А ты что-то знаешь? — апатично спросил Косыгин.

— Знаю. А тебе что, не интересно?

— Интересно. Только голова уже не соображает... Что ты узнала?

— Соседка моя видела, как машину загружали.

— И все?

— А этого мало?

— Мало. Свидетели у меня и без твоей соседки есть...

— Жаль. Помочь тебе хотела... Значит, сам справился?

— Ну, не совсем...

— Тогда хоть домой тебя отвезу. Где ты живешь?

— Третья улица Строителей...

— Это где?

— И в Москве, и в Ленинграде, если верить «Иронии судьбы»...

— Я смотрю, настроение у тебя улучшается. Так куда тебя везти?

— Грибоедова, шестьдесят четыре. Шесть остановок по пятому маршруту...

— Извини, я троллейбусы не вожу, — тронув машину с места, сказала Рита. — Где пятый маршрут, не знаю...

— Зато знаешь, где «Пьедестал». Ты оттуда?

— Нет, у меня сегодня выходной. Весь день спала, а на ночь глядя погулять вдруг захотелось... А ты зачем про «Пьедестал» сказал? — с упреком спросила Рита. — Обвиняешь меня в чем-то?

— Да нет, — смутился Косыгин.

— Ну что нет, если да... Если б нет, позвонил бы...

— Так ты телефон скомкала и выбросила, если помнишь, — нашелся он.

— А ты его разве не подобрал?

— Нет.

— Я думала, да... — опечаленно сказала Рита и замолчала.

Косыгин не показал ей, как проходит пятый маршрут троллейбуса, она без объяснений нашла его улицу и дом.

— Приехали, — кивнув на серую блочную пятиэтажку, грустно улыбнулась она.

— Ага...

Он открыл дверь, выставил ногу.

— Что, так и уйдешь? — спросила она.

— Э-э, до свидания, — сконфуженно попрощался он.

Косыгин не знал, что ему делать. Рита ему нравилась, но ведь она стриптизерша, ему с ней не по пути.

— До какого свиданья? Ты же видеть меня не хочешь...

— Хочу.

Он уже знал ее взрывной характер и не хотел, чтобы она, уезжая, показала ему средний палец. Вернул ногу в машину, закрыл дверцу.

— Что хочешь, видеть меня или вообще?.. Да не напрягайся ты. Не хочешь — не надо... Хотя мог бы пригласить меня на огонек... Ты один живешь, без хозяйки?

— Без.

— Боишься остаться со мной наедине?

— Нет...

— Тогда в чем дело?

— У меня не убрано. Холостяцкая берлога...

— Меня этим не напугаешь.

— Ну, тогда пошли...

Косыгин снимал однокомнатную квартиру на первом этаже старого дома. Затхлый воздух, запах канализации, ветхие обои, дряхлая мебель.

— Не фонтан, — резюмировала Рита.

— Я же говорю, не убрано.

— Да нет, здесь не убираться, здесь все ломать надо.

— Не моя квартира, не мне здесь хозяйничать.

Он показал ей на кухню, но Рита осталась в прихожей. Боялась идти — как будто дальше было болото и она могла утонуть...

— Слушай, может, ко мне поедем? — спросила она.

— Мне завтра на службу.

— Так мой дом еще ближе. Завтра от меня и пойдешь...

— Нет, мне брюки погладить нужно...

— Я поглажу... — сказала она. И, немного подумав, уточнила: — Брюки поглажу.

Все-таки она сдвинулась с места, заглянула в санузел. Поморщилась, пальцами сжав ноздри.

— Как ты здесь живешь?

— Так и живу, — сконфуженно пожал он плечами.

— Я понимаю, присяга, трудности, связанные со службой в органах... Но это же не значит, что ты должен жить в дерьме...

— Зато недорого. Всего две тысячи рублей. Кофе будешь?

— Буду. Но если сама сварю. У себя. Но с тобой...

— Вари. У себя. Но без меня... Извини, я очень устал...

* * *

— Извини, я очень устала...

Матвей попытался привлечь к себе Марго, но получил отпор. Оттолкнувшись от него руками, она сделала несколько шагов назад.

Он угрожающе свел брови.

— Устала?! От чего ты устала?.. Может, все-таки было?

— Не было ничего. И не устала я. Это я его передразниваю... Он сказал, что устал. И я говорю... А может, и устала. Морально. Женщины очень переживают, когда их отвергают...

— Отвергают?.. Ты же сказала, вы на завтра договорились.

— Договорились... — обиженно усмехнулась Марго. — Это мне так хочется думать, что договорились. Завтра он обещал позвонить... А позвонит ли, вот в чем вопрос?

— Я бы тебе позвонил.

— Но я же не с тобой должна закрутить, а с ним. Насчет него был уговор...

— Был и остается в силе, — отрезал Матвей. — Этот старлей мне нужен, и ты его мне подашь на блюдечке.

— А если нет? — пристально и со страхом посмотрела на него Марго.

Он мог бы сказать, что за «нет» она дорого заплатит. Но девушка не принадлежит ему на все сто, и неизвестно, чем обернется для него излишнее запугивание. Как бы к ментам с жалобой не побежала, а у него с ними и без того проблем хватает. Пока они только вьются над его головой с распахнутыми крыльями, но в любой момент могут нырнуть на него в высоты и заклевать если не до смерти, то до больничной койки в тюремном лазарете... Он должен был соблюдать осторожность хотя бы в тех случаях, где можно обойтись без грубости.

— Останешься без денег. И без моей любви... Или без чего-то одного, на выбор...

— Тогда уж лучше... — Марго нарочно затянула паузу.

— Что лучше? — не выдержал он.

— Даже не знаю, что лучше...

— Иди ко мне, я объясню...

Эта красотка по-прежнему притягивала к себе с силой земной гравитации. Может, потому, что Матвей так и не смог познать ее в полной мере. Может, потому, что девушка на редкость хороша. Может, и то, и другое...

— Не пойду.

— Почему?

— Потому что я тебе больше не нужна.

— Кто тебе такое сказал?

— Ты. И не сказал, а сделал. Если б я была тебе нужна, ты бы не подставил меня под Косыгина...

— Да, я тебя подставляю, но, заметь, не подкладываю.

— С мужчинами по-другому нельзя. Сначала ты перед ним стоишь, потом ты под него ложишься...

— Да, но ты же под меня не легла.

— Так меня под тебя не подставляли. И денег мне за тебя не обещали.

— Я тебе дам денег, за себя.

Матвей чувствовал себя кретином. Он — человек, перед которым склоняются сильные, — позволяет какой-то девке водить себя за нос. Давно бы уже мог влепить ей пощечину, сбить глупый кураж и уложить в постель...

— Нет, нужно, чтобы кто-то другой дал, не ты, — продолжала дурачить его Марго.

— Если кто-то тебе даст деньги за меня, у тебя ничего со мной не выйдет. Как не выходит с Косыгиным... — в пику, язвительным тоном сказал он.

— Считай, что ты меня обидел.

— Да, но я могу тебя утешить.

— Хорошо, я согласна...

— Я покажу тебе, что значит настоящий мужчина.

— Отлично.

— Тогда расслабься и иди сюда.

— Сегодня не могу. Сегодня у меня очень сильно болит голова.

— Ничего, я вылечу.

— Ты не понимаешь, если у меня болит голова, то я ничего не запомню. А если не помнить, то какой смысл начинать?

Матвей понимал, что Марго снова «крутит динамо». Но переключить ее с «холостого» хода на «рабочий» не решился. И, когда она ушла, вызвал к себе в кабинет более податливую танцовщицу...

* * *

Громила на входе даже не стал спрашивать документы, посторонился без лишних слов. Появившийся начальник охраны угодливо сопроводил Степана и его спутников к лифту, вместе с ними поднялся на второй этаж, оставил в директорской приемной, сам зашел в кабинет.

Вернулся Анатолий минут через пятнадцать. Виновато улыбнулся, позерски сомкнув на груди свои кулачищи.

— Господа, Матвей Кириллович изволит принять вас в конференц-зале.

— Прикалываешься, Антипов? — глумливо спросил Комов. — Какие мы тебе господа? Мы для тебя граждане начальники. Забыл, как срок на Колыме мотал? Могу напомнить.

— Ну, что было, то было, — ничуть не смутился начальник охраны. — Другая жизнь, другие нравы...

— Жизнь, может, другая, а нравы те же... Пошли!

Битков ждал незваных гостей в кресле во главе конференц-стола. По правую от него руку сидел слащаво улыбающийся мужчина с холеной физиономией, по левую — симпатичная женщина в деловом костюме, с высокой прической и хищными глазами.

Поднявшись со своего места, Битков предложил садиться Степану и его спутникам. Холодный взгляд, на лице полное безразличие к происходящему.

— Прошу, господа!

— И этот туда же, — усмехнулся Комов.

Женщина глянула на него с таким остервенением, что даже Степану стало слегка не по себе.

— Посторонних я бы попросил удалиться, — сказал он.

— Это не посторонние, — парировал Битков. — Это мои адвокаты.

— Квашнин Георгий Максимович, — представился мужчина.

— Карелова Лидия Ивановна, — назвалась женщина.

— Так что если какие-то вопросы, то через них, — с трудом сдерживая насмешку, сказал Битков.

— Но сначала вопрос у меня: кто вы такие и зачем пришли к господину Биткову? — строго спросил Квашнин.

— Начальник Битовского ОВД, подполковник Круча, — с невозмутимым видом ответил Степан.

— Цель вашего визита? — сухо спросила Карелова.

— Разговор есть.

— На какую тему?

— Есть тема... Для начала покажите свои документы.

С документами у адвокатов все было в порядке, оба имели при себе ордера, удостоверяющие их полномочия в отношении Биткова. Официально он находился под следствием, этим и объяснялось присутствие адвокатов, что, конечно же, не могло радовать Степана.

— Итак, я вынуждена повторить свой вопрос. Меня интересует цель вашего визита, — сказала Карелова и спрямила губы в стервозную линию.

— Есть разговор к уважаемому Матвею Кирилловичу. По поводу инцидента на дороге, не так давно имевшего место быть на трассе Битово — Москва.

Степан точно знал, кто устроил спектакль на дороге, жертвой которого стал Сафрон. Криминал налицо: угнанная строительная техника, маски-шоу с участием ряженых спецназовцев, применение огнестрельного оружия. Из автоматов стреляли поверх джипов, но боевыми патронами. И гражданину Сафронову угрожали оружием... Но, увы, неопровержимых улик, доказывающих прямое участие в этой инсценировке Биткова, у Степана не было. «Спецназовцы» уехали вместе с Сафроном, «рабочие» согнали с дороги технику, забрали свой инвентарь и куда-то исчезли. Ничего не докажешь. Степан мог предъявить Биткову только показания Сафронова, но тот уже наверняка знает вариант «правильного» ответа. «Лжет Сафронов, нарочно порочит честное имя своего конкурента...» К тому же Сафрон наотрез отказался дать официальные показания.

— Не знаю, о чем речь, — покачал головой Битков.

— Знаешь ты все, — отрезал Степан. — Сафронова ты предупредил. Теперь я предупреждаю тебя. Ты у меня, Битков, в зоне особого внимания. Еще одно неосторожное движение, и ты окажешься за решеткой...

— Это угроза! — взвился Квашнин.

— Это злоупотребление служебными полномочиями! — подпела Карелова.

Степан даже не глянул на них. Молча повернулся к Биткову спиной и вышел из кабинета.

* * *

— Понты это. Блефуют менты! Предупреждает он!.. Тьфу на тебя, мусор! — Дема изобразил плевок в сторону телевизионного экрана, где Степан Круча гневно смотрел на Матвея.

— Тьфу не тьфу, а быковать пока не надо, — покачал головой Сева. — Пусть менты перебесятся...

— Послезавтра Сафрон деньги отдать должен, — пасмурно изрек Матвей.

— Не отдаст. На Кручу понадеется, — сказал Сева. — И на поддержку из Москвы...

— Это реальные козыри.

— Не вопрос. Но мы же его предупредили. А пока сделаем вид, что мы не в претензии. Когда все уляжется, предъявим. Его в расход, а город под себя...

— А когда уляжется?.. — угрюмо поморщился Матвей. — Ментов под себя брать надо... Но что-то говорит мне, что, пока Круча живой, это нереально...

— А он живой, — кивнул Сева. — Потому что человек. А если человек, значит, его можно сделать неживым... Решали же мы раньше эти проблемы.

— То раньше, а то сейчас. Ситуация другая, — с мрачным видом отмахнулся от него Матвей. — Пока не будем об этом. Но если прижмет...

— Если прижмет, надо решать, — кивнул Сева. — А пока никаких движений. И без адвоката ни шагу...

Это он догадался нанять адвокатов и приставить их к Матвею. Как оказалось, идея выгорела: Круча не захотел при них качать свои права и убрался восвояси. Но при этом он все же успел сделать предупреждение, вложив в него всю силу своего взгляда. Матвей до сих пор был под впечатлением, до сих пор Круча маячил перед глазами... Да, прав Сева, лучше всего сложить весла и качаться на мелкой волне у безопасного берега...

* * *

Степан не считал себя проигравшим. Пусть адвокаты и помешали ему, но все же он донес угрозу до адресата. Он видел страх в глазах Биткова... Но все же настроение было неважным. Он чувствовал себя оплеванным. И надо было ему сунуться в «Пьедестал»...

— Мне кажется, Битков и сам понимает, что переборщил с Сафроном, — сказал Комов.

— Такие деньги ушли, потому и злится, — добавил Лозовой. — А казино исправно работает, деньги приличные крутятся. Отобьет пропажу, глядишь, успокоится...

— Ты мне зубы не заговаривай, — сурово глянул на него Круча. — Там не только деньги были. Алмазы, золото... Оно откуда-то поступает. Откуда — это мы примерно знаем. И как оно поступает, по каким каналам? Это контрабанда, Рома. Контрабанда! Это по твоей части. Работай! Выясняй!

— Работаем. Выясняем.

— И что?

— Пока ничего.

— Вот то-то же...

В дверь постучали.

— Да!

В кабинет вошел Кулик. Он бы не постучался, если бы был один, но с собой он привел оперуполномоченного из своего отдела.

Кандидатуру Юрия Косыгина Степан одобрил самолично. Высшая школа милиции, красный диплом, отличные характеристики — как официальные, от начальства, так и от сокурсников. Отличник, спортсмен, специалист по рукопашному бою... Служил парень добросовестно, пахал, может, и не всегда ровно, зато, что называется, на полную глубину плуга. Пусть и не все у него ладилось, но Степан был им доволен.

— Товарищ подполковник, разрешите обратиться?

Присутствие подчиненного понуждало Кулика к уставному церемониалу.

— Обращайся, Александр Васильевич. Выкладывай, что там у тебя.

— Не у меня, у Косыгина.

Старший лейтенант выглядел смущенным, но растерянности в глазах не было. И мямлить он не стал.

— Товарищ подполковник, у меня соображения по поводу «Пьедестала»...

Он замолчал, многозначительно глянув на присутствующих в кабинете людей. Комов, Лозовой...

— Здесь все свои, — уверенный в своем суждении, сказал Степан. — Продолжай.

— Меня хотят использовать, — немного подумав, на коротком дыхании выдал Косыгин.

— Кто? И в каком смысле?

— Не знаю, кто-то из «Пьедестала». А смысл пока

не совсем ясен, то ли втемную хотят использовать, то ли собираются сделать предложение, от которого я не должен отказаться... В общем, я с девушкой познакомился, танцовщица из «Пьедестала». Она в том доме живет, где Тюленев и Передрыгин квартиру обчистили. Я искал свидетелей, встретился с ней...

— Если можно, покороче.

— Ну, если короче, я вчера домой возвращался, Рита подъехала ко мне на машине, предложила подвезти. Спросила, где я живу, я назвал адрес, пояснил, что это шесть остановок по пятому маршруту троллейбуса. Она сказала, что троллейбусы не водит, маршрут не знает, но тем не менее подвезла меня точно к дому...

— Если человек не водит троллейбусы, это не значит, что он не знает города... Откуда она сама? — спросил Степан.

— Не знаю, не интересовался... Поздно уже было, спать хотелось, голова не соображала... Это я уже сегодня задумался над казусами...

— То, что к дому тебя точно подвезли, это не казус.

— Да, но есть и другое, — не сдавался Косыгин. — Она как будто знала, что у меня нет жены. Про хозяйку спросила, а про жену нет...

— Правую руку покажи... Кольца обручального нет, а женщины это сразу замечают, — насмешливо посмотрел на него Лозовой. — Даже если видов на тебя не имеют, все равно заметят, это у них на уровне природных инстинктов...

— Многие мужчины не носят кольца, даже если женаты, — парировал Косыгин. — Тем более что я милиционер, нам кольца носить не рекомендуется, во избежание травм...

— Она откуда может знать, что нам рекомендуется, а что нет?

— Вот то-то и оно... Квартира ей моя не понравилась. Я, говорит, понимаю, присяга, трудности, связанные со службой в органах... Откуда она могла знать текст присяги?

— Что здесь такого? Кто не знает про тяготы и лишения, обозначенные в присяге?

— Тяготы и лишения — это из старых редакций, а в новых — трудности, связанные со службой... Клянусь достойно переносить связанные со службой в органах внутренних дел трудности, быть честным и так далее и тому подобное...

— Это что, присяга сейчас такая? — озадаченно почесал щеку Комов. — Тягот и лишений нет?..

— Трудности есть. Рита про них сказала, а про тяготы и лишения — нет...

— И что из этого следует? — спросил Степан.

Он и сам был уже заинтригован не меньше Косыгина.

— То, что Рита изучала меня. Где я и с кем живу, где работаю, чем дышу... Или ей помогли меня изучить...

— Битков?

— Я не знаю. Но то, что Рита в «Пьедестале» работает, о многом говорит...

— А если не в «Пьедестале»?

— Ну, она говорила, что там...

— Сказать можно что угодно. Но тем не менее хорошо, что ты проявил бдительность, старший лейтенант. Ты выйди пока, мы тут поговорим, потом тебя позовем...

Косыгин ушел, Степан обвел взглядом своих соратников.

— Биткову неуютно в нашем городе. С одной стороны — мы, с другой — Сафрон. Ему сейчас информация о нас как воздух нужна — что нам известно, а что нет, что мы собираемся делать. Потому и роет он под нас. Через Косыгина пытается зайти, еще через кого-то, вариантов много... Но пока о Косыгине разговор. На него вышла некая Рита, возможно, далее последует заманчивое предложение, от которого Косыгину сложно будет отказаться. Так или иначе, с Ритой надо работать, выяснить, кто она, откуда, в каких отношениях состоит с Битковым. Но воду мутить не надо, работаем тихо, осторожно, чтобы не вспугнуть птичку...

Подполковник Круча не раз уже думал о том, что Битков постарается обзавестись осведомителями из ОВД. Да и не только он хочет знать, что творится в милицейской епархии. Потому еще позавчера Степан собрал на совещание всех ответственных лиц и строго-настрого предупредил, что за предательство будет карать нещадно, возможно, по законам военного времени. Разумеется, ставить отщепенцев к стенке он не собирался, но на людей его слова подействовали — во всяком случае, он на это надеялся... Но одних слов мало, надо реально выявлять ренегатов; профилактическая работа в этом направлении никогда не прекращалась...

ГЛАВА 16

Дождь, «дворники» с уютным стуком смахивают со стекла хлесткие капли.

— Ну что за лето? То жара, то холод, — пожаловалась Лида.

— Где холод? — удивленно глянул на нее Матвей.

Автомобильный термометр показывал семнадцать градусов за бортом.

— Для заполярного лета это дикая жара, — усмехнулся он.

— Ну, мы же не за Полярным кругом, — невольно поежилась женщина.

— Сегодня — нет, а что будет завтра, не знаю...

Матвей осознавал, что переборщил с Сафроном. Как бы не нарваться теперь на ответный удар. Да и ментов понапрасну обозлил. Теперь приходится таскать за собой адвокатшу, благо что женщина не замужем и в самом соку.

— Если холодно, могут обогреть...

Он положил руку ей на коленку.

— Не надо.

Руку она убрала, а ноги раздвинула. Разум говорит «нет», а плоть кричит «да»... Матвей улыбнулся, глядя в окно. Даже хорошо, что Лида сопротивляется. Сейчас он привезет ее к себе домой, пропустит с ней на пару по бокалу коньяка — и в постель... Она уступит, он был уверен в том...

Дом. Он построил дом. Большой и очень красивый дом. На берегу Глубокого озера, на новом участке, выделенном под элитный коттеджный поселок. Еще четыре дома, поменьше, почти закончены — для Севы, для Демы, для Толика... Четвертый достался бы Генчику, будь он жив...

Кучеряво устроился Матвей в Битове. Клуб, элитные дома в престижном месте... И надо было ему злить ментов и Сафрона. Как бы теперь не потерять все, что нажито...

— Что за маразмы, я не знаю? — с переднего сиденья засмеялся Сева. — Если гаишник, то обязательно пузатый!

— Где гаишники? — встрепенулся Матвей.

Он посмотрел на дорогу, заметил ментовскую «Газель» с установленными на ней радарами.

— А скорость сбавлять не думаете? — строго спросила Лида. — Здесь шестьдесят можно, не больше.

Водитель встрепенулся, прижал педаль тормоза, но было уже поздно — гаишник поднял жезл.

— Ну ты баран! — набросился на него Сева.

Парень виновато втянул голову в плечи, съехал на обочину, остановился.

— Ну ты в натуре идиот! — заорал Сева. — А если это подстава?

Матвей наблюдал за гаишником. Идет медленно, вразвалку: нелегко ему, брюхатому.

— Нет, обычный гаишник...

Но Сева не расслаблялся. Водителя он выгнал разбираться с законом, а сам занял место за рулем, заблокировал дверцы. «Хаммер» бронированный, мотор мощный, приемистый — если вдруг возникнет опасность, можно будет уйти от нее на скорости.

— Может, мне тоже выйти? — спросила Лида.

Она ни на секунду не забывала о своих обязанностях.

— Нет, Костя реально нарушил, — покачал головой Сева.

Гаишник подошел к машине с левой стороны, взял у водителя документы. А справа, из придорожных кустов, вынырнул вдруг человек в темном комбинезоне, с черной коробкой в руках. Не останавливаясь, он подбежал прямо к машине, нагнулся, тут же послышался стук, с каким коробка прилепилась к днищу.

— Мина! — догадался Матвей.

Он очень сомневался, что бронированное днище «Хаммера» сможет выдержать взрыв прикрепленного к нему мощного, судя по всему, заряда.

Матвей выскочил из машины, но тут же оказался под прицелом пистолета, который наставил на него минер. Из подъехавшей «Газели» выскочили люди в таких же, как у него, комбинезонах, сбили Матвея с ног, обыскали, заломили руки за спину, сковали их наручниками.

Потом он ехал на «Газели» с завязанными глазами, в неизвестном направлении. Затем было придорожное кафе, где Матвея уже ждали. Длинный стол, вытянутый вдоль фронтальной линии, по центру московский законник — молодой, фасонистый, но при этом очень серьезный человек. Справа и слева от него чуть менее уважаемые воры и мэтры преступного мира. Одним словом, авторитетный президиум. И Сафрон тоже здесь — смотрит на Матвея, кривит губы в презрительной улыбке.

Матвея посадили на стул напротив стола, сняли с него наручники.

— Нехорошо, брат, себя ведешь на чужой земле, — осуждающе покачал головой «председатель президиума». — Хочешь проблем? Будут тебе проблемы, по самый нож в горло...

Угроза была подкреплена не только силой воровского авторитета. Неспроста Матвея ткнули мордой в грязь, прежде чем доставить на сход. Развели так же картинно, как он это проделал с Сафроном. Достаточно убедительная демонстрация ответной силы. С такой же легкостью, с какой Матвея вытащили из машины, его могли и убить...

— Я так понимаю, это предъява? — подавленно спросил он.

— Абсолютно верно...

Выдержав паузу, вор продолжил:

— Нам с сибирской братвой ссориться не резон, но и твои выходки, Биток, терпеть не будем. Еще одно неосторожное движение с твоей стороны, и мы объявим тебя гадом. Ты этого хочешь?

— Нет.

— Предупреждать тебя больше не будем. Сразу в расход. Ты меня понимаешь?

— Да.

— Оплатишь судебные издержки, — надменно продолжал вор. — Двести пятьдесят тысяч евро. Это раз.

Сафрон ничего тебе не должен. Это два. Ну, а в-третьих, знай свой шесток...

На этом разговор был закончен.

Матвею обидно было осознавать, что никто из воров даже не попытался выяснить, прав он был в своих претензиях к Сафрону или нет. Все было решено заранее, и его всего лишь поставили перед фактом. И вдобавок к этому накрутили четвертьмиллионный штраф...

Матвей мог бы возмутиться, послать всех, чтобы затем занять круговую оборону, а со временем, подтянув силы из колымской тайги, вырезать весь сегодняшний президиум. Но, во-первых, он потеряет свой бизнес — клуб или сожгут, или закроют на карантин. Во-вторых, не так уж велика вероятность того, что предполагаемая война закончится для него победой... Лучше заплатить четверть миллиона, отстать от Сафрона и жить себе спокойно в рамках дозволенного. Тем более что никто не потребовал от него извиниться перед Сафроном...

А деньги — дело наживное. Клуб-казино исправно выдаивает карманы клиентов. К тому же скоро должна подойти очередная партия золота...

* * *

Вчера лил дождь, а сегодня снова тепло и солнечно. Вчера Рита воспринималась как развратная Мессалина, сегодня — то же самое, но в более пристойной упаковке. Скромная прическа, легкий макияж, платье модное, но длинное, ниже колен, и светлое, как душа девственницы. Дорогие, но без вычурностей босоножки на среднем каблуке. Но зря она пыталась казаться непорочной Офелией, Косыгин уже точно знал, кто она такая.

Рита действительно исполняла стриптиз в «Пьедестале», более того, по некоторым сведениям, она была любовницей самого Биткова... Косыгин не мог знать, из каких источников черпал информацию его начальник, но ему хватало того, что майору Кулику он доверял вполне.

Он ждал ее за столиком летнего кафе. В одной рубашке, без пиджака, под которым можно было бы спрятать оружие. Она появилась точно в срок, притягательно красивая и обольстительная.

— Я думала, ты уже и не позвонишь, — нежно улыбнулась она.

Косыгин взял на себя роль галантного кавалера, выдвинул из-за столика пластиковое кресло, подал Рите руку, помог ей сесть. Заметил, как плотно девушка сомкнула ноги, прежде чем поставить на них сумочку.

— Но позвонил же.

Он тоже сел, достал из пачки сигарету, закурил.

— Вчера не звонил.

— Вчера я работал. А сегодня у меня выходной.

Суббота, нормальные люди отдыхают. Но Косыгин, как всегда, в этот день — на задании. Одно утешает, миссия у него хоть и опасная, но приятная — настолько, насколько красива Рита...

— У меня тоже.

У него появился повод уличить ее во лжи. Отгул у нее был всего два дня назад, значит, сегодняшней ночью она должна танцевать в клубе. Но Юрий промолчал. Тем более что у нее действительно мог быть выходной. Он позвонил ей, назначил свидание, и по этому случаю Битков отпустил ее с работы.

— Прекрасно, — натянуто улыбнулся он.

— Я тоже так думаю...

Рита играла роль, и, стоило признать, ей это удавалось очень хорошо. Косыгин подозревал, что в этом плане значительно уступает ей.

— Что будешь заказывать? — спросил он, взглядом показав на ламинированный лист меню.

— Только сок. Один стакан, и похолодней. Любой, только не ананасовый.

— Аллергия?

— Что-то вроде того, — весело улыбнулась Рита. — Три года на необитаемом острове жила. Жуй кокосы, ешь бананы — жуть...

Она говорила так убедительно, что хотелось верить. Косыгин сначала сделал заказ, затем спросил:

— Насчет острова пошутила?

— Да. Создаю настроение. А то ты какой-то грустный...

— Да заработался, наверное...

— Наша служба и опасна, и трудна?

— Моя служба да, и опасна, и трудна. А твоя?

— Тоже... — уязвленно глянула на него Рита. — Поверь, не так-то просто крутиться вокруг шеста...

— Знаю, видел...

Разумеется, Косыгин знал, что такое стриптиз, видел, как танцовщицы забираются высоко на шест; цепляясь за него ногами, откидывают назад и вниз тело... Действительно, если с такой высоты сорвешься, можно и костей не собрать...

— Но тебе не нравится сам факт, что я кручусь. Я права? — не скрывая обиды, спросила она.

— Ну, почему не нравится... — для вида замялся он.

— Потому что не нравится... — отрезала Рита. — А сама я тебе нравлюсь?

— Да.

— И ты мне тоже нравишься. Очень.

Это было сказано так искренне, что Косыгин непременно поверил бы, не знай он всей подоплеки.

Официант подал чашку кофе — для него, сок и мороженое — для нее. Рита сухо поблагодарила его кив-

ком головы, достала из сумочки тонкую пачку француз-
ских «Вог», взяла сигарету. Опомнившись, внимательно посмотрела на Косыгина.

— Ты парень правильный, тебе, наверное, не нравится, что я курю.

— Да нет, все равно, — пожал он плечами.

— А не надо, чтобы все равно...

Она сломала сигарету, бросила ее в пепельницу.

— Я, между прочим, из клуба уйти могу. Если тебе
не нравится.

— А если нравится?

— Все равно уйти хочу.

— Не уйдешь, — покачал он головой.

— Ты же не думаешь, что стриптиз — это призвание?

— Нет.

— И я так не думаю... Захочу и уйду.

— Куда?

— Если ты мне поможешь, то в милицию.

— Куда?! — Косыгин поперхнулся кофе, закашлялся.

— Я, между прочим, институт закончила, эколог по
образованию. Могла бы работать в экологической милиции...

— А насчет полиции нравов ты не думала?

— Издеваешься? — оскорбилась Рита.

Она достала из сумочки пятисотенную купюру, небрежно бросила ее на стол, резко поднялась.

— Иди ты, Юра, знаешь куда!

Косыгин не мог позволить ей уйти. Догнал Риту
возле машины.

— Извини.

— Что? — спросила она, пренебрежительно глянув
на него.

— Прости.

— Уже лучше... Теперь ты прими мои извинения. Мне домой надо ехать. Спать после вчерашнего хочу...

— А что было вчера?

— Как обычно, оргия, кутеж, вакханалия... Продолжать?

— Нет.

Косыгин действительно не хотел слышать, чем Рита занималась вчера. Как бы он к ней ни относился, она ему определенно нравилась.

— Точно не надо?

— Не надо.

— Ну тогда давай в машину, дурачок, — смягчилась она.

Юрий послушно сел в ее коробчонку.

— Раньше говорили, что самая тихая машина — это «Запорожец», — чтобы заполнить гнетущую паузу, сказал он. — Когда садишься, коленки поднимаются так, что уши закрывают — едешь, и ничего не слышно...

— Это ты к чему?

— У тебя машина не больше «Запорожца». А коленки до ушей не дотягиваются.

— И все равно не поняла: зачем ты мне это говоришь?

— Хорошо бы не слышать, что было с тобой вчера.

— Теперь понятно, — снисходительно усмехнулась Рита. — И не надо уши коленками затыкать. Потому что слушать нечего. Ничего из ряда вон выходящего вчера не было. До четырех танцевала, в пять была уже дома, спать легла в полном одиночестве. И так всегда, если тебе это интересно... Пойми, садовая твоя башка, стриптиз и проституция совсем не одно и то же. Во всяком случае, для меня... Поехали ко мне?

— Ну, если ты не против.

— Я-то не против, но рано еще ко мне. Время — половина седьмого. И в кафе не хочу, в бар тем более. Про клуб и не говорю, меня от них тошнит... Давай, как нормальные люди, в кино сходим.

— Если мы с тобой нормальные люди, то давай, — согласился Косыгин.

Билеты они взяли на последний ряд малого кинозала. Мягкие глубокие кресла, принизывающий, но не разрушающий долби-звук... Американский боевик про какого-то архигениального киллера, перемудренная и невнятная сюжетная линия, вдумываться в которую не было никакого желания. Юрий почувствовал себя безусым юнцом, каким был десять лет назад, когда с Катькой Росляковой попал на вечерний сеанс. Ей тогда было девятнадцать лет, взрослая девушка, не чета ему, сопляку. Он робел и стеснялся, а она сначала тихо сопела в ожидании решительного наступления, но в конце концов, не вытерпев, сама взяла его руку и положила себе на грудь... Катька сама вывела его на исходные позиции, но штурм тогда так и не состоялся. Юрка Косыгин смог позволить себе только самую малость — запустил руку ей под кофточку, нащупал мягкую, уже начавшую обвисать грудь, на этом его смелость закончилась...

Рита не сопела в ожидании, не жалась к нему, и грудь у нее вряд ли мягкая и уж точно не обвисшая. Юрий давно уже не сопливый юнец, и девушек у него после Катьки было изрядно. Тем более Рита враг, и у него с ней что-то вроде соревнования, кто кого переиграет... Сначала он осторожно обнял ее за плечи — никакой реакции. Затем, выдержав длительную паузу, пальцами коснулся ее груди. Рита продолжала делать вид, что увлечена кинофильмом. Осмелев, он мягко, но плотно ладонью обжал ее грудь поверх платья. Но она по-прежнему как будто не замечала его... И только после того, как рука нырнула в разрез ее платья, она отвлеклась от фильма, насмешливо посмотрела на него.

— Нравится? — прямолинейно спросила она.

— Очень, — честно признался он.

Грудь у нее действительно была крепкой и упругой на ощупь.

— Так больше не делай, ладно?

— Ладно.

Из кинотеатра они выходили с таким видом, будто ничего не произошло. И как ни в чем не бывало отправились к ней домой. По пути заехали в магазин, взяли две коробки с пиццей, фрукты, коньяк.

Рита не обманула: ее квартира в самом деле находилась в том доме, возле которого они познакомились. Такая же однокомнатная, как и у Юрия, но гораздо более комфортная и уютная. Мягкое кожаное кресло перед плазменным телевизором, о котором Косыгин пока мог только мечтать, домашний кинотеатр.

— Располагайся.

Она ушла на кухню, а вернулась с горячей пиццей на блюде.

— Открывай коньяк! — с игривой улыбкой потребовала она.

Опускаясь на соседнее кресло, она как будто нарочно приподняла подол платья, забросила одну открывшуюся ногу на другую.

После второй рюмки Косыгин и думать забыл о фиаско, постигшем его в кинотеатре. Он не страдал ясновидением, но все же позволил предсказать себе интересную ночь. Если уж он попал в тыл к врагу, то должен провести диверсию в полном объеме...

— Снимаешь квартиру? — спросил он.

— Да.

— А сама откуда?

— Из Новосибирска.

— Далековато...

— И это все, что ты хотел сказать? — безрадостно усмехнулась она. — Можешь про стриптиз спросить.

Как я докатилась до такой жизни?.. А не докатилась, просто дошла... До ручки, что называется... Ладно, не будем об этом. Ты лучше о себе расскажи. Откуда такие похабники берутся?.. Да, да, ты похабник. Кто руки в кинотеатре распускал?..

— Я не похабник.

— Но руки распускал, — снова развеселилась Рита.

— Больше не буду.

— Я тебе не буду!.. Сам ты откуда?

— Из Владимира.

— Недалеко.

— Это и все, что ты хотела сказать? — передразнивая ее, спросил Косыгин. — Можешь про милицию спросить. Как я до такой жизни докатился?.. А вот взял да докатился...

— И как? Завязать не хочешь?

— А зачем? В стриптизеры меня не возьмут, комплекцией не вышел...

— Почему не вышел. Нормальный парень. Ну, не самый высокий, так и я не каланча и уж точно не выше тебя... Это я к тому, что вместе мы неплохо смотримся. Если на людях... А если в постели, то какая разница, кто выше, кто ниже...

— В постели?

— Юра, ты точно похабник. Еще бутылка не опустела, а ты уже про постель заговорил...

— Я заговорил? — весело возмутился Косыгин.

— Ты!

— А мне показалось, что ты...

— Разве?

Рита кокетливо улыбнулась, встала, подошла к нему, села на колени, обвила рукой его шею.

— Сейчас включится память, — сказала она. — Сейчас, сейчас...

Он положил руку на ее бедро.

— Вспомнила, — встрепенулась Рита. — Да, говорила... Странно, бутылка еще не опустела, а я уже хочу...

— Я тоже...

Косыгин рискнул расстегнуть «молнию» на ее платье, она же, как будто в отместку, оставила его без рубашки. Он в свою очередь отнес ее на диван.

— Какой ты сильный.

Она сама сняла платье, оставшись в одних стрингах. И тут сам бес дернул его за язык.

— Может, станцуешь?

Рита оттолкнула его от себя, встала, стрункой вытянувшись во весь рост. На губах услужливая улыбка, а в глазах отчуждение.

— Приват? — спросила она.

— Если можно...

Он уже понял, что допустил глупость.

— Можно. Только деньги сначала покажи.

— Деньги?

— Да, три тысячи рублей. Столько стоит приватный танец, и то если со скидками для доблестных сотрудников милиции, — съязвила она.

— Извини.

— Да пошел ты!

Она подобрала с пола платье, вышла из комнаты, хлопнула дверью на кухне.

Косыгин оделся, но уходить не стал. Сел за столик, налил полный бокал коньяка, залпом выпил.

Он пытался убедить себя в том, что мятеж с ее стороны всего лишь часть кем-то утвержденного сценария, но что-то не очень получалось. И на душе муторно...

Рита вернулась минут через двадцать, усмиренная и успокоенная.

— Ты еще здесь?

— А что, уходить?

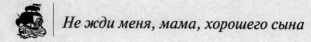

— Не надо...

Она снова села к нему на колени, обвила руками его шею.

— Никогда не проси меня станцевать...

— Не буду.

И снова она позволила уложить себя на лопатки. Он попытался целиком овладеть ею, но не смог.

— Может, ты сначала меня поцелуешь? — досадливо спросила она.

Рита хотела, чтобы он поцеловал ее в губы, но Юрий отлынивал, по каким-то ведомым только ему соображениям.

— Или брезгуешь? — В ее голосе звучало раздражение.

Косыгин уже знал, что сейчас произойдет. И, чтобы удержать ее на месте, накрыл поцелуем ее губы...

— Ничего страшного не произошло, — празднично улыбнулась она. — В лягушку, как видишь, не превратилась...

— Как была царевной, так и осталась, — польстил ей Юрий.

Он уже догадался, что Рита готова уступить ему. Награда была близка, когда тишину взорвала соловьиная трель звонка.

Рита оттолкнула его от себя, вскочила с дивана.

— У него ключ! Одевайся! Быстро!

— У кого у него? — спросил он, сам догадываясь, о ком идет речь.

Косыгин должен был предполагать, что Рита неспроста легла под него; своим телом она могла рыть ему яму. Так и оказалось...

Оружия у него не было, спасаться бегством — нелепо. Поэтому он оделся и сел за стол. Но Рита не успела оправить платье, когда распахнулась входная дверь и в

комнату, минуя прихожую, ворвался крепкий, свинцо-
вой плотности мужчина.

— Я так и знал! — взревел он.

— Матвей, ты не так все понял! — заголосила Рита.

Теперь Косыгин точно знал, с кем имеет дело. Но
сам Битков еще не имел представления о противнике,
поэтому с ходу попытался ударить его. Юрий уклонил-
ся, поймал тяжелую руку. Ему пришлось поднапрячься,
чтобы захват оказался удачным. Да и сам мужчина здорово помог ему, провалившись при ударе вперед.

Он смог заломить ударную руку за спину. Но затра-
тил на это не только много сил, но и все внимание. А в
квартиру вламывался еще один дюжий мужчина. Косыгин смог развернуться к нему лицом, но не успел поставить блок. Сильный удар в челюсть сбил его с ног...

Юрий упал, а виновник его поражения наставил на
него пистолет.

— Не надо, он из милиции! — взвизгнула Рита.

— Заткнись! — потирая ушибленную руку, рявкнул
на нее Битков.

Но на Косыгина посмотрел усмиренным взглядом.

— Правда из милиции?

— Уголовный розыск, — подтвердил Юрий.

— Заметно. Хваткий ты, паря... — Было видно, что
Битков заставил себя улыбнуться. — А что делаешь
здесь? Кого ищешь?

— Преступников он ищет. Которые квартиру на
первом этаже обворовали, — сообщила Рита. — Помнишь, я тебе рассказывала?

— Рассказывала, — ухмыльнулся Битков. — Но не
сказала, что преступники в тебе прячутся.

— Почему во мне?

— Потому что уголовный розыск их в тебе искал...

— Но это неправда!

— Шлюхой была, шлюхой и осталась...

— Может, я поднимусь? — спросил Косыгин.

Он хоть и понимал, что перед ним ломают комедию, но все же неуютно было чувствовать себя под прицелом пистолета.

— Да, конечно! — великодушно позволил Битков.

Он махнул рукой, прогоняя телохранителя. С антипатией глянул на Риту.

— На кухню пошла, пожрать что-нибудь принеси...

Косыгину он показал на стол.

— Садись, выпьем. За знакомство.

— Мы еще не познакомились, — усмехнулся Юрий.

— Так познакомимся. Матвей, фамилия Битков.

— Косыгин. Юра.

— Ты, наверное, слышал обо мне, Юра?

— Еще бы... Зря ты телохранителя отпустил.

— Почему?

— Злой я на тебя. Убить могу.

— Ну и шутки у тебя, Юра, — улыбнулся через силу Битков.

— Шутки. Но правда где-то близко... Ты Комову сказал про хату, где глупый опер преступника оставил...

— Я? Комову?.. Да, кажется, говорил. Так это ты тот глупый опер?

— Нет. Я опер, но не глупый...

— Извини, не хотел обидеть. Я с Гигой ночь в камере провел. Здоровенный лось, а ты его одной левой. И второго, да?

— А у нас, Битков, слабаков не держат.

— Смотри, какой грозный. Прямо как твой начальник.

— Это ты о ком? В Битове у меня три прямых начальника, Круча, Комов и Кулик...

— Все грозные. И крутые...

Рита подала горячую пиццу, Битков откупорил вторую бутылку коньяка, налил себе и Косыгину.

— А ты гуляй, женщина.

Рита спорить не стала и ушла на кухню.

— Я тебе, наверное, кайф обломал? — спросил Битков.

— Не важно.

— Если обломал, извиняться не буду. Это моя женщина...

Косыгина так и подмывало спросить, зачем он тогда ее под него подложил.

— Если она этого хочет, то да, твоя. Если нет, то моя... — с достоинством, но без вызова сказал он.

— Логично. Пусть сама решает... Ты мне скажи, Юра, чего твое начальство на меня ополчилось?

— Почему ополчилось? Просто реагируем на факты. В квартиру Толстухина проник — это раз. Контрабанда — это два. Сафронова на испуг взял — это три. И как взял — это четыре... Подполковник Круча беспорядков на своей территории не потерпит.

— Да я это уже понял. Да и какие беспорядки, Юра? Так, попугал Сафрона. Без мокрого же...

— Значит, твоя работа? — с тихим восторгом рыбака, поймавшего щуку, спросил Косыгин.

— Моя... Но ты все равно ничего не докажешь... Да и не надо ничего доказывать. Раз уж зашел разговор, можешь передать своему начальству, что Матвей Битков целиком и полностью осознал свою вину и впредь никаких беспорядков с его стороны не будет...

— Это хорошо, что ты осознал, — в раздумье проговорил Косыгин.

— Сам знаю, что хорошо, Юра... А с Лешей Сафроновым мы разобрались, никаких к нему претензий нет. В мире дальше жить будем... А насчет контрабанды... Мне, Юра, Вершинину позарез найти нужно и этого, Балабакина...

— Ищем, но пока все мимо.

— И у нас молоко, Юра. Может, объединим усилия, а?

— Это не ко мне.

— А ты Круче своему скажи. Если он не против, пусть приходит ко мне в «Пьедестал», поговорим... Или я к нему приду, но у вас в ментовке скучно...

— В милиции, — поправил Биткова Косыгин.

— Вот я и говорю, что в милиции... — легко согласился авторитет. И, сморщившись, добавил: — Коньяк какой-то у вас дрянной.

— Азербайджанский.

— Наверняка какой-нибудь самопал... Знаешь что, старлей, поехали ко мне в клуб, я тебя таким коньяком напою, закачаешься...

— Закачаться и от этого можно, — усмехнулся Косыгин.

Он не говорил, какое у него звание, но Битков назвал его старлеем. Несложно было догадаться, откуда он мог это знать.

— Не вопрос... Посмотришь, как девочки танцуют, с высоты моего кабинета...

— Нет, спасибо.

Косыгину и без того надоел весь этот фарс, хотелось, чтобы запланированная встреча с Битковым поскорей закончилось.

— Посмотришь, как Рита твоя танцует.

— Не хочу.

— Риту не хочешь?.. Быстро же ты перегорел, Юра, — сказал Битков, за радушной улыбкой пытаясь скрыть злорадство.

— Не перегорел. Не хочу смотреть, как она танцует... Может, она вообще не хочет у вас танцевать.

— А у кого она хочет?

— Ни у кого...

— Может, ты хочешь, чтобы она с тобой осталась?

— Может, и хочу.

— Марго! — крикнул Битков.

Рита встала в дверях, движением бровей показала, что готова слушать.

— Кого ты выбираешь, меня или его?

— Не знаю, — пожала она плечами.

— Ты только не бойся, если скажешь, что с ним, отпущу, даже обидного слова не скажу, — великодушно пообещал Битков.

— А в клубе оставишь?

— Нет.

Рита выжидательно смотрела на Косыгина. Он сообразил, что ей от него нужно — хотя бы одно-другое слово поддержки. «Жить будем вместе, помогу найти приличную работу...» Но он молчал, потому что не хотел принимать участие в этом «на дурака-шоу»...

— Тогда я с тобой, Матвей, — сказала она с упреком, обращенным к Юрию.

— Извини, командир, — развел руками Биток. — Это ее выбор... А Круче скажи, что я встретиться с ним хочу.

— Скажу.

— Ну, тогда не буду задерживать.

Косыгин молча поднялся; укоризненно глянув на Риту, вышел из квартиры.

ГЛАВА 17

Сафрон ждал Степана в клубе, в своем кабинете. Довольный, как китайский болван. Бодрый, свежий, фасонистый.

— А где адвокаты? — осмотрев кабинет, иронично спросил Круча.

— Какие адвокаты, Степаныч? Я тебе не Биток, чтобы крутых милицейских начальников адвокатами встречать.

— Он теперь без адвокатов ни шагу, — подталкивал его к откровениям Степан.

— Ага! Даже с адвокатессой ездит!

— Куда, домой?

— Ну, может быть.

— По старой дороге, к Глубокому озеру.

— Это ты о чем, Степаныч? — забеспокоился Сафрон.

— Не хочешь перенять его тактику?

— Какую тактику?

— Тактику нападения ты у него уже перенял. Теперь осталось тактику поведения позаимствовать. Был бы сейчас адвокат, глядишь, и разговор по-другому повернулся...

— Степаныч, что-то я тебя не пойму.

— Зато я все понимаю. Думаешь, гаишников за яйца держишь? Думаешь, я ничего не узнаю?

Узнал Круча, что Сафрон проплатил патрульному экипажу ГИБДД, который и помог ему захватить Биткова. Секретный сотрудник сообщил. Информация оперативная, уликами не подтверждена, но Степану должно было хватить и этого, чтобы разговорить Сафрона.

— Одного ты не учел, Алексей Батькович, — продолжал он. — Битков сам, своими силами с тобой справился. А ты штатных инспекторов к делу привлек, а они, шкуры барабанные, настучали на тебя...

— Да они меня и не видели, через... — Сафрон запнулся, виновато отвел в сторону глаза. Раздосадованно буркнул: — Если чистосердечное признание, то что?

— Леша, ты же знаешь, я как священник, если грех не смертный, то могу принять раскаяние...

— Да нет, не смертный. Биткова чисто проучили... Он же на меня ряженых натравил, опустил, что называется. Я правильных людей подписал под него. Не буду говорить, чего мне это стоило... Короче, можно было Биткову стрелу набить, но я с ним баш на баш. В общем, развод ему организовал. До девичьей фамилии, правда, не дошло, но застращали его крепко. Не скажу, что в штаны навалил, но претензий ко мне больше нет...

— А у тебя к нему?

— Степаныч, ты же знаешь, мне война здесь не нужна.

— Значит, будешь терпеть Биткова.

— Не знаю, — угрюмо надул щеки Сафрон. — Воевать с ним не хочу, а терпеть не могу... Он здесь корни пускает. Думаешь, что он на старой дороге делал? Она ж на делянку выходит, с южной стороны озера. Четыре гектара леса вырубили под коттеджный поселок. Биток там пять домов поставил, один, для него, уже готов, остальные вот-вот сдадут... Что с ним делать, не знаю?

— Ты, главное, шум не поднимай.

— За меня будь спок, Степаныч. За Битком присматривай... Выводить эту заразу надо, пока не расплодилась...

Степан молча кивнул. Встал. Дождался, когда вслед за ним поднимется Сафрон, только тогда направился к выходу. Рабочий день только начинается, дел невпроворот — некогда ему засиживаться.

* * *

Внешне Косыгин держался бодро, но в душе грусть-тоска.

— Вчера весь день ждал, думал, что позвонит, — сказал он, обращаясь к своему непосредственному начальнику. — Так и не дождался.

Он уже поведал своему начальству о событиях позавчерашней субботы.

— А должна была позвонить? — спросил Кулик.

— Ну, я не думаю, что на том все закончилось... Что-то им еще от меня нужно?

— Им?

— Ну да, ей и Биткову...

— А если нет?.. Нравится тебе Рита? — замысловато улыбнулся Кулик.

— При чем здесь это? — смутился Косыгин.

— Значит, нравится... Мой тебе совет, держись от нее подальше... Если, конечно, она сама не выйдет на связь...

* * *

Комов раздраженно постучал карандашом по столу.

— И это все, чего хотел Битков от Косыгина? Заявить о своих дружественных намерениях?

— А ты хорошо подумай, Федот, — насмешливо повел бровью Круча. — На него наехали воры, очень круто наехали, я знаю. Претензии к Сафронову он забрал. Теперь, я так понимаю, ему ничего не остается, как уйти в глухую оборону. На дно ложиться, может, он и не станет, но свой нос из норы высовывать не будет. А чтобы спокойней было в своей норе жить, он, я так думаю, постарается задружить с Сафроном. И нас ему задобрить надо... Может, он и хотел использовать Косыгина, но после разговора с московскими ворами вряд ли он захочет рисковать. Битков закругляет углы...

— Да, наверное, так, — соглашаясь, кивнул Комов. — Что делать с ним будем?

— Он о встрече просит. Будет ему встреча, — в раздумье сказал Степан. — Не тот я человек, чтобы дела вместе с ним делать, но бдительность его притупить надо. Пусть думает, что с нашей стороны ему ничего не угрожает... А мы угрожать будем...

— Это пожелание или установка? — спросил Лозовой.

— Установка. И прежде всего для тебя... Казначеем у Биткова был Толстухин. Его больше нет, золото мы забрали. Значит, кто-то другой казначеем, кто-то другой золото будет принимать. Контрабандное золото...

— Есть информация, что золото идет?

— Нет, информации нет, — покачал головой Круча. — Но есть предположения... Биткову сейчас потери возместить надо. Я так полагаю, он и через казино деньги отбивать будет, и через тайгу... Толстухин в тайнике золото держал. Сейчас у Биткова, возможно, новый тайник есть. Возможно, в доме, который он построил для себя или для кого-то из своих э-э... компаньонов. Дома эти на южной строне озера, в строящемся элитном поселке, попасть туда можно по старой дороге. Если тайник там, то и золото туда привезут...

— Когда это будет? И будет ли вообще?

— Рома, это твоя компетенция, тебе по этому делу и работать...

— Да, хорошо бы партию золота взять...

— А еще лучше Биткова на этом прижать.

— Будем работать, Степаныч. Но это очень сложно, информации у нас никакой. Разве что случай поможет...

— Что с Косыгиным делать? — спросил Кулик. — Пусть дальше с Битковым работает?

— Это не он с Битковым работает, — усмехнулся Круча. — Это Битков с ним работает... Ничего не нужно делать, пусть Косыгин дальше своими делами занимается. Но если Битков на него вдруг выйдет, будем думать...

— Вершинину искать надо, — сказал Лозовой. — Если она знала, как сейфы вскрыть, значит, она могла знать, по каким каналам золото идет...

— Ищем, Рома, Вершинину, ищем, — сказал Комов. — Да пока все никак...

— Никак, — эхом отозвался Степан.

Что-то подсказывало ему, что никогда не найти ему ни Вершинину, ни Балабакина.

* * *

Матвей вышел на балкон, обозрел, насколько хватало глаз, водную гладь Глубокого озера. Красиво. Но радости он не испытал. Напротив, прохладный ветерок выдул из него благодушие. Справа — дома, за ними лес, слева примерно та же картина. И с одной стороны мог притаиться снайпер, и с другой...

Скорей в дом, в спальню с бронированными окнами... В дверях он столкнулся с Марго, едва не сбил ее с ног.

— Ты чего? — возмутилась она.

Матвей зашел в комнату, и снова мир окрасился в радужные тона.

— Ничего.

Ему даже стало смешно... Позавчера он встречался с Сафроном. Извиняться перед ним не стал, но трубку мира с ним раскурил. Наладил, что называется, отношения... Вчера с ним разговаривал подполковник Круча, в своем кабинете, на официальных тонах. Неуютно было Матвею под его взглядом, душа веерилась, как баян под рукой подвыпившего гармониста. Но баланс разговора был положительным. Похоже, Круча убедился в благих намерениях Матвея...

Все хорошо, и чего, спрашивается, бояться?.. Матвею стало стыдно за свой страх.

— Ты мне на ногу наступил, медведь.

— Придется оказать первую помощь.

Он усадил Марго в кресло, снял с нее босоножку,

дунул на красивый, отшлифованный педикюршей пальчик. Одной рукой он придерживал ногу за ступню, другую положил на спрямленную коленку — гладкую, бархатисто-нежную. Ладонь скользнула вверх по ноге, и срез плиссированной юбчонки не стал для нее преградой.

— Что ты делаешь? — с мягким возмущением и кокетливо спросила Марго.

— Заглушаю боль приятными ощущениями.

— Кому приятными?

— Тебе. И мне.

— А если мне правда приятно?

— Тогда расслабься...

Он положил себе на плечи одну ее ногу, вторую.

— Ты негодяй... — закрывая глаза, прошептала Марго.

— Я знаю...

Он снял с нее стринги, приблизился к ней.

— Ты сволочь?

— Да.

Цель была так близка, но Марго вдруг встрепенулась; оттолкнув его, вскочила с кресла... Снова облом.

— Зачем ты согласился с тем, что ты сволочь? — резко спросила она.

— Это всего лишь игра, — раздосадованно поморщился он.

— Дурацкая игра...

— Ты в своем репертуаре... Ты не думала, что мне может надоесть твое динамо?

— Может надоесть? По-моему, оно тебе давно надоело.

— Да, но у меня может закончиться терпение...

Марго дурачила его напропалую. Крутила хвостом, давалась иногда в руки, но всякий раз ускользала из-под самого носа.

— Боюсь, что твое терпение уже на исходе... — всполошенно посмотрела на него девушка. — Извини, я веду себя как дура... Ты даже меня к себе в дом привез, а я... Скажи, здесь, кроме меня, кто-нибудь из женщин был?

— Да.

— Ты же говорил, что дом совсем новый! — возмущенно протянула она.

— Новый. И ты можешь стать в нем первой женщиной. И, возможно, единственной...

— Ты же сказал, что была женщина.

— Адвокатша была. Она не в счет...

Все-таки Матвей довез Лиду до своего нового дома. И даже обновил с ней кровать в одной из гостевых спален. Но ведь она действительно не в счет. По-настоящему обновить дом должна Марго, если она этого захочет... А она должна захотеть... Он не отпустит ее отсюда, пока не добьется своего...

— А где она сейчас?

— Отпустил. С ментами у меня мир... Спасибо твоему Косыгину.

— Почему моему? — Что-то дрогнуло во взгляде Марго.

— Он тебе нравится? — жестко спросил Матвей.

— Я же тебе говорила, что нет... И не спала я с ним... Завести завела, а так — нет... И хватит о нем!

— Хватит, — кивнул он.

Так не хотелось портить себе настроение из-за какого-то старлея.

— Ты не шутишь, я могу стать твоей единственной женщиной?

Марго подошла к нему, приласкалась. Он запустил руку в вырез со спины ее платья. Это ей не понравилось, она отстранилась.

— Мог бы сначала и выпить предложить.

— Я собирался...

Отделкой и обстановкой дома занимались толковые дизайнеры — все в достатке и даже с избытком для полноценной жизни: как разгульной, так и тихой семейной...

Каминный зал и кухню на первом этаже разделяла барная стойка, совмещенная с проходной аркой. Красное дерево, нержавеющая сталь, световая система, музыка, огромный выбор напитков. Матвей показал Марго на удобный крутящийся стул с высокой ножкой, сам занял место бармена.

— Флейрингом я не страдаю, но коктейль соорудить могу...

Матвей налил в шейкер текилы, сока лайма, апельсинового ликера... Соленые ободки на края бокалов он наносить не стал, не царское это дело.

— Коктейль «Маргарита», специально для моей VIP-красотки, — широко улыбнулся он.

— Меня еще никто так не называл, — зажеманилась Марго.

— То ли еще будет... Тебе нравится мой дом?

— Прелесть!

— Хочешь в нем жить?

— А в клуб отвозить будешь?

— Нет.

— Почему?

— Хватит булками трясти.

— А деньги?

— Зарплата будет в два раза больше, а премиальные будешь получать от меня...

— Заманчивое предложение.

— Предложение?.. Да, пусть это будет предложение...

— Руки и кошелька? — отхлебнув из бокала, спросила Марго.

— Да, что-то в этом роде, — разудало подмигнул ей Матвей.

Ей хватило трех минут, чтобы справиться с первым бокалом, на второй ушло чуть более, третий она смаковала четверть часа, за четвертым потянулась, обласкав бармена призывным взглядом...

Матвей почти не сомневался в том, что сегодня Марго наконец-то выбросит белый флаг, но все же для пущей уверенности подбросил в пятый бокал «заводную» таблетку...

* * *

Сева пытался скрыть иронию, но это плохо у него получалось.

— Что-то ты сегодня не весел, брат, — заметил он. — Неужели снова?

— Что снова? — насторожился Матвей.

— Ты же Марго к себе домой возил...

— И что?

— Да так, просто спрашиваю...

— Ты просто спрашиваешь?! Ты издеваешься!

Матвей готов был взорваться, но все же пересилил себя.

— Да, возил к себе Марго, — успокаиваясь, сказал он. — Да, отдохнул с ней круто...

— Ну так и я о том, — податливо улыбнулся Сева.

— Только ничего не было, — совсем уж смиренно признался Матвей. — Да, как всегда... Только на этот раз по моей вине. Она уже созрела, а я колесико ей скормил, для заводки...

— И что?

— Напрочь вырубилась. Мертвый сон. А я с мертвыми, сам понимаешь, ни-ни... Дома ее оставил, пусть ждет, когда вернусь...

— Желаю удачи, брат...

— Удача нам всем сейчас нужна... Рыжевье на подходе, его принимать нужно. Кто этим займется?

— Я займусь, ты только скажи.

— Казначей им должен заняться, а мы так и не определились, кто будет...

— Дему можно, — пожал плечами Сева.

— Не вариант. И Толик тоже... Для вас дома готовы, а для пятого хозяина нет...

— И для сейфа тоже.

— Сейф и у меня в доме есть... Может, мне золото взять?

Тайники в домах сооружала особая бригада гастарбайтеров. Особенность ее состояла в том, что троица таджиков бесследно исчезла. Но их не ищут, Матвей был в том уверен.

И за сейфы в тайниках он тоже был спокоен, они скрыты так, что их не найти даже при самом тщательном обыске.

— Но ты же не будешь чахнуть над ним, как Кощей.

— Генчик чах, а толку?

— Баба подвела. И у тебя баба.

— Марго?

— Ты в ней уверен?

— Уверен, — неопределенно пожал плечами Матвей.

Марго проверяли. Да, действительно, училась в Новосибирске. Родом из небольшого городка; мать фельдшер, отец угорел по пьянке — обычное дело для захолустья. После школы Марго подалась в Новосибирск, поступила в институт, подрабатывала в затрапезном стриптиз-баре. Получила диплом, отправилась за счастьем в Москву... Информация достоверная. И, главное, ничего необычного в поведении Марго нет. А то, что динамо крутит, так у каждой женщины свой способ набить себе цену, правда, не всем позволяют это делать. Матвей Марго позволял...

— К тому же я ничего не скажу ей про золото.

— А если сама узнает?

— Как?

— В постели тебя разговорит. Вколет сыворотку правды...

— Зачем ей это?

— А зачем Лизка Генчика кинула?..

— М-да... Все беды от баб... Можно в принципе от Марго отказаться, — задумчиво изрек Матвей.

— И от всех баб разом, да? — усмехнулся Сева. — И от клуба, и от вольной жизни... Казначея надо нового...

— Да, надо. А кого?

— Дему или Толика.

— А Волынок?

— Тоже вариант, — не очень уверенно кивнул Сева.

— Только тебе этот вариант не очень нравится, — заметил Матвей.

— Баба у него.

— И это все? А как насчет надежности?

— До денег он жадный...

— Все мы жадные до денег.

— Да, но так, как он... Да и вообще, что-то не то в нем...

— Что-то не то, — согласился Матвей. — Гнильца какая-то...

— Гнильца. Косяков за пацаном вроде бы нет, а гнильца есть...

— Но, я думаю, поговорить с ним надо, — решил Матвей.

Волынок находился в клубе — ждать его не пришлось. Он был, что называется, при параде. Аккуратная прическа, дорогой костюм, галстук. В таком виде Матвей давно его не видел.

— Случилось что? — снисходительно усмехнулся он.

— В каком смысле? — с достоинством спросил Васек.

— Костюмчик на тебе не хило сидит.

— А, это... Надоело тебе завидовать, вот я и приоделся, — взбодренно ответил Волынок.

— А чего мне завидовать?

— Прикид у тебя солидный, а у меня так, врасхлыст... Да и вообще...

— Что вообще?

— Взрослеть надо.

— Да ты вроде бы не маленький. С бабами гуляешь...

— С одной.

— Со Стеллой?

— Да. У меня с ней серьезно... А чего звал?

Волынок заискивающе смотрел на Матвея, как будто знал, для чего был приглашен, и боялся получить отказ.

— Смотрю, ты серьезным человеком становишься.

— Ну, чем я хуже других?

— Действительно, чем ты хуже, — в раздумье изрек Матвей. — В тайге первый боец, здесь круто себя поставил...

Он знал, что говорил. Васек был старшим «спецназовской» группы захвата, его стараниями Сафрон был поставлен на колени...

— Ну да... — замер в ожидании Волынок.

— Кому, как не тебе, в пятом доме жить, — медленно, с расстановкой проговорил Матвей.

— В каком доме?

— Пять домов у Глубокого озера.

— А-а, это... Так что, один для меня?

Казалось, еще чуть-чуть, и Васек взовет от восторга.

— Не знаю, брат, еще не знаю... Артюха еще есть, Малча...

— Артюха тупой, а Малча — чукча...

— Чукча не чукча, а школу с золотой медалью закончил...

— А сел за что? За лохматое дело.

Малчу осудили на четыре года за изнасилование, в тюрьме он уцелел, а в зоне попал под раздачу — братва хотела его опустить, но Матвей заступился за парня. С тех пор он для Малчи значит больше, чем родной отец. Отличный охотник, меткий стрелок, крови не боится... Матвей взял его с собой в Москву, не задумываясь.

— А кого он разлохматил, а? Лярву магаданскую? Подставили пацана. Так что не кати на него бочку.

— Я бочку качу? Да ты что, брат? Да я за Малчу!..

— Помолчи.

Матвей был в полушаге от того, чтобы поставить Волынка на казну, но тот сам все испортил. Не надо было ему наговаривать на Малчу и Артюху...

Артюха действительно туп как пробка. А Малча... Малча и впрямь чукча, но для Матвея это больше достоинство, чем недостаток. И предан ему Малча как собака; соображает быстро. Бабы у него постоянной нет... К тому же менты о нем ничего не знают, в то время как Волынок под следствием...

— Ладно, свободен, — в раздумье махнул он рукой.

— Свободен?! — трепыхнулся Васек. — В каком смысле свободен?

— В прямом... Отдыхай, братишка.

— А как же дом?

— Какой дом?

— Ну, пятый...

— А тебе нужно?

— Ну да!

— Понимаю, живешь со Стеллой, в ее хате... Поверь, с бабками разгребемся, куплю тебе квартиру, как у Генчика...

— А дом? — тоскливо взвыл Волынок.

— Дом еще не достроили.

— Почему не достроили? Я же видел, туда уже мебель вносят...

— Вносят, — кивнул Матвей. — Но не про тебя... Извини, брат.

Глядя на Васька, он подумал, что с ним случится истерика. Но тот пересилил себя, даже заставил себя улыбнуться.

— А хату правда купишь, как у Генчика?

— Нет, — покачал головой Матвей. — Уже передумал...

— Почему?

— Дом тебе построю... Там, в поселке, еще три участка свободных есть, один для тебя возьму... Но не сразу. Говорю же, с деньгами разобраться надо...

Матвей думал, что хватит с него и пяти домов, для элиты. Но в самой худшей части поселка, у самого въезда, оставались свободными три небольших участка. Почему бы не поставить там три коттеджа скромного эконом-класса — для Волынка, Артюхи, например; Боба туда же можно поселить. Пусть это будет форпост на пути к жилому массиву из пяти элитных домов... Дополнительная охрана никогда не помешает...

* * *

Телефон не отвечал. Если бы абонент был временно недоступен или еще что, но Косыгин слышал только длинные гудки...

Никто не уполномочивал его звонить Рите, это была его личная инициатива. Но девушка не хотела брать трубку...

И все же она ответила, после целой череды вызовов. Он услышал брюзгиво-усталое «слушаю».

— Это я, Юра.

— Знаю.

— Я тебе весь день звоню.

— Зачем?

— Встретиться хочу.

— Больше ты ничего не хочешь?

— Хочу... Чтобы ты со мной была, хочу... Знаешь, я тут с экологами говорил, они сказали, что можно тебя в милицию устроить...

— Раньше надо было думать, — холодно сказала она.

— Ну, лучше поздно, чем никогда...

— Лучше никогда... Ты мне больше не звони, ладно? Потому что я замуж выхожу.

— За кого?

— Не важно... Прощай.

* * *

Малча осмотрел дом с флегматичным видом. Другой бы на его месте сорокой трещал от восторга, а этому как будто все равно. Впрочем, Матвей понимал, что все это лишь показная невозмутимость: в душе Малча, конечно же, был рад событию.

— Ну как, нравится? — спросил Сева.

— Нравится, — кивнул Малча, глянув на него через узкие прорези глаз.

— А может, чум лучше? — развеселился Дема.

— В чуме тоже хорошо, — ничуть не смутился Малча.

— В чуме без бабы плохо, — усмехнулся Матвей.

— Если сказал, что баба не нужна, не будет бабы... — ничуть в себе не сомневаясь, сказал Малча.

— Ну почему же, девочек подвозить будем. Раз в неделю.

— Девочки — хорошо.

— Озеро рядом, пристань, лодку возьмешь, рыбалить будешь...

— Буду, — кивнул Малча.

Он еще не знал, почему имел прямой выход к воде. Матвей давно уже сообразил, что золото и камни хорошо перевозить через озеро. Приехал курьер в дальнюю деревеньку, загрузил поклажу в лодку — и вперед, прямо к дому казначея... А деревенька — это уже Подмосковье, и менты там другие...

— Ну, осваивайся пока. Если что не так, скажешь, — сказал Матвей.

Ему нужно было ехать в клуб, но он не посмел пройти мимо собственного дома. Там Рита, возможно, она будет рада ему...

Риту он застал на кухне, в переднике поверх короткого халатика она стояла у плиты, помешивая в кастрюле ароматное варево.

Не оборачиваясь к нему, спросила:

— Пришел?

— Не совсем.

— Все равно вовремя. Мой руки, садись есть...

— Мясным духом пахнет.

— Пельмени, сибирские, с олениной.

— Обалдеть!

Пельмени были не просто вкусными, от них исходило тепло домашнего очага. Матвей был тронут.

— Завтра здесь будет горничная и кухарка, я договорился. Но пельмени все равно за тобой, — умильно сказал он.

— Если я здесь останусь.

— А куда ты денешься?

— Ты меня выгонишь.

— За саботаж.

Почти неделю Марго жила с ним в этом доме, но так он и не добился своего. Сначала от дурмана отходила, затем критические дни... Но все же он надеялся на лучшее.

— Не выгоню... Иди ко мне.

— Не здесь...

Он прошел в каминный зал, опустился в кресло, она, сняв передник, послушно села к нему на колени. Он развязал тесемку на ее халатике, а она обвила руками его шею... Под халатиком ничего. Но Матвей был уверен, что в самый последний момент Марго найдет предлог и улизнет от него.

Так оно и оказалось.

— Погоди!

Без халатика, нагая, она сорвалась с его колен, но Матвей был начеку — схватил ее за талию, привлек к себе. Она попыталась вырваться, но он швырнул ее на диван, подмял по себя.

Это могло быть насилием с его стороны, если бы Марго не сдалась.

— Ладно, твоя взяла...

Матвей торжествующе улыбнулся. А куда она от него денется?

Часть третья

ГЛАВА 18

Попсовый формат, текст — любовь-морковь на соплях, короче, телега без колес... Но если прислушаться, музон цепляет. А если присмотреться... Рулезная чалка стритует, в смысле, видная девушка поет. Цвет — малина, все при себе, вся при своем. Миша был отвязным рэпером, но ему понравилось, он даже задержался по пути на танцпол. Чешка, похоже, заревновала, нервно дернула его за рукав.

— Стежно зажигает, да? — отозвался он.

— Стрём! — скривилась Чешка.

— Это ж Элен, звезда, ля...

— Ля-ля-фа-фа! Зырки, смотри, не оставь... Пошли!

Чешка тащила его на улицу, к своей машине. Им нужно было дернуть «косячок», а в клубе с этим строго — камеры везде, даже в сортире... Миша однажды взорвал «план» в неположенном месте, к оцилопам в ментовку попал, хорошо, воспитательной беседой все закончилось. И предупреждением. С тех пор он шифруется...

На парковке у парадного входа в «Реверс» — сплошь иномарки, Чешка постеснялась поставить сюда свою старую «восьмерку». Настолько старую, что ее можно было ставить в темном проулке: никто на такую рухлядь не позарится. И косячок взорвать в этом проулке можно без опасения.

Поздно уже, половина второго ночи. Снега нет, но морозно, а до проулка метров пятьдесят идти. С каждым шагом все темней. Авто вдоль бордюра нет, только смутный силуэт «восьмерки» угадывается. Странно, по логике проулок должен быть заставлен машинами жильцов дома, вдоль которого они шли. Но нет ничего. Может, места для них во дворе хватает, а возможно, в проулке гопера лютуют.

— Как бы тебе без колес не остаться, — хихикнул Миша и хлопнул Чешку по ее тугой поджарой попке.

— И колеса есть, и ганджибас...

— Да я не про те колеса, худра.

Прогноз его не оправдался: с «восьмеркой» ничего не случилось. Даже магнитола была на месте. Чешка молча полезла в тайник под лифчиком, достала оттуда «парашют». Зажгла траву, затянулась, в блаженстве закрыла глаза.

Миша не зевал, забрал у нее «косяк», втянул конопляный дым в легкие. И услышал шум подъезжающей сзади машины. Голова еще соображала, он смекнул, что должен быть свет фар, но не было ничего. Значит, глюки... Но тогда почему Чешка выдергивает из руки папиросу?

— Оцилопы?

— Фиг его знает...

Он обернулся, увидел силуэт стоящей позади машины. Фары потухшие, габариты не горят. Людей не видать...

* * *

Сафрон с треском распахнул дверь в гримерку. Ленусик стояла возле зеркала в одних трусиках, боком к нему. Невозмутимо развернулась на девяносто градусов, холодно посмотрела на него.

— Извини, что врываюсь! — выпалил он. — Но это от переизбытка чувств!

— Любой может ворваться, — надвигаясь на него, резко сказала она. — Я буду только рада. Если с цветами. Где цветы, мой дорогой!..

— А-а, цветы? Будут цветы! Много цветов!

— Вот когда будут, тогда и заходи!

Она бесцеремонно выставила мужа за дверь.

Сафрон был в смятении — как это так, любой может ворваться к ней, и она будет рада, если с цветами... Но щелчок замка по ту сторону двери избавил его от беспокойства. Ленусик закрылась изнутри, и никто уже не посмеет к ней ворваться... Впрочем, не мешало бы поставить охрану возле дверей.

Цветы он достал, бросил к ногам жены большую корзину пышных пионов.

— Ты — лучшая!

— Знаю, — скромно призналась она.

Образцовым вокалом Ленусик похвастать не могла, даже в фонограмме голос ее был далек от идеала. Но все же была в нем некая завораживающая бисеринка... Абсолютный хит в оригинальном исполнении — на этом, как на танке, она въехала на большую сцену. Ротации на радио, видеоклипы на телеэкране, неплохие отзывы в прессе — этим Ленусика уже не удивить. Может, она еще не стала самой-самой, но на улицах ее уже узнают, а на днях она едет на запись «Песни года», что само по себе признание...

Дело дошло до того, что Ленусик отказывалась выступать бесплатно на сцене «Реверса», ставшего для нее стартовой площадкой. Впрочем, Сафрона это не смущало.

— Ты произвела фурор, — продолжал сыпать он комплиментами.

— А что дальше? — устало спросила она.

— Что дальше? Лето красное пропела, зима на носу. Но тебе же холод не грозит, — схохмил Сафрон.

— Холод, может, и не грозит. А голод не тетка... Песен нет, а где их взять?

— Это не твоя забота.

— А чья, твоя? Где новые песни?

— Работаем, ищем.

— В стране дефицит убойной музыки, композиторы в кризисе.

— Знаю.

— Балабакин где?

— Где-где? За кордоном, сто пудов. Ананасы, рябчики, все дела... С такими бабками остров можно в океане купить, на пальмах всю жизнь качаться...

— Может, и на пальмах качается. Может, и песни сочиняет... Найти его надо, иначе через год обо мне уже никто не вспомнит...

— Я вспомню.

— Помянешь хоть?

— Ну да...

— Чего? Хоронить меня вздумал?

— Тьфу ты!.. Балабакина уже пятый месяц ищут. Пропал без вести. Как я его найду?

— Не знаю... Ладно, поехали домой, поздно уже.

До закрытия клуба оставалось еще два с лишним часа. Но Сафрон и не обязан был ждать, пока это случится. Есть администраторы, есть персонал. А он едет домой и увозит с собой несравненную Элен Шарм. Ни у кого нет такой жены, как у него...

Парадный вестибюль клуба был свободен от фанатов, никто не бежал к Ленусику за автографами, но на нее оглядывались, ей завидовали. И она шла как королева — гордая, статная, в роскошной шубе из горностая.

Не было фэнов и на залитой неоновым светом эспланаде перед клубом. Но белый лимузин уже подан, швейцар с полупоклоном открывает дверцу...

Сафрон не сразу вышел из эйфории, когда сзади на него набросился телохранитель. Стук автоматной очереди он воспринял как треск фейерверка, пущенного в честь него. И только когда лежащий на нем телохранитель завыл от боли, он понял, что дело плохо...

* * *

— Shit! — хватаясь за голову, заорала Чешка.

Мише тоже было страшно, настолько, что после травки на хи-хи совсем не пробивало. Треск автоматной очереди загнал душу не в пятки, а, что еще хуже, к нижнему сфинктеру — как бы она в штаны не вывалилась... Ему было страшно, но все же он не спрятал голову за сиденье. Он видел, как девушка, согнувшись в поясе, рыщет взглядом вокруг машины. Видел, как бежит к ней парень в маске и с каким-то удлиненным предметом в руке — вне всякого сомнения, автомат. По логике вещей девушка должна была уже быть в машине, но она по-прежнему что-то лихорадочно ищет. Но парень хватает ее за руку. Слышен его голос: «Дура! Давай за руль!»...

Он силой втолкнул ее в салон на заднее сиденье, а за руль сел сам. Сорвал машину с места. Только сейчас Миша пригнул голову. И в это время сзади забухали выстрелы. Одна пуля разбила боковое зеркало заднего вида.

— Мамочки!

Чешка испугалась, но не растерялась. Двигатель работал на холостых оборотах — согревал салон. Осталось только включить скорость и отпустить сцепление. Но вместо первой она включила третью — машина с ревом рванула вперед, едва не врезавшись в придорожный столб.

Они выехали на оживленную улицу, свернули в сторону, обратную той, по которой пошла машина с автоматчиком.

— Вернемся? — спросил Миша.

Ему вдруг стало весело. Он засмеялся, потешаясь над собственными страхами.

— Куда? Обратно? Ты псих?

— Девка что-то искала. Может, пистолет...

— Зачем он тебе?

— А на хрена козе баян?

Мотор чихнул и заглох, Чешка прижала машину к обочине, остановилась.

— Вот и я говорю, зачем козе бензин?..

— Что такое?

— Бензин закончился.

— Это знак...

Миша чувствовал, что его торкнуло с косяка. Море по колено, горы по плечо... Он вышел из машины, пешком дошел до проулка, добрался до места, где стояла машина киллера. Тишина, людей нет. Он включил светодиодный фонарик на мобильном, осветил пространство вокруг себя. Ничего.

Он уже собрался уходить, когда почувствовал под ногой какой-то камень. Поднял его и очумел от удивления.

* * *

Дежурный следователь подвел Степана к углу дома, движением руки обозначил пядь земли вокруг, ею же провел вектор в сторону клуба.

— Отсюда стреляли. Восемь автоматных гильз нашли. Думаю, их было больше. Еще будем искать, может, закатились где...

— Гильзы — это хорошо, а где само оружие?

— Нет нигде. Судя по всему, преступник унес его с собой...

Круча осмотрелся по сторонам. Место не самое темное, фонарь шагах в десяти светит. До парадного входа в клуб метров пятьдесят наискосок, не самое большое расстояние для хорошего стрелка.

Одно непонятно, угол дома можно было использовать как прикрытие, но преступник отошел от него метров на пять-шесть к центру улицы. Зачем? Ведь стоящий напротив клуба лимузин не мешал ему стрелять. Или все-таки машина сужала сектор обстрела?..

— Как он ушел? — спросил Степан.

— Так же, как и появился. — Следователь махнул рукой в сторону прохода между домами. — Дорога темная, в это время безлюдная, с выездом на Пролетарскую улицу... Машины там стояли, на них преступники и скрылись.

— Машины?

— Да. Телохранители за преступником бросились, смотрят, одна машина отъезжает, другая стоит. Они стрелять начали. Первая машина скрылась, вторая за ней поехала... Ни у той габаритов, ни у другой. Про номер я уже не говорю, про марку тоже...

— Да, телохранители. Они увидели, как преступник из-за угла выскочил, успели отреагировать...

— Я слышал, он в маске был.

— В маске. Дал очередь по Сафронову и бежать... К счастью, все обошлось.

— Знаю.

Круча успел застать Сафрона и его жену, прежде чем их под охраной повезли домой. Он держался молодцом, а она хныкала — жаловалась, что из-за стресса лишилась голоса. Раненого телохранителя увезли в больницу. Больше никто не пострадал.

Он снова подошел к точке, откуда действовал киллер, присмотрелся к месту, где находился Сафрон в момент выстрела. Лимузин ему не мешал, снизу сектор обстрела частично закрывали припаркованные к клубу машины клиентов. Но в любом случае жертвы были открыты сверху как минимум по пояс, можно было вести прицельный эффективный огонь на поражение...

— Автомобили клиентов пострадали? — спросил Степан.

— Нет, — покачал головой следователь. — Специально осматривали. Все пули вверх ушли, вывеску над входом побили, а машины не пострадали. Преступник поверх голов стрелял, только одна пуля цель нашла.

— Телохранителю досталась.

— Да. Касательное ранение головы...

— Головы... А роста он какого?

— Высокий, метр девяносто, не меньше.

— Высоко преступник стрелял, высоко. Почему? Стрелок плохой или попугать Сафронова хотел?

— Не знаю.

— Работай, капитан, работай. Надо людей опросить. — Степан взглядом показал на темные окна жилого дома. — Может, кто-то видел что...

— Да, конечно, это обязательно.

— Две машины, говоришь, было?

— Вроде бы две.

— В обе стреляли.

— Да.

— И обе ушли.

— Ушли.

— А если с пробитыми колесами ушли?

— Ну, одна вряд ли, а вторая... Первая на Пролетарскую свернула, вправо, вторая влево...

— И ни одну не нашли.

— Да как же, посреди ночи.

— Значит, и не искали... Ладно, работай, капитан, не буду тебе мешать. Пройдусь немного.

Круча направился к Пролетарской улице, через темный проулок, вдоль которого совсем недавно летали пистолетные пули. Он жалел, что при нем нет фонарика, так бы он мог подсвечивать себе под ноги — вдруг найдет что-нибудь интересное, может, пятна крови, может, потерянные вещи беглецов...

Время — двадцать минут четвертого. Спокойно вокруг, тихо в проулке, и во дворе дома тишина, слышно только, как ветер голые ветви тополей шатает. И темно. Где-то в глубинах дворов горят фонари, а в проулке только столбы без ламп. Недочет, надо в префектуру отношение составить, пусть принимают меры...

На Пролетарской улице горят все фонари... Первая машина свернула на Пролетарскую вправо, вторая — влево. Второй больше должно достаться, она последней уходила. Степан тоже свернул влево. Свободно перешел дорогу, направился вдоль тротуара.

Скоро его внимание привлекла красная «восьмерка», стоявшая напротив ярко освещенной витрины закрытого зоомагазина. Здесь хватало и других машин, но только у одной справа было разбито боковое зеркало. И разбито не камнем, а пулей — если судить по выходному отверстию в пластиковом корпусе.

Машина пустовала. Дверцы закрыты, стекла целы, регистрационные знаки на месте... Но если преступники угнали машину, то номера не помогут — установят владельца, но какой с него спрос. Возможно, преступники наследили — оставили отпечатки пальцев. Надежды на это мало, но тем не менее...

Степан достал из кармана мобильный телефон, чтобы звонить в ГИБДД, но в этот момент к «восьмерке» подъехала машина с табличкой «TAXI» на крыше. Он вернул телефон на место, отошел в сторонку, притаился.

Из такси вышли девушка и водитель, который молча открыл багажник и поставил на землю канистру.

— Помочь? — спросил он.

— Плиз!

Девушка выглядела карикатурно. Растрепанные волосы — черные с огненной рыжинкой, в ноздре серьга. Теплая балахонистая куртка с ядовито-зелеными цифрами; короткая пышная юбка с воланами, ажурные чулки и башмаки с высоким берцем и шнуровкой.

Таксист залил в бак бензин, закрутил пробку.

— Респект.

Девушка протянула ему купюру, но он ее не взял. Парень молодой, ветер в голове.

— Тебе, наверное, самой деньги нужны.

— Ты че, хочешь, чтоб я натурой? — презрительно скривилась девушка и выплюнула жвачку ему под ноги. — Да никогда!.. Взял пиастру и вали!

— Зачем так грубо?

Девушка, махнув на оплошавшего парня рукой, села в машину. Степан не зевал, стремительно подошел к «восьмерке», распахнул правую дверцу, порывисто сел в салон.

— Э-э, че за обсос? — всколыхнулась она.

— Милиция.

Одной рукой Степан взял ее за предплечье, второй раскрыл корочки служебного удостоверения.

— Подполковник Круча. Поговорим?

— Поговорим, — жалко пролепетала девушка.

— Как зовут?

— Чешка. То есть Яна. Кравчик.

— Твоя машина?

— Да.

— Бензин закончился?

— Закончился.

— Закон подлости. Когда на дело идешь, этот закон как палка в колесо. И с тобой так же.

— Какое дело?

— Клуб-казино «Реверс» знаешь?

— Э-э, да... Но это не я.

— Что не ты?

— Стреляла не я...

— А кто?

— Не знаю... Мы стояли, травку... Э-э, просто в машине сидели...

— Кто мы?

— Мы с Мишей... Мы в клубе были... Вот контрамарки, на меня, на него...

Она достала из кармана два ярко-желтых прямоугольника размером с визитную карточку, с лейблом «Реверс».

— Если контрамарки, значит, должны были вернуться, — догадался Круча.

— Мы собирались... А потом смотрим, машина какая-то подъехала, сзади, без фар. Сначала просто стояла, потом парень вышел, а минут через десять стрелять стал...

— Через десять минут?.. А вы это время что делали?

— В машине сидели. Мы ж не знали, что он стрелять будет.

— Автомат видели?

— Автомат?.. Нет, я не видела... Темно было, а они сзади стояли, метрах в пятнадцати... Мы не думали, что там что-то серьезно. Ну, вышел парень, и что с того?.. Девчонка за рулем была, она тоже вышла...

— Девчонка? Почему девчонка? Ты же говоришь, темно было.

— Что ж я, бабу от парня отличить не смогу? Волосы пышные...

— У мужчин тоже бывают пышные волосы.

— Ну так у них движения не такие. У вас грубые движения, а у нас манерные...

— Бывают и мужчины манерные.

— Нет, это не тот случай... Она в джинсах была, ноги длинные, попа хорошая... Нет, женщина это была... И Миша тоже бабу в ней увидел... Она сначала возле машины стояла, в руках что-то крутила, я еще подумала, шарики катает, ну, я тоже иногда так делаю, чтобы успокоиться. Небольшие шарики такие, стальные... А потом она один такой шарик уронила... Понять не могу, почему Миша за пистолет его принял...

— Что за пистолет принял, шарик?

— Да... Она его искала, вокруг машины ползала. Потом парень появился, заорал на нее, в машину посадил, они уехали. А потом другие появились, стрелять стали... Хорошо, я сообразила, деру дала... А потом бензин закончился... Мишу торкнуло...

— Что?

— Ну, приход... Э-э, просто весело стало...

— Травку, значит, курили.

— Нет...

Степану совсем не улыбалось разбираться, был факт употребления наркотиков или нет. Во-первых, не суть важно. Во-вторых, и так ясно, что да как.

— Значит, весело Мише стало.

— Да, он сказал, что девка пистолет потеряла. Сказал, что ему нужно. Я знаю, если его пробьет, его танком не остановишь... В общем, ушел...

— За пистолетом.

— Ну да, он думал, что за пистолетом, но я думаю, что это шарики были...

Насколько знал Степан, близ места происшествия никого не задерживали. Не было там никакого Миши.

— Вернулся?

— Нет... Может, и приходил, но я за бензином ездила... Заманалась, пока нашла...

Круча мог бы усомниться в том, что услышал от Яны, но в то же время глупо было бы подозревать ее в покушении на убийство. Во-первых, надо быть полной идиоткой, чтобы вернуться к брошенной машине. Во-вторых, в таких хламидах, как у нее, на дело не выходят...

— Кого нашла? — спросил он.

— Бензин.

— А шарик?

— Нет, за шариком Миша ходил.

— Нашел?

— Не знаю.

— Где он живет?

— Да здесь, недалеко, на Лежнева...

— Позвонить ему можешь?

Яна позвонила; оказалось, что Миша уже дома.

— Увидеться надо... — сказала она по указке Степана. — Уже завтра... Да, прямо сейчас... Ничего, скажешь что-нибудь... Да, сейчас буду...

Путь к девятиэтажному дому на Лежнева занял не более пяти минут. Но Мишу пришлось ждать не меньше получаса. Он вышел из подъезда с сигаретой во рту, взлохмаченный. Камуфлированная куртка поверх спортивного костюма, разбитые полусапожки с расстегнутыми «молниями».

Степан ошеломил парня красными корочками, силой впихнул на заднее сиденье, умостился рядом.

— Ну что, нашел пистолет? — спросил он, вспоминая, где мог видеть этого красавца.

— Какой пистолет? Не было никакого пистолета...

256

— А что было?

— Ничего...

Мало того что Миша слишком быстро отвел в сторону глаза, он еще яростно потер кончик своего носа. И голос дрогнул.

— Врешь.

— Да нет...

Степан вспомнил, где его видел. Мимо камеры временного задержания проходил, его лицо «сфотографировал». Начало июля этого года. Только Миша тогда в рэперской спецовке был... А вот за что его взяли, он не знал. Но если парень травкой балуется, то надо у Савельева выяснять.

— Как твоя фамилия, Миша? — сурово спросил Круча. — Врать не советую.

— Выров... Выров Михаил Ильич.

— Год рождения?

— Восемьдесят пятый.

— Приводы в милицию имеешь?

— Нет.

На этот раз Миша потер мочку уха, разгоняя прилившую к ней кровь.

— Опять врешь.

Степан набрал номер Савельева. Эдик спал, но его это не смущало. Если начальник в работе, то и подчиненный должен быть в полной боевой.

— Меня интересует Выров. Михаил Ильич. Восемьдесят пятого года рождения...

— Знаю такого. Мелочь, но память у меня, сам знаешь...

— Саморекламу для завтрашнего совещания оставь... Мелочь, говоришь?

— Да, травку в кафе курил. На виду у всех... Клятвенно заверил, что больше нигде и никогда. Но он у меня на заметке... А что случилось?

— Случилось. И не мелочь это, майор. Крупную рыбу я поймал, очень крупную...

Круча говорил с Савельевым, а смотрел на Вырова. Парень в испуге опустил к полу глаза, словно искал песок, в который можно было бы подобно страусу закопать свою голову.

Он убрал трубку в карман.

— За наркотики ты привлекался, Миша... Я же вранье за версту чую.

— Я не привлекался, — пустил нюни Выров. — Со мной просто поговорили...

— Тогда поговорили, а сегодня закроют. Да не за наркотики, не бойся. За покушение на убийство. Вот где бояться надо...

— Но я не покушался. Мы случайно там встали...

— Да, случайно, — захныкала Яна. — Мы здесь ни при чем...

— Но в вас же стреляли. На машине зеркало пулей разбили. Так?

— Да, но...

— Я человек строгий, но справедливый. Вас я отпущу... Но дело в том, что сегодня стреляли в очень серьезного криминального авторитета. Братве нужен стрелочник, вас могут найти и растерзать...

— Но это не мы! — схватился за голову Выров.

— Боюсь, что с вами разбираться не будут. И я вам не могу ничем помочь.

— Но вы же знаете, что это не мы стреляли!

— Не знаю. Просто у меня нет доказательств вашей вины. Как нет доказательств вашей невиновности... Может быть, утерянный преступниками предмет поможет установить их личность.

— Я... Я не знаю... Там не пистолет...

— А что?

— Там... Там...

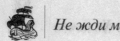

Мишу лихорадило. Он смотрел на Степана выпученными глазами, не в состоянии вымолвить слово.

— Что там?

— Ка... Камень...

— Какой камень?

— Дра... Драго... Бри... Брил... Алмаз!

— Где он?

Степану пришлось идти к Мише домой. Стараясь не реагировать на возмущенные реплики его родителей, он дождался, пока парень вскроет тайник в бачке унитаза, достанет оттуда камень.

Это действительно был бриллиант. И очень внушительных размеров, карат на сорок-пятьдесят. Мать Вырова ахнула, схватившись за грудь; ее муж бросился на кухню за каплями.

Степан держал мокрый камень на ладони, укоризненно глядя на Мишу.

— Долго рассматривал? В руках крутил?

— Крутил, да. Рассматривал...

Если сообщница киллера держала этот бриллиант, значит, должна была оставить на нем отпечатки своих пальцев. Но Выров мало того что залапал камень, так он его еще и в воду на хранение сунул. Идиот... Теперь надо в федеральный центр судебной экспертизы обращаться, там специалисты высшей категории, там аппаратура экстра-класса, глядишь, и выловят рыбку с мутной грани залапанного алмаза...

ГЛАВА 19

Степан не спал почти всю ночь, но утомление не сказывалось на его самочувствии. Удача улыбнулась ему, он нашел свидетелей преступления и бриллиант, который потеряли преступники.

Камень пока что был у него, в прозрачном пакетике — он мог продемонстрировать находку своим подчиненным.

— Как видите, самому приходится за весь уголовный розыск работать, — не преминул похвалить себя Степан. — И кое-что наработал...

Кулик завороженно смотрел на бриллиант.

— Все понимаю, но зачем преступники взяли с собой алмаз?

— Если это алмаз... — сказал Комов.

Он с неменьшим интересом рассматривал камень.

— Может, это и стекляшка, — не стал спорить Степан. — Я не специалист, точно сказать не могу. Но если это настоящий бриллиант, то стоит он в районе двух-трех миллионов, и уж точно не рублей...

— Вот я и спрашиваю, зачем преступники взяли его на дело, — не унимался Кулик.

— Среди преступников была женщина. Она и потеряла камень, пока напарника своего ждала, — сказал Круча.

— А у женщин особая логика, — усмехнулся Лозовой.

— Может, на удачу взяла, — подсказал Савельев.

— Вы еще к гадалке сходите, пусть она вам на кофейной гуще погадает... Не важно, зачем сообщница взяла с собой камень, важно, что она его потеряла... Я оставил скрытый пост на месте, где стояла их машина. Возможно, преступники вернутся на место преступления, чтобы найти пропажу...

— Хотелось бы, — кивнул Кулик.

— Задействуй своих оперативников, — распорядился Степан. — Пусть займутся наблюдением, дело серьезное.

— Понял.

— Итак, что мы имеем, — продолжал Круча. — Преступников, предположительно, было двое — мужчина и женщина. Он отправился к «Реверсу», она вышла из машины. Кравчик утверждает, что в руке у нее были шарики, она их крутила в ладони. Похоже, нервничала... Один «шарик» она уронила... А может, и оба. Но мы все обыскали, больше алмазных, гм, шариков не было... Итак, мужчина вышел к «Реверсу», на цель. Кравчик говорит, что минут через десять после этого раздались выстрелы. О чем это говорит?

— Преступники знали, когда Сафронов будет покидать клуб, — сообразил Комов.

— Этого не мог знать никто, — не согласился Степан. — Можно предположить, что в клубе находился сообщник преступников, который сообщил, что Сафронов идет на выход... Но опять же, наблюдатель не мог заранее знать, когда это случится, он мог только отслеживать Сафронова. А киллер подъехал за пятнадцать минут до начала «представления». Пять минут он находился в машине, десять минут поджидал жертву на улице... Откуда такая точность?

— Может, случайность? — предположил Кулик.

— Киллеры на авось не работают, — мотнул головой Комов.

— А может, это и не киллер был, — сказал Круча. — Есть версия, что преступник не собирался убивать Сафронова. Возможно, это было всего лишь предупреждение. Возможно, преступник собирался просто обстрелять клуб...

— Если предупреждение, то от кого?

— Будем выяснять... Но вопрос пока в другом. Стрелок открыл огонь через десять минут после того, как вышел на исходные позиции. Это раз. Девушка не думала, что он начнет стрелять сразу, если вышла из машины...

— И зачем она вообще вышла?.. Мало того, что вышла, еще и бриллиант потеряла. Из-за этого возникло замешательство. Стрелок обозвал ее дурой, велел садиться за руль, но при этом затолкал ее на заднее сиденье, за руль сел сам... И автомат не бросил, хотя в его случае на нем можно было погореть...

— Работали дилетанты, — решил Комов.

— Очень даже может быть. Наводчик профессиональный, возможно, из окружения самого Сафрона. А киллер — дилетант. Если предположить, что он должен был стрелять на поражение, то он точно профан: все пули высоко пошли, кроме одной... Пока что мы располагаем гильзами от автомата и бриллиантом. Кулик, работай дальше, добывай улики, показания свидетелей... Саня, ты еще здесь?

Кулик ушел, за ним Степан отпустил всех остальных. Спустя час из дежурной части доложили, что к нему прибыл гражданин Сафронов.

Его пропустили, но телохранителей оставили на улице. Сафронову это не очень понравилось.

— Леша, ты что, боишься? — подначил его Круча.

— Береженого бог бережет, — раздраженно буркнул Сафронов.

— Как здоровье твоего персонального спасителя?

— Ничего, как на собаке заживет...

— Чего так неласково? Нервы?

— Беспредел.

— Как твоя Елена Павловна поживает? Что с голосом?

— Хреново с голосом. Как заклинило. Хрипит, сипит...

— Это стресс, это пройдет.

— Лишь бы жизнь не прошла.

— И то верно... Как думаешь, кто мог на тебя так круто наехать?

— Не знаю, — пожал плечами Сафрон.

— Темнишь? Ну-ну... Это я тебя для острастки к себе вызвал. Если грохнут, чтобы совесть чиста была...

— Да честно, не знаю... Вроде все спокойно вокруг.

— А Битков?

— И с ним все в порядке... Он меня не трогает, я его не трогаю.

— Точно все в порядке?

— Более того... Мне тут шепнули, что Битков собирался еще казино в городе строить, но дал обратку. Со мной, сказали, связываться не захотел...

— Что еще про него говорят?

— Ты что, Степаныч, стукачка из меня сделать хочешь?

— Леша, не пыли. Что еще в планах у Биткова?

— Да планы у него наполеоновские. На Раменское нацелился, на «Парклэнд»...

— Особая игровая зона?

— Да. Если закон не зарубят, то рулетку можно будет крутить только там. Проект козырной, целый город, пять тысяч гектаров территории, трасса «Формула 1», ледовый дворец, отели, казино. Миллиарды долларов. Короче, Битков хочет в это дело вложиться. Только я тебе ничего не говорил...

— А деньги?

Степан и сам знал, откуда у Биткова деньги. Казино — раз; колымская тайга — два. Майор Лозовой пытался нащупать каналы доставки золота, но из этого ничего не вышло. Или не поступала контрабанда, или Битков очень осторожничал.

— Этого я тебе и не скажу. Потому что не знаю. Но, видать, есть бабло... Я бы и сам в «Парклэнд» вложился, да опасно это. Проект большой, но там вилами по воде все писано. А если закон о казино не сработает, вообще пролет будет. А закон могут зарубить, уже рубят. Если казино в Москве останутся, то в «Парклэнд» никто не поедет. К нам в Битово будут ездить, а туда нет... Здесь строиться надо. Но сейчас не до того... Я, наверное, в Лас-Вегас поеду, там сейчас тепло, не то что здесь. И не стреляют. Во всяком случае, по мне...

— Держать тебя никто не станет. Но кто в тебя стрелял, разобраться надо...

— А может, не в меня стреляли? — усмехнулся Сафрон.

— А в кого?

— В мою Элен.

— Зачем в нее стрелять?

— Ну, конкуренция, все такое. У нее ж абсолютный хит на вооружении, всех рвет... Шучу, конечно. Насчет стрельбы. А насчет хита... Биткову наш хит точно не интересен. Он сказал, что в этой жизни знает только один хит, «Олений глаз» называется...

— Не припомню такую песню.

— Это не песня, это бриллиант. «Олений глаз» называется, сорок шесть карат весом...

Степан едва удержался от искушения показать ему запертую в сейфе алмазную улику.

— Ты его в глаза видел?

— Нет.

На «нет» и суда нет, подумал Степан. Не было смысла показывать Сафрону бриллиант, поэтому он остался в сейфе.

— Да и не мог я его видеть. Бриллиант у него Балабакин увел, с этой, с бабой своей... Он мне за него предъявлял, сказал, что его бриллиант и есть абсолютный хит.

Когда Сафронов ушел, Степан достал алмаз, присмотрелся к нему. Что-то было в нем глубокое и грустное, что-то напоминающее заслезившийся олений глаз.

* * *

Матвей внимательно смотрел на Малчу. Лицо у него непроницаемо спокойное, но в глазах — под безмятежной гладью тревожное колыхание.

— Что-то не так, брат?

— Нормально все, Матвей.

— Да нет, что-то тебя беспокоит...

— Собака ночью лаяла. Даже не ночью, под утро уже. На озеро мой Хомус лаял...

— Зачем лаяла?

— Беду, брат, чует... С озера беда идет.

— К кому?

— Ко мне.

— Уверен?

— Да.

— В бубен бил, что «да» говоришь?

Было в Малче что-то шаманское, потустороннее, над этим можно было посмеяться, если бы его предсказания иногда не сбывались. Если он чуял беду, то лучше к нему прислушаться. Тем более что со дня на день Матвей ждал курьера, который должен был привезти партию, именно с озера, по уже проверенному пути.

Восемьдесят слитков золота продал он с тех пор, как подлая Лизка оставила его без казны. Много денег за контрабанду выручил, еще больше через казино сделал. Нормально у него с финансами, не так давно кучу денег в одно прибыльное дело вложил. И Малча — человек надежный. Сам живет в своем доме как затворник, охраняет пока что пустующий сейф...

— Зачем в бубен бить? Мой Хомус лучше бубна, он без толку лаять не будет...

— Охрана что говорит?

— Ничего, — покачал головой Малча и смятенно опустил глаза.

— Не понял, кто за монитором ночью сидел?

Ночью Малча должен был спать, а дом охранял сменный смотритель, место которого за мониторами системы наружного наблюдения.

— Троха должен был быть, — повинно вздохнул Малча. — Но его не было. Я его отпустил. Да и зачем он мне, охранять здесь нечего...

Может, Малча и умел врать, но Матвея обмануть он не мог, да и не пытался.

— Это не тебе решать, есть что здесь охранять или нет! — завелся Матвей.

— Прости, брат! — В покаянном жесте Малча приложил к груди обе руки.

— На том свете простят... Пристрелить тебя, что ли?

Матвей был не в духе. Вот-вот должна была партия контрабанды подойти, а сегодня ночью кто-то стрелял в Сафрона — как бы на него не подумали. Ему неприятности с московской братвой не нужны. И с ментами тоже... Может, не зря собака Малчи на озеро лаяла, может, правда беду чуяла...

— Твоя воля, брат. — Малча покорно склонил голову к груди.

— Моя воля... Зачем Троху отпустил?

— Он сказал, что очень нужно.

— Ты мне конкретно говори, что ему было нужно?

— Сказал, что женщина. Сказал, что любовь.

— Какая, на хрен, любовь?! — взорвался Матвей. — Совсем оборзели на легких хлебах!.. Где сейчас этот козел?

— Должен быть, — подавленно кивнул Малча.

— Должен быть. Время уже — полдень... Ты ему звонил?

— Да. Телефон не отвечает...

— Беспредел! Найти его, падлу! Сюда, живо!

Матвей выяснил адрес, по которому жил Троха, послал за ним людей, а сам отправился к себе домой.

Марго встретила его, как всегда, ласково. Приветила, накормила... Он до сих пор жил с ней и пока был далек от мысли дать ей отставку. Она была отличной хозяйкой, вакханальная суета в клубе нисколько ее не прельщала — в город она выезжала только для того, чтобы прихорошиться в салоне красоты и заглянуть по пути в модный бутик. О делах клуба она его даже не спрашивала, хотя догадывалась, что у него случаются девочки на стороне. Это ее не радовало, но истерик она не устраивала, единственно, что не давалась ему без предохранения. Оно и верно...

* * *

Степан Круча собирался ехать в «Реверс», когда позвонил Комов.

Кулик со своими операми был занят инцидентом с ночной стрельбой, поэтому на труп в Кропоткинском переулке выехал Комов. Казалось бы, обычная передозировка, самоубийство, но Федот не стал бы беспокоить по пустяку.

— Степаныч, у него под ванной автомат нашли, «АКСУ». Запах свежий, похоже, из него недавно стреляли...

— Еду.

Оцепления возле дома в Кропоткинском переулке не было, потому как никто не придал особого значения трупу наркомана.

Двухэтажный дом, двухкомнатная квартира с газовой колонкой на кухне. Было видно, что совсем недавно здесь сделали косметический ремонт, ветхую мебель заменили на дешевую новую. Едко пахло лаком и некачественным древесно-стружечным составом...

Парень лежал на диване, на животе, безжизненно опустив руку на пол. Теплый спортивный костюм, шерстяные носки. Один рукав закатан, на столике использованный шприц, жгут, три пустых ампулы... Ничего необычного, если бы не автомат.

Комов аккуратно подал Степану оружие, он приблизил нос к жерлу ствола. Запах свежестреляного пороха.

— И в магазине девятнадцать патронов... — добавил Федот. — Вчера у «Реверса» восемь гильз нашли, сегодня, посветлу, еще три. Итого, одиннадцать — как раз тридцать минус девятнадцать...

— Думаешь, он стрелял?

— Не знаю...

— Когда он умер?

— Сегодня, между пятью и семью часами утра, я так думаю, часиков в шесть...

— Следы насилия?

— Нет.

— Как труп нашли?

— Дверь была открыта нараспашку. Сосед заподозрил неладное, заглянул...

— Почему дверь была открыта?

— Вот я и думаю... Кто-то еще здесь был... Скорее всего под кайфом был, потому и дверь не запер...

— Шприцев сколько?

— Один.

— Но ампул три...

— Одну кому-то, две себе — как раз на передоз... Ампулы аптечные, морфий...

— Следы от прежних инъекций?

— Да, есть несколько штук...

— Что сосед говорит?

— Ничего. Мужику под семьдесят, почти глухой...

— Личность потерпевшего?

— Трофименков Игорь Николаевич, восемьдесят второго года рождения, прописан в городе Анадырь...

— Где?

— Анадырь, край света.

— Как его сюда занесло?

— Вот и мне бы хотелось это знать. Сосед говорит, что он этим летом здесь поселился. На дорогих машинах, говорит, к нему приезжали...

— Анадарь, Анадырь... Уж не Битков ли его сюда за собой притянул?

— Вот я и думаю. До «Пьедестала» от этого дома — пять минут ходу. Может, там он в охране и работал...

— А до этого бандитствовал в колымской бригаде Биткова...

— Очень даже может быть.

— Значит, он умер в шесть утра. В два часа ночи стреляли в Сафрона, а в шесть он умер. Укололся где-то в пять. Три часа зазора. Вполне логично, он мог стрелять...

— Мог.

— Я уже начал думать, что это Балабакин объявился. Вместе с Вершининой, — задумчиво усмехнулся Степан.

— Балабакин? — удивился Федот.

— Нет никаких оснований утверждать, что алмаз, который мы нашли, раньше принадлежал Биткову, а потом был украден Вершининой и Балабакиным...

— Зачем им стрелять в Сафронова?

— Вот и я думаю, что незачем.

— И откуда они могли здесь взяться? Наверняка где-нибудь сейчас за границей отдыхают...

— Границу Российской Федерации они не пересекали.

— Легально — нет. А нелегально — запросто... Не может их быть здесь. А Битков — да, он здесь. И повод поквитаться с Сафроновым у него есть.

— А с Трофименковым поквитаться повод был? — у себя самого спросил Круча. Сам же и ответил: — Был. Киллер сделал дело, киллер должен умереть... С этим понятно. Но много неясностей. Зачем Трофименков автомат под ванну сунул?

— Потому что дилетант...

— Не думаю, что это так. Если Битков его из тайги за собой притащил, значит, есть в нем толк. Да и не стал бы он идиота на дело посылать...

— Может быть, — кивнул Федот. — А куда девушка делась, которая бриллиант потеряла?

— Может, она и организовала передозировку, — предположил Круча.

— Возможно... Чисто в квартире, никаких следов постороннего присутствия. Видно, убралась перед уходом...

— Как тогда, в квартире Толстухина.

— Да, есть аналогия, — задумался Комов.

— И алмаз оттуда, из той квартиры, ушел, — подбросил дровишек Степан.

— Либо это не тот алмаз. Либо это Вершинина была здесь сегодня. Либо это Трофименков убил Толстухина и похитил казну... А Балабакин?

— Не знаю, Федот, слишком все скользко, чтобы доводы строить... Ты работай, свидетелей опроси...

Степан не договорил, дверь открылась, и в квартиру вломились два здоровяка в однотипных дубленках с черными меховыми воротниками. Они явно не ожидали застать в доме посторонних людей.

— Вы кто такие? — пробасил один.

Обычно Круча носил на службе форму, но сегодня, из-за ночных событий, прибыл в отдел в гражданке. И эксперты, трудившиеся в комнате, были в штатском, на судебном медике — еще и белый халат.

— Ритуальная служба, — тем же басом отозвался Комов.

И намертво прикипел взглядом к ближайшему от него громиле. Степан взял в прицел второго.

— А кого хороним?

— Сначала друга вашего, потом вас... Майор Комов, криминальная милиция...

Амбал дернулся, как будто к его ноге подвели двести двадцать вольт.

— Стоять!

Федот двумя руками сгреб его в охапку, развернул лицом к стене. Звякнули стальные «браслеты». Второй попытался удрать, но Степан не позволил. Подоспевший постовой одолжил ему наручники.

— В отделение, обоих!

— Вы не имеете права!

— Там разберемся...

Круча и сам отправился в отдел, распорядился доставить к себе в кабинет одного задержанного.

— Имя, фамилия?

— Муратов. Иван.

— Битков Муратом кличет?

— Нет, он не любит по кличкам, он по имени... Какой Битков? — Муратов опомнился, но было уже поздно.

Впрочем, Степан уже точно знал, что имеет дело с посланцем Биткова.

— А Трофименкова он как называл?

— Не знаю ничего...

— Дебил.

Круча взял со стола мобильный телефон; глядя на дисплей, нажал кнопку памяти.

— Уважаешь ты своего шефа, Матвеем Кирилловичем, смотрю, величаешь...

Он набрал номер, Битков отозвался почти сразу.

— Да, Ванек, — устало сказал он.

— Ванек твой ваньку мне здесь валяет, — насмешливо бросил в трубку Круча.

— Степан Степанович?! — изумился Битков.

— Это смотря для кого Степан Степанович....

— Я не понял...

— А ты приезжай ко мне, поймешь.

Наверняка Битков подстраховался, и Степан понимал, что не сможет взять его на убийстве Трофименкова. Но сам по себе Битков не устраивал его, и он был бы рад, если бы бандит испугался и ударился в бега. Пусть в свою тайгу возвращается, а здесь ему делать нечего...

Но Битков был у него в кабинете уже через полчаса после телефонного разговора.

Первое время Степан молча смотрел на него. Было видно, что Битков волнуется.

— Может, все-таки скажете, что случилось? — не выдержав напряжения, спросил он.

— Ты как гулящая невеста в брачную ночь, — усмехнулся Круча. — Знаешь, что целку давно потерял, а глаза делаешь невинные... Трофименков твой убит.

— Да ну!

Степан не почувствовал фальши в изумлении Биткова. Но это еще ни о чем не говорило.

— Автомат у него под ванной нашли. Из которого сегодня ночью стреляли в господина Сафронова.

Оружие не прошло баллистическую экспертизу — Степан не мог утверждать о его причастности к ночному происшествию. Но он имел право предполагать.

Судя по реакции Биткова, эта новость стала для него потрясающим открытием.

— Это подстава!

— Почему подстава?

— Потому что не давал я ему команду на Сафронова. Зачем это мне? — не на шутку разволновался Битков. — У меня с ним все в ажуре.

— Твой ажур может быть видимостью. Пришло время убрать конкурента, и ты взялся за дело. Лично я так думаю.

— Но это не так!.. Меня подставляют! Через Трофименкова?

— Ты не отрицаешь, что он — твой человек?

— Нет. Во-первых, это глупо: он работал у меня в клубе. Во-вторых, я хочу сотрудничать со следствием.

— О как!

— Мне война с Сафроном не нужна.

— Понимаю.

— Подставляют меня.

— Это я уже слышал. И кто тебя подставляет?

— Не знаю... Значит, автомат у него был под ванной...

— Автомат. Ты своих людей к нему зачем послал?

— Причина банальная. Он мой дом охраняет, с утра на вахту должен был заступить...

— Ясно... Ты знаешь, кто застрелил Трофименкова?

— Нет, — уверенно мотнул головой Битков.

— Никто в него не стрелял. Передозировка...

— Вот сука!

— Что такое?

— На иглу сел.

— Тебя это не удивляет?

— Нет... Раньше он коксом баловался...

— Где, в тайге или здесь?

— Какая тайга? Здесь...

— Такая тайга, колымская. Он из Анадыря. Ты его в Москву забрал...

— Да, может быть, — не стал отпираться Битков.

— Но сейчас не о том разговор.

— Тем более... Да, коксом он баловался, но я с ним круто поговорил. Я вообще наркоту не жалую... Хотя, если честно... Что было раньше, то было...

— Значит, мог Трофименков на иглу сесть.

— Мог.

Чем больше Степан говорил с Битковым, тем меньше верил в его причастность к убийству, но сомнения все же оставались.

— Кому выгодно тебя подставить?

— Не знаю... — Битков думал недолго. — Может, самому Сафрону. Чтобы воров на меня натравить...

Степан задумался. Вряд ли Сафрон устроил инсценировку с покушением на собственную жизнь. Но в любом случае не стоит ему говорить, на кого падает подозрение. Узнай Сафрон об автомате, найденном у Трофименкова, может начаться война; боевые действия выплеснутся на улицу. Такой сценарий Степана совсем не устраивал.

Круча открыл в компьютере папку с фотографиями, вывел на цветной принтер снимок бриллианта, который уже был отправлен в центр судебной экспертизы; показал изображение камня Биткову.

— Узнаешь?

Тот долго и в недоумении рассматривал снимок. Наконец поднял глаза.

— Узнаю. Это «Олений глаз». Откуда он у вас?

— От ублюда...

— От какого ублюда? Балабакина что, нашли? — разволновался Битков.

— Нет.

— А камень тогда откуда?

— Это не камень, это всего лишь снимок.

— Да, но число на снимке сегодняшнее!

— Соображаешь... Не скажу, откуда камень. Скажу только, что его украли вместе с деньгами у Толстухина.

— Да, у него... Это его камень!

— Не важно чей. Важно, у кого он потом оказался...

— У Балабакина! Или у Вершининой!

— У Балабакина, — в раздумье изрек Степан. — Или у Вершининой. Он и она... И у «Реверса» были он и она, парень и девушка...

— Это вы о чем? — напрягся Битков.

— О том, что парни твои умеют убивать...

— Если теоретически, то, наверное, и могут. А практически — нет...

— Не заливай, Битков... Чаша и так полная...

— Какая чаша?

— Терпения... Еще одна мысль меня беспокоит. Гильза с места преступления исчезла, убийца ее забрал. Пулю оставил, а гильзу забрал. Я так полагаю, автоматически действовал. Вряд ли Балабакин был способен на это. И Вершинина не могла... А твои парни могли, убивать они умеют...

— Я бы не хотел говорить на эту тему.

— А я бы хотел... Не нравишься ты мне, Битков. Очень не нравишься. Поверь, я уже сейчас могу задержать тебя, предъявить обвинение и арестовать. И твой бордель могу закрыть к чертовой матери. Но я не стану делать этого. Пока не стану. Мой тебе совет, Битков, уезжай ты отсюда. Хочешь, в тайгу обратно катись, хочешь, в другой район...

— А ведь нормально жили с тобой, начальник! — озлобился авторитет.

— Не нормально, — покачал головой Степан. — Ты колымский бандит, Битков. И руки твои по локоть в крови. Доказать этого я не могу, но хватит того, что не нравишься ты мне. Хочешь попасть под каток? Я могу это устроить.

— Знаю, что можете... — снова перешел на «вы» Битков. — И не хочу этого... Слово даю, что не трогал я Сафронова.

— Мне твое слово ни о чем не говорит. Но даже если не ты, все равно уезжай.

— Кто-то пытается столкнуть нас лбами.

— Кто?

— Пока не знаю. Но я обязательно узнаю...

— Ну-ну...

— Не, я серьезно... Пока не узнаю, не уеду. А там посмотрим. Может, мне тоже здесь не очень нравится...

— Узнавай. И мы узнавать будем. Если твоя вина, поверь, адвокаты тебе не помогут...

На этой ноте Степан и закончил разговор. Он не симпатизировал Биткову, но верил ему. И все же интуиция подсказывала, что скоро у него появятся улики, которыми он сможет прижать его к стенке...

ГЛАВА 20

Настроение, что называется, ни в дугу. «Клоундайк-шоу» внизу, в концертном зале ресторации, дурачится, а Матвею все равно. Кто-то ведет игру против него, наносит удар за ударом. Сначала инцидент у «Реверса», затем смерть Трохи. Копают под него... И еще менты «Оленьим глазом» завладели...

Ладно бы только это, так послезавтра еще партия с золотом придет, товар обратно уже не завернешь, хочешь не хочешь, а принять его надо. Малче он доверял, но все же решил обойтись без него. Дурака свалял чукча, значит, расслабился. И потом, он беду с озера чуял... Придется дома у себя золото размещать. Марго надо будет куда-нибудь спровадить.

— Это что за уроды? — возмущенно спросил Волынок.

Он стоял у витринного окна с видом на сцену.

— «Клоундайк-шоу», — флегматично изрек Матвей.

Лева Головастик давно шел к своему собственному шоу, людей собрал, но Матвей пропустил генеральнопостановочную репетицию, просто дал «добро». Короче, пустил дело на самотек, махнул на него рукой. И сейчас не было никакого желания наблюдать за его клоунадой.

В кабинет влетел Сева, набросился на Матвея.

— Брат, мне сказали, что ты этих пидаров на сцену пустил!

— Каких пидаров? — встрепенулся Матвей. — Ты что несешь?

— Пидары, пидары! — подтвердил Волынок.

Матвей подошел к окну, глянул на сцену. Головастик с обесцвеченными волосами и накрашенными губами сидел на стуле, качал на коленях такую же педерастическую личность. Вокруг еще два ярко выраженных гомика. Несут какую-то ахинею, думают, что смешно. Зал оживлен, но не всем нравится...

— Голубизна сплошная, — сказал Сева.

— Это сейчас модно, — глядя на голубых клоунов, зловеще сощурился Волынок.

— Модно, — с мрачным видом кивнул Матвей. — Но не у нас... Сюда этого урода!

— Они как раз заканчивают, — пояснил Сева с намеком на то, что ребята заигрались и некому было их остановить.

Головастик зашел в конференц-зал с видом победителя. Но зароптал, едва глянул на Матвея.

— Разве плохо? — проблеял он.

— Хуже не бывает.

Вид у Матвея был грозный, но голос звучал спокойно. Он был в таком настроении, что запросто мог схватиться за нож и вскрыть Головастику горло. Приходилось сдерживаться, чтобы не взорваться. Проблем у него и без того хватает.

— Если что-то не так, скажите, — заныл Головастик.

— Ты голубой?

— Нет. Это антураж такой, людям нравится...

— Ты в зоне когда-нибудь был?

— Нет.

— А я был. Два раза. И Севастьян Геннадьевич был. Тоже два раза. И Василий Петрович там бывал... А ты там не был. Но ты считаешь, что ты правильный, а мы бывшие урки. Ты так думаешь?

— Нет, что вы! — Головастик смотрел на Матвея глазами смертельно напуганного кролика.

— А я говорю, думаешь... Неправильно думаешь. Это мы правильные, а ты чума грязная. Ни морали за тобой, ни понятий, ничего. Потому и болтаешься по этой жизни как дерьмо... Неправильно ты, Лева, поступил, очень неправильно...

— Извините!!! Я больше не буду!

На Головастика тошно было смотреть, настолько он был испуган.

— Не тот случай, Лева. Извинения не принимаются... Мы живем в демократическом государстве. Поэтому мой клуб — зона, свободная и от расизма, и от пидорасизма. Зона. Лева, зона это! А ты зашкварил мою зону! Ты опоганил ее своими штучками!

— Это не прощается, — вставил Волынок.

Но Головастик на него даже не глянул. Парень понимал, от кого зависит его жизнь. Именно жизнь, а не что-то меньшее... Матвей знал людей неправильной ориентации, которые скрывали свои пристрастия. Таких он еще мог понять, с природой не поспоришь. Но воинствующих передастов ненавидел до смерти. Потому фейс-контроль не пускал в клуб явных петухов...

— Я больше не буду!

Матвей не знал, что ему делать. Он должен был приговорить парня к смерти. Но в то же время нельзя было этого делать, поскольку менты могли найти труп, начать следствие, а он и без того в осаде.

Но и без последствий фортель Головастика оставить было нельзя.

Матвей подозвал к себе Волынка, глянув на клоуна, провел пальцами по своему горлу. И едва слышно сказал.

— Убивать не надо. Напугай и отпусти.

Волынок согласно кивнул. Подошел к перепуганному парню, недобро глянул на него, взял за плечи, развернул к себе спиной и четким заученным ударом в шею выбил из него дух.

— Только не переборщи, — предупредил его Матвей.

— Все сделаю в лучшем виде...

На лифте с Головастиком на плече он спустился прямо в подвал; там были комнаты, в которых можно было застращать парня. Матвей не стал спускаться туда вместе с ним. Не тот у него уровень, чтобы самолично заниматься лицедейством. Тем более что Волынок знает толк в таких делах...

* * *

Женщина билась в истерике: кричала, размахивала руками, рвалась в кабинет к начальнику ОВД. Подполковнику Круче ничего не оставалось, как принять ее.

Ей было лет пятьдесят. Сама сухенькая, а глаза мокрые от слез. Одета опрятно, но бедненько. Седеющие, гладко зачесанные волосы, узковатое, не лишенное природной привлекательности лицо. Степан налил в стакан воды, подал ей.

— Успокойтесь.

— Не могу, — всхлипнув, сказала она.

— Что случилось?

— У меня сын пропал.

— Когда?

— Позавчера ушел в свой клуб и обратно не вернулся.

— В какой клуб?

— «Пьедестал». Он там конферансье работает. Головастиков его фамилия, зовут Лев.

— И выглядит как лев?

— Нет. Он у меня худенький.

Степан вспомнил фигляра со сцены «Пьедестала» и его анекдоты про тещу, которые так взбесили Комова.

— Волосы темные, кучерявые?

— А вы откуда знаете? — встрепенулась женщина.

— Приходилось бывать в «Пьедестале». Не знаю, может, я не о том думаю...

— Он у меня там один кучерявый... Вернее, был.

— Ну почему был? Жив он, здоров.

— Может, и жив. Просто он уже не кучерявый. Спрямил он волосы и обесцветил.

— Зачем?

— Номер он свой поставил. А хозяин его к себе потом вызвал. И он, как мне сказали, пошел к нему и пропал. Я его вчера весь день ждала, ночь сегодня... Не знаю, что и думать. В клуб ходила, так там никто не знает... Ребят его спрашивала, они сказали, что хозяину их номер очень не понравился.

— Почему?

— Ну, как бы вам это сказать, — замялась женщина. — Там с нетрадиционной ориентацией связано. Лева говорил, что это какой-то кул, фишка... Я ничего в этом не понимаю...

— А девушка у него есть? Или... э-э, парень?

— Нет, нет, что вы! Лева совершенно нормальный парень!

— Значит, есть девушка.

— Ну, не знаю...

— Наверное, есть. Может, он сейчас у нее. Вы поговорите с его друзьями, они вам скажут, где он может быть...

— Нет, нет, они уверены, что Лев не выходил из кабинета хозяина...

— Я был в кабинете хозяина, — вслух подумал Степан. — Зайти туда можно через дверь, выйти через лифт. Или наоборот...

— Что вы говорите?

— Не беспокойтесь, ничего с вашим Левой не случилось. Жив-здоров, просто загулял...

— Вы отказываетесь его искать? — снова кинулась в истерику женщина.

— Нет, мы будем его искать...

Степан немного подумал и вызвал к себе старшего лейтенанта Косыгина.

— Юра, нужна твоя помощь. Прямо сейчас едешь в «Пьедестал», найдешь там Биткова и узнаешь у него, куда мог деться Головастиков Лев... э-э...

— Лев Михайлович! — подсказала женщина.

— Вот его и найдешь. Или просто узнаешь, где он может быть. В любом случае звонишь мне...

Степан отослал Косыгина с поручением, а неугомонную мамашу отправил домой, пообещав лично ей позвонить, как только разыщет сына.

Только кабинет опустел, как появился Кулик. В глазах блеск охотничьего азарта, в руке папка.

— Степаныч, мне сказали, Косыгин у тебя! — торопливо спросил он.

— По делу отправил.

— Жаль, он мне очень нужен. Но раз уж к тебе зашел... Вот смотри, результат баллистической экспертизы.

Он выложил на стол несколько сероватых листков, но Степан на них даже не глянул. Он полностью доверял Кулику.

— И что там?

— Первое, в Сафронова стреляли из автомата, обнаруженного в квартире Трофименкова. Второе, из этого же автомата стреляли летом, ряженая охрана Биткова, когда Сафронова захватывали. Сравнительный анализ гильз показал...

— Ну вот, а Битков говорит, что непричастен к инциденту в «Реверсе»...

— Врет он все.

— Да, но прищучить его мы все равно не сможем. Разве что задержать, предъявить обвинение, отправить в изолятор. Можно устроить ему райскую жизнь...

— Кончать с ним надо, — кивнул Кулик.

— Надо. Готовь-ка ты группу захвата, — решился Степан. — Хватит с ним цацкаться...

Он был уверен, что адвокаты, как и в прошлый раз, вытащат Биткова из тюрьмы. Но на это понадобится не одна и даже не две недели. Выйдет Битков на свободу, а его снова мордой в грязь и в изолятор... В конце концов он поймет, что надо убираться из города подобру-поздорову.

— Что еще накопал? — более спокойно спросил Круча.

— Да так, мелочь. Были у меня подозрения насчет Балабакина, Вырова к себе вызывал, разговаривал с ним. Девушку он мне описал, не похожа она на Вершинину. Та полненькая была, а эта нет...

— Сколько времени прошло, и похудеть могла.

— Могла... Преступник дурой ее обозвал. Выров слышал его голос. А он с Балабакиным, оказывается, сидел, в «обезьяннике». Голос его знает. Нет, не Балабакина то был голос...

— И что?

— Говорю же, ничего. И с Трофименковым полная неясность. Соседи ничего не видели, не слышали. Друзья и знакомые есть, но никто ничего...

— Кто друзья, кто знакомые?

— Да все из своей среды.

— Девушка у него была?

— В том-то и дело, что нет. Вернее, постоянной девушки не было. Проститутками пользовался, стриптизерш, говорят, пьяных к себе приводил, но не особо злоупотреблял...

— Проститутки тоже люди. И стриптизерши тоже.

— Я в курсе... Круг знакомств его выясняем, ищем женщину... Я так думаю, что это все-таки кто-то из «Пьедестала». По заданию Биткова...

— Зачем Биткову нужно было девушку с ним посылать, глупую, да еще и с алмазом?

— Вот это меня и смущает.

— Меня, признаться, тоже...

— Да, Сафронов сегодня утром в Лондон вылетел. Вместе с женой.

— Я в курсе, — кивнул Степан.

Официальная версия, по которой Сафронов отправился за границу, — запись альбома Элен Шарм с последующим его продвижением на заграничный рынок. На самом же деле Сафрон опасался за свою жизнь. Степан очень надеялся, что уехал он не для того, чтобы составить себе алиби. Он мог натравить на Биткова киллера и, чтобы потом оправдаться, сказать, где он был в то время, когда прозвучал выстрел. Или взрыв... Только войны криминальных кланов сейчас не хватало. Город Битово должен спать спокойно.

* * *

Матвей очень привязался к Марго, но планы насчет совместной жизни с ней не строил. Чувствовал, что настанет время, когда она ему надоест; возможно, это случится скоро. И уж тем более он не собирался доверять ей в управление «Пьедестал». И сейчас он просто водил ее за нос, как в свое время она поступала с ним, когда динамила напропалую.

— Я мог бы сделать тебя администратором, мог бы сделать старшим администратором. Но ты девушка умная, с высшим образованием. И прежде всего ты моя девушка... Я хочу, чтобы ты управляла этим клубом. И мой кабинет должен стать твоим... Я уже распорядился, ты официально назначена моим замом.

— Зачем? — сухо спросила Марго.

Похоже, ей совсем не нравились развернутые им перспективы.

— Это мой первый клуб. За ним будет второй, третий. Я буду рулить всеми, а ты — этим... Что здесь плохого?

— Но я устала от всей этой суеты. Мне лучше дома, с тобой... Хочу быть твоей мягкой, домашней кошечкой, — игриво, с паточной истомой во взгляде улыбнулась она.

Он и сам хотел того же. Ему нравилось, что Марго ждет его домой, встречает его, привечает его, как раба своего господина. Пусть будет кошечкой, пока ему нравится ее шерстка... Но сегодня ночью ей нельзя быть дома, сегодня ночью прибывает курьер с золотом, Матвей лично примет его. Эту ночь Марго должна провести в клубе, в его кабинете, на правах полновластной хозяйки заведения. Другие девушки об этом могут только мечтать.

— Будешь моей милой домашней кошечкой, — кивнул он. — Пока я не построю новый клуб.

Планов у него громадье. И Москва, и «Парклэнд», но пока что надо раскидаться с проблемами вокруг сафроновского «Реверса». И золото нужно принять...

— И когда это будет? — равнодушно спросила она.

— Не думаю, что скоро.

— Тогда зачем ты привез меня сюда?

— А если со мной что-то случится?.. Короче, сегодня у тебя стажировка. С тобой будет Толик, он здесь все знает, что тебе непонятно, объяснит...

— А ты где будешь? — беспокойно глянула на него Марго.

Волнуется, переживает. Как настоящая жена... Матвей подумал, что, возможно, Марго никогда ему не надоест, и эта мысль его ничуть не испугала.

— У меня дела... Скажи, у меня могут быть дела?

— И как ее зовут?

— Кого ее?

— Твои дела...

— Ты меня нарочно злишь?

— Все-все...

Ему нравилась поспешность, с которой она сдавала назад, когда разговор заходил о бабах. И дело не в том, что Марго слабохарактерна, скорей наоборот. Просто она исповедовала принцип: «не пойман — не вор»... Не хотел бы он, чтобы Марго сняла его с бабы. Ногти у нее и длинные, и острые, и необычайной прочности...

— Если все, тогда сегодня здесь рулишь ты, — отчеканил он. — Вопросы?

— Нет вопросов, мой дорогой.

Матвей обнял ее за талию, опустил руку ниже, чтобы огладить пышные упругие выпуклости, но появился Толик.

— Там к тебе мент, — сообщил он.

— Я пойду в зимний сад, — сказала Марго, отстраняясь.

Зимний сад примыкал к конференц-залу, находился достаточно близко для того, чтобы Марго могла слышать разговор.

— У фонтана буду, — на ходу добавила она.

Фонтан шумит, подумал Матвей, заглушает звуки.

— Мент, говорю, — напомнил о себе Толик.

— Кто? Круча?

— Круча не спрашивает, Круча прет как танк, — усмехнулся Антипов. — Нет, опер из уголовки, Косыгин фамилия...

Матвей недовольно скривился. Как ни крути, а Марго была близка с этим парнем, по его собственной вине. Она утверждает, что до секса дело не дошло, он даже верил ей, но все равно ревновал.

— Что ему надо?

— Сказал, что разговор есть. Насчет Головастика, — нахмурился Толик.

— Этот гомос что, в ментовку стукнул? — возмутился Матвей.

— Не думаю, — сказал Антипов и непонятно почему отвел в сторону глаза.

— Что ты не думаешь?.. Ладно, давай сюда этого опера.

Косыгин вошел в кабинет, и Матвей набросил на губы радушную улыбку. Не та сейчас обстановка, чтобы лаяться с ментами.

— А-а, товарищ старший лейтенант! Или уже капитан?

— Пока еще старший лейтенант, — не то чтобы сурово, но без намека на ответно-приветливую улыбку сказал Косыгин.

— Все-таки пожаловал ко мне, стралей? Ну что ж, вечер близко, скоро клуб откроется, посмотришь, как наши девочки танцуют...

— Я исключительно по делу. Меня интересует Головастиков Лев Михайлович.

— Не знаю такого.

— Он работает в этом клубе, конферансье.

— А-а! Лева Головастик!..

— Его друзья утверждают, что после выступления

вы позвали его к себе в кабинет, и больше его никто не видел...

— Его друзья, может, и не видели. А другие видели... Он через дверь вошел, как ты сейчас. А спустился на лифте, на первый этаж... Дело в том, что он случайно поскользнулся, лицом ударился об стол. Так иногда случается...

— Я слышал, вам не понравилось его выступление.

— Мягко сказано. Есть у меня один недостаток, терпеть не могу голубизну, а он такую гомосятину здесь устроил...

— В этом я с вами солидарен, но избивать Головастика я бы не стал.

— Никто его и пальцем не тронул. Сам упал... Где он сейчас?

— Я же сказал вам, он пропал. Бесследно. Мать его с ног сбилась, ищет...

— Кошмар. Но поверь, Юра, я здесь ни при чем. Головастиков спустился на лифте на первый этаж, пошел домой...

— Не знаю, не знаю... Никто его не видел. Никто.

— Хорошо, я разберусь. Опрошу всех, кто мог его видеть...

— Если позволите, я сам этим займусь.

Пока Матвей думал, давать оперу зеленый свет или нет, у Косыгина зазвонил мобильный.

— Да, хорошо... Уже бегу...

Он сунул трубку в карман куртки; ткнув пальцем в Матвея, сказал:

— Завтра утром я буду здесь. И постарайтесь дать мне исчерпывающий ответ...

— Обещаю тебе, Юра, уже сегодня вечером твой Головастиков будет дома в полном здравии.

— Очень на это надеюсь.

Косыгин ушел, а Матвей строго посмотрел на Толика.

— Что скажешь?

— Ищут пацана...

— Это я уже понял, что ищут. Где он?

— Не знаю, — угрюмо пожал плечами Толик.

— В глаза мне смотри! — заорал Матвей.

Он уже понял, что Антипов знает, где Головастик.

— Накладка вышла, — опустив глаза, пробормотал тот. — Васек напугать его хотел...

— И?

— Волыну на него наставил. Думал, что в стволе патронов нет, а они были... Короче, наглушняк...

— Что?! — взвыл Матвей.

— Наглушняк... Он испугался, меня позвал, просил, чтобы я ничего тебе не говорил... Да там нормально все, мы жмура в машину загрузили, вывезли... Кровь затерли, гильзу он сразу забрал...

— Кто гильзу забрал?

— Ну Васек. Он же профи...

— Профи, — кивнул, задумавшись, Матвей. — Гильзу он сразу забрал...

— Это ты о чем?

— Да мысль одна нарисовалась... Когда Генчика убили, мокрушник тоже гильзу забрал. Потому что профи... А «Олений глаз»...

— Что «Олений глаз»?

— У ментов наш алмаз. Я спросил у Кручи откуда, он сказал, что не важно... Я так думаю, кто-то его обронил. Или у «Реверса», или на хате у Трохи... Тот, кто стрелял в Сафрона, хотел меня подставить. Тот и автомат к Трохе подкинул... И еще, стрелок у «Реверса» с бабой был...

— С какой бабой?

— Откуда я знаю... Да и не уверен... Круча что-то

про бабу плел, про парней наших, которые убивать умеют... Волынок умеет убивать...

— Я же говорю, профи.

— Гильзу он забрал, это правильно.

— И от трупа избавился...

— Погоди с трупом... Гильзу он забрал. А посмотреть, если ли маслины в стволе, забыл. Или не захотел.
Или нарочно... Баба у «Реверса» была, баба...

Матвей почти ухватился за логическую нить, которая могла привести его к разгадке, но все же выпустил
ее из рук... Надо было начинать сначала.

— Труп где? — спросил он.

— Говорю же, вывезли его.

— Кто?

— Васек. Я ему помог в машину загрузить, а он в лес
его вывез, лопату взял, все дела...

— Ты почему с ним не поехал?

— Он сказал, что сам все сделает. Мол, сам натворил, сам и концы в воду...

— А точно концы в воду? Не всплывет труп, а?

— Зачем?

— А чтобы меня подставить... Менты уже Головастика ищут... Васек, Васек, ну сука... Баба у «Реверса»
была, алмаз...

И снова Матвей схватился за логическую нить.

— Стелла сейчас где?

— Выходной взяла...

— А где она была ночью, когда в Сафрона стреляли?

— Тоже в отгуле... Да, в отгуле...

— А Васек?

— Дела у них были, уезжали они...

— Куда уезжали?

— В Тулу ездили, вроде бы за сестрой.

— За чьей сестрой?

— Сестра у Стеллы есть. Ну, она говорит, что сестра. А Васек мне сказал, что это подруга ее. Очень-очень хорошая подруга, — ухмыльнулся Толик.

— Что значит, очень-очень?

— Я так понимаю, они там втроем бутерброд замутили, Васек и две очень-очень хорошие подруги... Свингство, короче...

— Свингство?.. Точно, свингство, — соглашаясь, кивнул Матвей.

— Они в Тулу за этой подругой ездили, а сегодня отвозят... Уже уехали.

— Головастика замокрил, потом в Тулу... И я ничего не знаю? — возмутился Матвей.

— Да я хотел сказать, но тебе сейчас не до того, — с намеком на предстоящее дело сказал Толик.

— В том-то и дело, что не до того... Когда Васек должен приехать?

— Сказал, что завтра будет, после обеда... Сказал, что ночевать будет. Самовар с бутербродами...

— Волынок под подозрением, ты хоть понимаешь это? — сурово глянув на Толика, спросил Матвей.

— Да уже понял.

— Сам ему не звони. А если он позвонит, ни слова о нашем разговоре.

— Да я понял.

— А как приедет, сразу ко мне. Вместе со Стеллой... Свингеры хреновы...

Матвей вспомнил про Марго. Она могла подслушать разговор, а ей никак нельзя знать про убийство Головастикова.

Он направился в зимний сад и застал Марго у фонтана, она сидела в массажном кресле, наслаждаясь тишиной и покоем. Глаза прикрыты, на лице полнейшая безмятежность.

— Балдеешь? — спросил он.

Марго вздрогнула, открыла глаза.

— Кажется, задремала... Ты уже все? Едем домой?

— Я да, а ты останешься здесь.

— Но клуб даже не открылся.

— Сиди здесь, птичек слушай, отдыхай...

— Мне кажется, ты хочешь избавиться от меня, — с упреком сказала она.

— Вздор.

— Я бы в косметический сходила. А потом в бутик.

Она так просительно смотрела на Матвея, что ей нельзя было отказать. Он достал бумажник, вынул оттуда плотную стопку тысячных купюр.

— Хватит?

— Вполне! — обрадовалась она.

Матвей снисходительно усмехнулся. Много ли женщине нужно для счастья?

ГЛАВА 21

Кулик не вошел, он ворвался в кабинет. Глаза возбужденно горят.

— Что случилось? — усмехнулся Степан. — Клад нашел?

— Почти! Из судебной экспертизы ответ пришел!

— Так быстро?

— Я очень-очень просил... Есть результат по дактилоскопии.

— Чьи пальчики? Вырова?

— Его само собой. Есть и другие...

— Чьи?

— Наша, битовская. Некая гражданка Сидорец, Стелла Ивановна. Имела привод, оставила пальчики, попала в картотеку...

— Привод за что?

— Антиобщественное поведение, драка на дискотеке, избила там кого-то. Четыре года назад... Адрес известен, нужно брать...

— Стелла, Стелла... Балабакин говорил про Стеллу, — вспомнил Степан. — Про свою одноклассницу... Она, кажется, в «Пьедестале» танцевала. Или танцует. И с этим, с Волынком заодно, который тещу Комова сбил... Они вдвоем его и обработали, он машину им отдал, деньги задолжал. Долг должен был отработать, взяв на себя вину Волынка...

— Но привлекли-то Волынка.

— Вроде того, — кивнул Степан.

— Тогда, может, Балабакин отдал ей алмаз в качестве долга? — предположил Кулик.

— Нет. Он ей до этого деньги отдал... Волынок заставил его долг вернуть. Он с Сафроном связался, песню его жене продал, деньги получил, долг отдал. А Сафрон потом с Волынком разговор имел, чтобы он Балабакина не трогал. Отсюда и конфликт Сафронова с Битковым... Стелла, Стелла. Клуб «Пьедестал», Волынков, Битков... Вряд ли она у «Реверса» с Балабакиным была. Скорей с Волынком или Битковым... Снова Битков, все на него показывает...

— Брать ее надо.

— Как ты это сделаешь?

— Адрес есть. Дом на Красногвардейской улице.

— Если адрес из картотеки, то скорей всего по нему родители ее живут. А она, возможно, где-то в другом месте обитает. Всколыхнем родителей, они позвонят Стелле, вспугнут ее...

— Надо сделать так, чтобы не всколыхнули. Осторожно, аккуратно... Косыгина к родителям пошлю, скажет, что со Стеллой недавно познакомился, она ему их адрес дала...

— А если она в квартире родителей живет, но без них? Что, если Волынок с ней?..

— Ну, скажет, что адресом ошибся...

— Если Волынок в драку полезет?

— Ну, Косыгина голыми руками не взять...

— Это хорошо, что не взять. Плохо, что Косыгина Битков знает. А значит, и Волынок... Нет, Косыгина к ней нельзя...

— Но у меня только Косыгин сейчас из молодых...

— А ты что, уже старый?

— Меня каждая собака в городе знает.

— Логично... Возьми кого-нибудь из следственного отдела...

— Точно, Климентьев есть, старший лейтенант, парень ушлый. Он у нас совсем недавно, не примелькался...

— И Косыгина с ним пошли, для подстраховки. И еще людей возле дома поставь, на всякий случай... Главное, узнать адрес. Но если будет возможность взять ее аккуратно, без шума, сразу везите ее сюда... А группу захвата Комов организует, я уже распорядился. Как только возьмем Стеллу, сразу же начнем работать по Биткову со всей его кодлой...

Теперь у Степана был неоспоримый повод устроить Биткову банный день. А припарку, то есть постановление, выпишет судья. Он лично займется этим...

* * *

— Думай, Борис, думай. Для того у тебя и голова на плечах, чтобы думать.

Кулик призывал Климентьева к сообразительности, но сам же и стал строить варианты.

— Позвонишь в дверь, если откроют ее родители, скажешь, что познакомился со Стеллой, она дала тебе этот адрес, узнаешь, где она живет сейчас. С этим понятно. А если она сама откроет, скажи, что тебе нужна

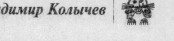

Элла. И добавь, что уже не очень нужна, потому что есть Стелла...

— А если эта Стелла страшней атомной войны? — угрюмо спросил Климентьев.

— Тогда ты представь, что твоя Элла страшней ненакрашенной атомной войны... На самом деле она совсем не страшная.

Кулик показал Климентьеву фотографию девушки. Косыгин тоже глянул на снимок.

— Здесь у нее губа распухшая, но, в общем, ничего...

— Ничего, — согласился с начальником Юрий.

— И еще в стриптизе танцует, — добавил Кулик.

— Это интересно, — оживился Климентьев.

— И, возможно, танцует вместе с твоей Ритой, — обращаясь к Косыгину, сказал майор.

— Рита не танцует, — уныло мотнул головой Косыгин. — Рита с Битковым в его доме живет.

Он старался забыть Риту, но не получалось. Казалось бы, ничего серьезного, всего лишь оперативно-деликатный контакт. Но так только казалось...

— А Стелла, возможно, с Волынком живет, с бандитом из его клубного картеля... Поэтому ты, Юра, едешь с Борисом, для подстраховки... В подъезд вместе не входите, сначала один, затем второй. Ты, Юра, на площадке между этажами встань, если Волынок полезет в драку, берите его вместе со Стеллой и везите сюда...

— А если Волынок не один, если с ним кто-то еще из бандитов? — невесело спросил Климентьев.

— Очень даже может быть, — задумался Кулик. — Я собирался наряд с вами отправить, но там все в форме, на служебной машине... Нет, этот вариант не пойдет...

В помощь Климентьеву и Косыгину он организовал трех бойцов из группы немедленного реагирования, переодев их в штатское. Снова провел тщательный инст-

Не жди меня, мама, хорошего сына

руктаж с детальной проработкой возможных вариантов, отправил на задание. Но, как выяснилось позже, напрасно Климентьев опасался встречи с бандитами. Дверь ему открыла женщина. Как она выглядела, Косыгин не знал, но слышал ее голос.

— Стелла здесь не живет, — сказала она в ответ на вопрос. — У нее своя квартира.

— Странно, я познакомился с ней, она дала мне этот адрес...

— Где вы с ней познакомились? — В голосе женщины угадывалась горечь.

Похоже, она была в курсе, чем занимается ее дочь, и догадывалась, при каких обстоятельствах мог познакомиться с ней Борис.

— В клубе мы с ней познакомились, — не нашел сказать ничего лучшего Климентьев. — Она так хорошо танцевала...

— Стелла уже не танцует. Она администратор... Наверное, вы давно с ней познакомились.

— Да нет, недавно. В ночном клубе, в «Элегии», там пенная дискотека, мы вместе танцевали...

— В «Элегии»? Просто танцевали?

— Ну да.

— Ну, если в «Элегии»... Я сейчас ей позвоню, скажу про вас...

Именно этого и боялся Кулик. Но, к счастью, мать не смогла дозвониться до дочери. И все-таки дала Борису адрес ее квартиры.

— Кажется, я ей понравился, — самодовольно сказал Климентьев, усаживаясь в машину.

Он был симпатичным парнем, хорошо одевался, не манерный, но хорошими манерами обладал. И уж точно не похож был на отмороженного бандита.

— В женихи тебя, Боря, записали. Только боюсь,

что на ее дочери ты не женишься, — усмехнулся Косыгин.

— Я тоже этого очень боюсь... — отшутился Климентьев. И уже серьезно добавил: — А еще больше я боюсь, что мы ее не найдем...

— Смотри, не накаркай.

— Я не ворона, чтобы каркать, я следователь. Телефон у Стеллы не отвечал. Мать ей и на домашний звонила, и на сотовый...

Климентьев оказался прав, Стеллы дома не было. Косыгин связался с Куликом, тот приказал держать ее квартиру под наблюдением, ждать.

В машине было тепло, но тесно. Водитель, опер, следователь и три бойца группы захвата.

— Хорошо бы к ней в квартиру попасть, — сказал Климентьев. — Там лучше ждать...

— Как ты туда попадешь?

Косыгин и сам был бы рад сменить обстановку.

— Да есть у нас в ИВС один специалист по замкам, — с кислым видом пожал плечами Климентьев. — Но это противозаконно...

— И специалиста нам твоего никто не даст...

В кармане у Косыгина зазвонил телефон, пришлось отодвинуть сидящего впритык человека, чтобы достать его. Плохо, когда тесно.

На дисплее высветилось «Рита».

— Ничего себе...

Он нажал на кнопку, первым поздоровался с ней.

— Я по тебе соскучилась, — чувственно сказала она.

— А если серьезно? — настороженно спросил он.

— Если серьезно, то нужно встретиться. — Ее голос обрел деловитость, но приятные ласкательные нотки остались.

— По какому делу?

— По серьезному.

— Когда?

— Прямо сейчас... Хочешь, я приеду к тебе домой?

— Я на службе.

— Отпросись. Не пожалеешь.

— Я перезвоню...

Косыгина обрадовала мысль, что сегодня он может увидеть Риту. Но встревожило то, что встретиться с ним она предложила именно сейчас. Он позвонил Кулику.

— Рита звонила, из «Пьедестала». Сказала, что у нее ко мне серьезное дело, нужно встретиться.

— Интересно.

— Мне тоже. Но я на задании.

— Если дело действительно серьезное, то иди.

— Вы не поняли. Я на задании, нам нужна Стелла. Мы находимся во дворе ее дома. Уж не потому ли позвонила Рита, что мы здесь? Возможно, Битков нас засек. Возможно, он снова пустил в ход свое «секретное оружие»...

— Все может быть, Юра. Но группа пусть остается на месте. А ты иди. Постарайся узнать, зачем ты ей нужен... Да, и еще, смотри не проговорись, что сегодня ночью будем брать Биткова...

— Да я как-то не в курсе, — пожал плечами Косыгин.

Он слышал, что майор Комов готовил группу захвата, но для чего, вникать не стал. А мог бы и вникнуть, мог бы и разузнать. Этого и опасался Кулик.

— Ну, мало ли что... В общем, парень ты неглупый, действуй по обстоятельствам...

Вряд ли своим уходом Косыгин усложнял задачу товарищам, но уж точно облегчил их существование, равно как и машину, в которой они находились.

Он позвонил Рите и договорился встретиться с ней на улице Грибоедова, возле известного им обоим дома.

Он воспользовался такси, она же приехала на своей машине и позже, чем он.

Новенький джип «Сузуки», золотистый металлик. И сама Рита как новенькая — яркая, свежая, душистая. Норковый полушубок под цвет машины, черные джинсы в обтяжку, изящные сапоги на длинном тонком каблуке. Распущенные волосы, зовущая улыбка...

Косыгин осмотрелся. Не остановилась ли где подозрительная машина, не наблюдает ли кто за ними.

— Привет. Пошли? — спросила она и повела головой в сторону подъезда.

— Я здесь не живу.

— Зачем тогда мы здесь?

— Хочу проехаться на твоей шикарной машине.

— Это всегда пожалуйста.

Прежде чем сесть в машину, Косыгин бросил взгляд влево, его внимание привлек припарковывающийся «Чероки» с затемненными окнами. Что-то здесь не так.

Рита сворачивала за дом, а он глянул на «Чероки», машина стояла, но никто из нее не выходил.

— Куда ехать? — спросила Рита.

— Направо и прямо...

Он посмотрел назад, но подозрительный джип за ними не следовал.

— Ты чем-то обеспокоен? — заметила она.

— Да. Тем, что ты мне долго не звонила.

— Знаешь, мне и самой это не нравилось.

— Я знаю, что ты живешь с Битковым.

— Жила.

— Ты ушла от него?

— Надеюсь, что да.

— Сюда, налево... Приехали...

Косыгин теперь снимал другую квартиру, в пятиэтажном доме брежневских времен. Однокомнатная, после ремонта, достаточно комфортная для того, чтобы не стыдно было привести девушку.

— Здесь я и живу.

— Пошли?

— Ты торопишься?

— А тебе, смотрю, понравилось в моей машине?

— Да... Но лучше у меня...

Он нарочно задержался в автомобиле, чтобы дождаться «Чероки». Но подозрительной машины не было.

Квартира Рите понравилась. Он помог ей снять шубку, провел в комнату, показал на кресло.

— Хорошо у тебя.

— Можешь остаться.

— Ты правда этого хочешь? — пытливо посмотрела на него Рита.

— Ну, если ты правда ушла от него.

— Он будет злиться, тебя это не пугает?

— Пусть он меня боится... Или не боится? Наверное, смеется, да?

— Почему смеется?

— Потому что за дурака меня держите. И он. И ты.

— И я? — удивилась Рита.

— Да, ты.

Он встал в дверях, перекрыв ей путь к отступлению.

— Я, конечно, могу изображать дурака дальше. Но какой в том смысл? Дождаться, чтобы твой Битков снова признался мне в любви к милиции?

— Какая любовь?

— Дутая... Не надо водить меня за нос, Маргарита Владимировна. Я знаю, зачем вы здесь.

— Юра, что за тон? — сдержанно возмутилась она.

— Официальный... Я сразу раскусил тебя, Рита. Тебя подослал ко мне Битков. А я был с тобой, потому что доложил начальству и получил от него «добро». Мы ждали, что предпримет Битков, а он лишь передал нам привет, через меня...

— Юра, я тебя не понимаю, — с недоумением смотрела на него Рита.

— Все ты понимаешь... Зачем я тебе сегодня нужен? Что ты хочешь от меня узнать?.. Ты не выйдешь отсюда, пока не скажешь...

— Отлично, тогда я ничего не буду говорить. Мне нравится у тебя... Но я так понимаю, тебе не нравится со мною, — начала она в мажоре, но с каждым словом ее тон склонялся к минору. — Да, я стриптизерша, да, я падшая женщина...

— Надеюсь, в этом нет моей вины, — усмехнулся он.

— Твоей вины нет... И моей, пожалуй, тоже... А пришла я к тебе... Нет, не потому что... — Она запнулась, улыбнувшись, продолжила: — Потому что хочу заслужить твое прощение...

— Кто я такой, чтобы в чем-то тебя обвинять?

Косыгин пытался служебным рвением заглушить личный интерес к Рите. Но хладнокровие сохранить никак не получалось, обида рвалась наружу, обнажая его чувства.

— Ну, мы же почти подружились... В общем, я знаю, что сегодня днем ты был у Матвея.

— И он прислал тебя ко мне? — с сарказмом спросил он.

— Нет. Он отправил меня в бутик. Но я ушла к тебе. Чтобы помочь. Ты ищешь Головастикова?

— Да.

— В живых его нет, — опечаленно сказала Рита.

— Битков? — взбудораженно спросил Косыгин.

Служебное и личное совпали по фазе, но амплитуда их колебаний резко возросла.

— Нет. Он хотел всего лишь напугать парня. Его убил Волынок. Думал, что пистолет не заряжен... А может, и знал это, может, и нарочно застрелил Головастикова...

— Зачем?

— Мне кажется, он что-то затевает против Матвея...

— Он же стрелял в Сафронова, возле «Реверса»? — догадался Юрий.

— Не знаю, — пожала плечами Рита. — Может быть...

— Значит, Битков к смерти Головастикова непричастен?

— Нет.

— И к покушению на Сафронова тоже нет?

— Нет.

— И к убийству Трофименкова?

— Про это я не знаю.

— Почему ты не сказала «нет»? — запальчиво и обличительно спросил Косыгин. — Ты должна была сказать «нет». Ты должна была полностью обелить Биткова и очернить Волынка.

— Зачем?

— Затем, что так нужно. Биткову нужно. Он тебя ко мне послал, он...

— Это неправда, — беспокойно сказала Рита.

— А то, что Волынок Головастикова убил?

— Это правда. Если Битков узнает, что я подслушала разговор...

— И что будет? — перебил ее Косыгин. — Неужели убьет?

— Может и убить. Он очень жестокий.

— И в чем это выражается? Сафронова он не трогал, Головастикова и Трофименкова не убивал...

— Он очень жестокий, — упрямо повторила Рита. — И, поверь, на нем очень много трупов. Это здесь, в Москве, он пытается держать человеческое обличье. Он умеет это делать. Он образованный, почти три курса института. Но он зверь. Дикий таежный зверь. Если бы ты знал, что он в тайге вытворял, сколько людей погубил...

— Ты откуда знаешь?

— Не важно.

— Он рассказывал?

— Может быть.

— А может, ты с ним по тайге таскалась?

— Заткнись! — гневно отрезала Рита.

Косыгин вздрогнул, как будто получил пощечину.

— Спасибо за информацию, — придавленно сказал он.

— Я хочу тебе помочь.

— Зачем?

— Затем, чтобы вы не наделали глупостей. Я знаю, вы подозреваете Биткова в убийствах, возможно, сегодня вы попытаетесь его задержать...

— С чего ты взяла? — изобразил удивление Косыгин.

— С того, что актер из тебя никудышний... Что вы затеваете с Битковым?

— Кто это вы?

— Больше всего меня интересует твое начальство.

— Тебя или Биткова?

— Ты думаешь, я веду игру?.. Да, веду. Но, поверь, я не на стороне Биткова...

— А на чьей ты стороне?

— На твоей. И не только... Юра, ты должен мне помочь.

ГЛАВА 22

Ночь, на дворе темно и холодно. Но Матвей не собирался выходить к воде, пока не получит сигнал. А до этого еще далеко: курьер только-только добрался до места на другом берегу озера, пока даже не загрузил товар в лодку.

Марго нет, охрану Матвей распылил по улицам недостроенного поселка — пусть высматривают, пусть ищут притаившуюся опасность. В доме у него только Дёма. Сам же Матвей гостил у Малчи, который даже не был в курсе, что сегодня будет курьер. Не стал Матвей посвящать его в дело. Не доверяет он чукче... Никому не доверяет... А у Малчи он сейчас для того, чтобы сбить с толку недругов. Если вдруг кто наблюдает за ним в ожидании золота, пусть думает, что его примет Малча.

Ему не нужен предлог, чтобы гостить у чукчи. Но был повод, чтобы завести с ним разговор, отвлеченный от золота.

— Ты мне, Малча, все про Троху расскажи, — потребовал Матвей. — Что знаешь и чего не знаешь...

— Как это, чего не знаешь? — удивился чукча.

— О чем догадываешься... Зачем ты его отпустил?

— Я же говорил, женщина у него, любовь.

— Какая женщина? Как ее зовут?

— Он не говорил. Сказал, что очень ее хочет, а она уезжает...

— Куда уезжает?

— Не знаю. Васька́ спросить надо.

— Васька́? Волынка?

— Да.

— Он здесь при чем?

— Троха с ним в последнее время дружил.

Матвей озадаченно глянул на Севу.

— Ты об этом знал?

— Раньше они терпеть друг друга не могли... Верней, терпеть-то терпели, а в кентах не были...

— Вот и я о том же, — кивнул Матвей. — А тут вдруг

неразлейвода... Так что, Васек Трохе бабу свою подставил?

— Нет. Он сказал, что она откуда-то издалека. Васек увозить ее собирался, Троха боялся не успеть...

— Так что, Васек ему бабу домой привез?

— Не знаю, — покачал головой Малча. — Он не говорил...

— Но Троха куда собирался ехать? Домой?

— Домой. И что?

— Совсем башка заржавела? — раздраженно спросил Матвей. — Если он домой собирался ехать, значит, Волынок бабу к нему домой собирался подвезти...

— Ну, может, — замялся Малча.

— Совсем отупели здесь, на сытых, ля, харчах. И оборзели! — злобно скривился Матвей.

Он уже знал, что ему нужно делать. Сначала он получит золото, надежно спрячет его. Потом разберется с Волынком, затем произведет рокировку — отупевшего Малчу и всех, кто не устраивал его, вернет в тайгу, на их место возьмет новых бойцов...

Сигнал от посредника поступил в половине второго ночи. Матвей оставил Малчу дома, а сам вместе с Севой вышел на пристань. Теплые непромокаемые куртки с капюшонами, мягкие водостойкие сапоги. И, конечно же, оружие — у Матвея пистолет, у Севы скорострельный «узи». Впрочем, бояться нечего. Курьер идет на лодке один, его проверили еще на том берегу, разоружили. Все в порядке. Но почему на душе так тошно?

Они вышли на пристань, заслышав шум мотора. Из темноты в изморосной пелене проявился силуэт лодки с одиноким рулевым на корме.

Мотор заглох, лодка по инерции подошла к пристани. Человек в брезентовом плаще бросил веревку, Сева дернулся, но Матвей осадил его движением руки. Пусть держит курьера под прицелом, а веревкой он сам займется.

Человек в лодке выставил на покрытие пристани один чемодан.

— Открой! — потребовал Матвей.

Курьер уже прошел досмотр, но подчинился его требованию без возражений. Показал золото. Матвей нагнулся, дрожащей от волнения рукой взял один слиток, осмотрел его. За первым появился второй чемодан. Матвей снова потянулся за слитком...

На ум вдруг пришло злое пророчество Малчи. «На озеро мой Хомус лаял... С озера беда идет». Матвей до боли закусил губу. Ладно, если просто беда. Хуже всего, что под нее подставляется он сам. И дернул его черт самолично взяться за это дело...

Матвей сильно нервничал, и, когда где-то рядом, со стороны берега, вспыхнула осветительная лампа фотоаппарата, он не смог сохранить самообладание и выстрелил. Сева присоединился к нему, выдал длинную очередь в ту же сторону. И никто из них не заметил, как из темноты к ним за спину вывалились люди в маскировочных костюмах. Сильный удар в затылок опрокинул Матвея на мокрый настил пристани, кто-то безжалостно заломил руки за спину.

— Ну вот, кажется, и все, — услышал он за спиной знакомый голос.

— Колыванов, сука! — в бессильной злобе просипел Матвей.

Его перевернули на спину, и он смог увидеть ненавистное лицо своего давнего врага, майора Федеральной службы безопасности, последние два года гонявшегося за ним по тайге.

— Что, Битков, думал, в Москву уехал — и все, не достанем тебя? — торжествовал Колыванов. — Достали.

На тебя контрабанда шла, ты ее принял. Незаконный оборот драгоценных металлов — вещь серьезная.

— Заманаешься доказывать, — огрызнулся Матвей.

— Докажут. И незаконное применение огнестрельного оружия докажут... Попал ты, Битков. Конкретно попал. Теперь тебя точно закроют. Достал ты нас, Битков, очень достал, так что в зоне легкой жизни не жди.

Матвей понимал, что Колыванов не шутит. Федеральная служба безопасности сейчас в большой силе, не то что прежде. И если Матвей попадет в зону, то там его просто-напросто сломают, насильно заберут невинность; живым он оттуда, может, и выйдет, но авторитета за ним точно уже не будет...

— Товарищ майор, эта сука Бобрыкина ранил, — услышал Матвей чей-то озлобленный голос.

И еще явственней осознал, что влип он основательно.

* * *

Рита положила телефон на столик, грустно посмотрела на Косыгина.

— Все, миссия выполнена. Биткова взяли с поличным. И с оружием, из которого он ранил нашего человека...

— А почему так безрадостно?

— Да потому, что обманули меня. Сказали, что на месяц, а вытянуло почти на полгода. И какой ценой? — Рита уныло вздохнула и отвела в сторону взгляд.

— Какой? — сделав глотательное движение, спросил Юрий.

— Поверь, я никогда не стремилась быть как Мата Хари. Но пришлось...

Косыгин знал, кто такая Мата Хари. Самая известная шпионка времен Первой мировой войны, которая через постель выпытывала секреты у военных и политических лиц... Может быть, Рита совершила подвиг, изобличив Биткова, но ее это совсем не радовало. И Косыгина тоже... Но и осуждать он ее не мог.

— Я о тебе ничего не знаю. Кто ты? — мрачно спросил он.

— Теперь можно... — в том же духе сказала она. — Между прочим, я сразу подала знак, что меня к тебе подослали. И к дому тебя подвезла, и про жену спрашивать не стала, и слова присяги...

— Я заметил.

— А слова присяги откуда знаю?

— Откуда?

— Потому что в милиции служила. В обычной, экологической, только не здесь, там... — Рита махнула рукой в сторону востока. — Из ФСБ пришли, объяснили, что и где надо делать... Я только-только «старшего лейтенанта» получила, а тут «капитана» пообещали. В общем, согласилась дура сибирская...

— Будешь теперь капитаном.

— А если снова под кого-то сунут? Я ж теперь агент с опытом, могут использовать повторно.

— Ты этого хочешь?

— Нет.

Она хотела еще что-то сказать, но, безнадежно махнув рукой, промолчала.

— Танцевать где научилась?

— Там и научилась. В Новосибирске... Да, стриптиз танцевала. Не долго, пока не поняла, что веду себя как последняя дура... Закончила институт, устроилась в милицию... Сидим тут, а Биткова сейчас к вам в ОВД уже везут. Звони начальству...

Косыгин уже получил втык от Кулика, когда просил его оставить Биткова в покое. Тогда Рита не объясняла причин, по которым его не следовало трогать. Зато сейчас все ясно. Пока московская милиция чесалась, сибирская удачно провела операцию и задержала с поличным злобного колымского бандита Биткова. Вряд ли это обрадует Кулика, но звонить надо...

* * *

У Кручи было как минимум две причины, чтобы злиться на Биткова. Во-первых, снова бессонная ночь. Во-вторых, Федеральная служба безопасности в лице майора Колыванова, который обошел Степана на повороте. Сейчас он сидел в кабинете начальника ОВД, уже умытый, переодетый в сухой камуфляж. Среднего роста, неказистый на вид, но взгляд сильной, несгибаемой личности.

— Насколько я знаю, вы тоже готовились к захвату Биткова, — сказал майор.

Круча молча раскрыл красную папку, взял оттуда постановление суда и протянул ему.

— Оснований много, — пробежавшись по документу, сказал Колыванов. — Но ими Биткова не прижмешь...

— Но нервы потрепать можно.

— Мы ему тоже нервы трепали, в тайге. Но с поличным взять не удавалось. Гоняли по колымским просторам, да все без толку. Он старательские артели грабил, людей убивал. Свои старательские точки у него были, китайцы на него вкалывали... Все про него знали, а он хитер как волк, капканы обходил, следов не оставлял... А здесь он расслабился, здесь мы его и подсекли. Наверняка брали, с поличным.

— Я в курсе.

Против федералов Круча ничего не имел. Люди грамотно проделали свою работу. На чужой «земле», втайне от местной милиции успешно провести операцию по захвату матерого бандита — честь им за это и хвала.

— Мы давно с поличным взять его собирались, план разработали, человека внедрили. Но пока разбирались, где он золото держит, вы своими силами тайник обнаружили, — поощрительно улыбнулся Колыванов. — Тут уж и мы развернулись, установили наблюдение за домом Биткова и его подельников, но следующая партия прошла мимо... Ничего, зато сегодня все срослось... Хорошо, что вы не начали сегодня...

— Хорошо, — кивнул, соглашаясь, Степан.

— А постановления у нас не было, — сказал майор. — Сами понимаете, боялись утечки информации...

— Понимаю. Считайте, что Биткова взяли на основании нашего постановления, я не против. Тем более что вы не провезли его мимо нас...

— Нужно же было придать задержанию законный вид. Все равно завтра к вашему прокурору. Надо еще пару статей к Биткову прикрутить. Незаконное применение огнестрельного оружия, покушение на убийство, ну и золото, само собой...

Степан знал, что при задержании был ранен один федерал. Пуля попала в плечо, прошла навылет, ничего серьезного, но тем не менее...

— Оформим все как положено, — заверил он майора.

— И еще золото, два чемодана, — сказал Колыванов. — В момент передачи его сфотографировали... Ваши два чемодана, и два наших.

— Итого, четыре... — улыбнулся Степан. — А почему только золото? У Биткова и алмазы были.

Он полез в ящик стола, достал оттуда фотографию бриллианта, показал федералу.

— Битков называет его «Олений глаз». Вам это знакомо?

— Нет, — признался Колыванов. — Но алмазы у него могли быть. Раньше он и по этой части грабил... Сейчас нет, сейчас только золото...

— Сколько ему за это светит?

— Незаконный оборот драгоценных металлов в крупных размерах, организованная группа — до десяти лет с конфискацией имущества... Плюс человека нашего ранил... Крепко Битков влип...

— Он и у нас тут дел натворил. Мне бы поговорить с ним.

— Возражать не буду, — недолго думая, сказал Колыванов.

Круча не поленился спуститься в изолятор временного содержания, не побоялся войти в камеру к заключенному.

Он предполагал, что Битков встретит его по-волчьи озлобленно, но бандит смотрел на него смиренно.

— Вот, попрощаться пришел, — насмешливо сказал Степан. — Уезжаешь ты от нас, Битков. Сначала в Лефортово, потом дальше, в Сибирь, по каторжному тракту...

— Знаю, — обреченно махнул рукой Битков.

И вдруг с надеждой глянул на Кручу.

— А может, я лучше здесь? Вы мной займитесь, в Бутырку там, в «Матросскую» — я согласен. Только федералам не сдавайте.

— Думаешь, с нами просто будет?

— Надеюсь.

— Много бед в тайге натворил?

— Да нет, не много, так себе...

Степан понимал, что Битков лжет, изворачивается. Таежными «подвигами» бандитов должны были заниматься федералы, а на совести битовской милиции — преступления, которые они совершили здесь. И Степан должен был воспользоваться удобным случаем, чтобы разговорить задержанного авторитета.

— А здесь много?

— Ну, здесь да, много! — легко согласился Битков. — Вы хотели знать, кто маски-шоу с Сафроном устроил, так я признаюсь, моя работа!

— Еще что?

— Ну, квартиру Толстухина с преступными намерениями взломал, золото там, все такое...

— Мало.

— Гипнотизера на вас натравил.

— Битков, ты мне клоунаду здесь не устраивай.

— Клоунаду?! — задумался авторитет. — Да, и клоунада тоже была... Клоундайк-шоу... Я еще у Головастикова спросил, что он знает про Клондайк. А он мне — не Клондайк, а Клоундайк...

Степан догадался, что Битков неспроста застопорил ход своей мысли.

— Где Головастиков? — резко и хлестко спросил он.

— Головастиков?! — растормаживаясь, отозвался Битков. — Нет Головастикова...

— Где он?

— Это моя вина... Признаюсь, что моя... Ненавижу петухов. В зоне их гноил, здесь бы всех удавил, будь моя воля... Но воли мне здесь не дают. Я же как человек здесь жил, по законам... Ну, Сафрона тронул, так не насмерть же...

— Ты с темы не соскакивай. Ты мне про Головастикова говори.

— Он Клоундайк-шоу обещал, а получилась сплошная гомосятина... Разозлил он меня, короче. Так разозлил, что убить его готов был... Но я Волынку сказал, чтобы не убивал. Напугай, говорю, пацана, но живым выпусти. Волынок его в подвал спустил и... Короче, застрелил пацана... Толик сказал, что у него вышло случайно. Но я-то знаю, что нет... Волынок подставляет меня. Точно знаю, что подставляет... И в Сафрона он стрелял. И Троху он убил, чтобы на него свалить и меня подставить... Если б не эта падла, я бы здесь сейчас не сидел... Не я бы золото брал... Другой человек должен был золото брать. Но Волынок его подставил, я сам на себя все взял. А то бы он товар принял...

— Что ты там лопочешь? — презрительно скривился Круча.

— Волынок Троху грохнул, — не совсем четко, но громко сказал Битков. — Бабой соблазнил...

— Какой бабой?

— Я... Я не знаю...

— Так, давай все по порядку, — мрачно сказал Степан.

К злодеяниям таежной банды прибавился еще один труп. Погиб Лева Головастиков, на розысках которого так настаивала его мать. Степан обещал держать ее в курсе событий. Теперь придется объясняться с ней, слушать, как взвоет она белугой.

— Головастикова кто убил? — жестко спросил он.

— Волынок! — без промедления ответил Битков.

— По твоему приказу?

— Нет... Но пусть будет да...

— Так да или нет?

— Нет.

— Трофименкова кто убил?

— Троху? Троху Волынок убил... Сначала бабой его соблазнил, а потом убил...

— Что за баба?

— Не знаю... Откуда-то из Тулы...

— В Сафронова кто стрелял?

— Волынок.

— И баба с ним была, о которой ты говоришь?

— Не знаю. Чего не знаю, того не знаю.

— А что это такое, ты знаешь?

Степан достал из кармана фотографию алмаза, показал Биткову.

— Знаю, «Олений глаз», мы о нем говорили... В нем сила моя была. Забрали алмаз, забрали силу...

Взгляд Биткова затуманился, лицо приобрело отсутствующее выражение. Степан должен был вывести его из потустороннего транса, поэтому влепил ему пощечину.

— Эй, очнись!

Битков пришел в себя, всполошенно посмотрел на Кручу.

— Твою силу забрала кровь, которую ты пролил, — сказал Степан. — А «Олений глаз» потеряла девушка, которая была с преступником, стрелявшим по Сафронову. На камне отпечатки некой Стеллы Сидорец...

— Стеллы?! — встрепенулся Битков. — Да, с Волынком могла быть Стелла... А он по Сафронову стрелял...

— А Трофименков здесь при чем?

— Трофименков? Троха?.. Так Троха должен был у Малчи дежурить, а Волынок его бабой соблазнил...

— Стеллой?

— Нет, Стелла его баба, — мотнул головой Битков. — Малча говорит, другая баба была. А Толик сказал, что Волынок бабу какую-то в Тулу повез...

— В Тулу?!

— Да, он сегодня вместе со Стеллой в Тулу поехал.

— Зачем?

— Говорю, бабу отвозить... И Малча говорил, что баба уезжать собиралась... Только что за баба, хрен его поймешь... Малча еще говорил, что беда с озера идет... Точно, беда...

Взгляд Биткова снова подернулся сумеречной пеленой. И снова Степан шлепнул его ладонью по щеке.

— Пришла беда, отворяй ворота, — насмешливо сказал он. — Выкладывай все, что знаешь. И в чем виновен...

— В чем виновен?.. Золото продавал! Деньги через

банки отмывал! Сафронову угрожал... В этом я признаюсь! И в другом признался бы, если б виновен был... Хотите, все на себя возьму?

— Все, что твое, то и возьмешь... Значит, твои люди этим летом по Сафронову стреляли, — в раздумье проговорил Степан.

— Да.

— И кто руководил твоими «спецназовцами»?

— Волынок.

— Автоматы куда потом делись?

— Я ему сказал избавиться от них...

— Да, но в ноябре по Сафронову из одного из этих автоматов стреляли, анализ гильз показал...

— Я же говорю, Волынок нарочно это сделал! — встрепенулся Битков. — Он знал, что по гильзам можно ствол вычислить... Я вам больше скажу! Он когда Головастика убил, гильзу подобрал...

— И что?

— Волынок — профи, он даже в тайге старался гильз не оставлять... А вы говорили, что убийца Гены Толстухина гильзу забрал...

— Забрал.

— Что, если Волынок его застрелил?

— Интересная версия.

— Волынок деньги хапнул. Золото ему ни к чему, с золотом возиться надо. А деньги — это деньги... Спрятал их где-то, а сам жил после этого как ни в чем не бывало... Жил, но чувствовал, что рано или поздно все всплывет. Поэтому и подставлял меня. В Сафрона стрелял, Троху заколол, Головастика пристрелил. Он же и Колыванова на меня навел... Избавился он от меня, падла. Повязали меня, крепко повязали. Теперь для него воля... И Стелла с ним... Вот же сука! — в бессильной злобе сжал кулаки Битков. — Как же я раньше не допер.

— Что такое?

— Я же знаю, где она живет. И квартира у нее двухкомнатная, три окна там... да, три. И все на улицу выходят. А она мне вешала, что видела, как Балабакин к Вершининой в машину садился... Не могла она видеть. Наврала сука... Может, она сама их вместе свела... Кинули они меня оба, очень круто кинули. Волынок, падла. Стелла, сука. Жируют, крысы, на мои деньги, пристрелить их некому...

— Где они сейчас?

— Вроде бы в Тулу поехали. Но сказать все, что угодно, можно... Прячутся где-то, выжидают, что дальше будет...

— Может, в тайгу подались?

— Нет, Волынку Москва нужна. Он сюда очень стремился... Он здесь хорошо жил. Хотел, чтобы еще лучше... Потому и деньги у меня украл. А я, дурак, хотел его казначеем сделать. Малчу поставил. Обиделся Волынок. А у самого бабок наших выше крыши было...

— Почему ты думаешь, что Волынок мог деньги у тебя украсть? А как же Вершинина и Балабакин?

— Лизка — дура. Но Генчик ее очень-очень любил. Мог и проболтаться, рассказать, как сейфы вскрыть...

— Ей проболтаться?

— Да... Или она сама допетрила, как это сделать... Она к Стелле в гости ходила, а та баба хитрая, могла и охмурить... В общем, я думаю, они в сговоре были...

— А Балабакин?

— Не знаю.

— Балабакин со Стеллой в одном классе учился.

— Тем более... Сговор там был. Как лоха меня обули... Как лоха... Знал же, что Волынок гнилой, нет, надо было с собой брать. Остался бы в тайге, ничего не было бы...

Битков погружался в транс безнадеги — взгляд пустел, с каждым произнесенным словом голос становился все тише. В конце концов Степан перестал понимать, о чем он говорит. Приводить в чувство он его не стал: все, разговор на сегодня закончен...

ГЛАВА 23

Небольшой подмосковный город, высотный дом, квартира с видом на парк и реку. До Битова каких-то восемьдесят километров... Не стал Василий уезжать далеко, купил квартиру здесь, втайне от своих бывших друзей. Денег у него полно...

Не мог он считать своими друзьями людей, которые предали его. Он должен был стать казначеем, а не какой-то там чукча. Обошел его Биток. Он всегда обходил его...

Василий реально работал на бригаду. И в тайге он делал дела, и в Битове пахал, как папа Карло, — ломбард держал, деньги у должников выбивал... И чем Биток его отблагодарил? Ментам сдал, когда он тетку на машине сбил. Как будто нельзя было Балабакина козлом отпущения сделать...

Из раздумья его вывела верная Стелла.

— Нашла!

Она сидела за компьютером, в ночной рубашке, сексуальная и желанная... Василий ни о чем не жалел. Стелла и много-много денег — что ему еще нужно для счастья в этой жизни? Разве что казино «Пьедестал»...

— Что ты нашла?

Он подошел к ней сзади, нежно положил руки на плечи.

— Информацию...

Она смотрела на монитор, на главную страницу сайта Московского ГУВД.

— Арестованы Битков, Касьянец, Косач, Буоту-
ров... Артюхов и Вакулин в розыске...

— А про меня там что? — разволновался Василий.

— Вроде ничего... Сейчас, сейчас... Нет, точно ничего. Ни в преступниках тебя нет, ни в пропавших без
вести...

— Что им шьют?

— Контрабанда золота, покушение на убийство гра-
жданина Сафронова... Так, тут еще что-то... Да, Троху
им шьют...

— Про Головастика там что?

— Ничего.

— Точно?

— Точно... Погоди-ка, погоди. Про Антипа здесь...
Убили его. Погиб при задержании...

— Да ну! — обрадовался Волынок.

Он давно понял, что переборщил с Головастиком.
Назло Матвею пацана убил, чтобы еще больше в дерьмо его вляпать. Но Толик Антипов знает, кто прикон-
чил голубого клоуна... И если его самого застрелили
при задержании, значит, Василий всерьез может считать, что удача любит его.

— Видать, большой там шухер был, — ликующе
улыбнулся он.

— Большой, — подтвердила Стелла.

— Вовремя мы сдернули.

— Вовремя.

— И про меня точно ничего нет?

— Нет... И про меня тоже! — радовалась Стелла.

— Я же говорю, что если ты со мной, то все шито-
крыто! — радовался Василий.

— Надо будет газету еще купить, посмотреть, что
там пишут... Да и телевизор включить надо...

Она попыталась выйти из-за компьютера, но Васи-

лий удержал ее, руки скользнули вниз, под верхний
срез ночной рубашки, нащупали упругую прелесть...

— Ты ненасытный, — расслабленно укладывая голову ему на плечо, прошептала она.

— Нет, просто это ты лучшая...

Почти два года он живет со Стеллой, а все никак не
может насытиться ею...

Возможно, то же самое происходило и с ней самой.
Она тоже всегда хотела и никогда не отказывала ему во
взаимности. Даже поздно ночью, уставшая после работы, она отвечала на его ласки... Она не отказывала ему,
никому не отказывала...

— И еще ты шлюха!

Волна неконтролируемой злобы накатила на него,
сжала мышцы рук, вдавила пальцы ей в плечи.

— Что ты делаешь, мне больно! — взвилась Стелла.

— Прости. — Опомнившись, он разжал руки.

— Что, снова?

Она стояла перед ним, уперев руки в бока; взъеро-
шенная, всклокоченная. Но даже в таком состоянии
она была безмерно привлекательна.

— Я же сказал, прости...

— Снова из-за него, да?.. Давно это было. Давно!!!

— Но ведь было... А тогда, когда он тебя за Лизку
спрашивал, в бане? Я же знаю тебя, стерву, знаю, чем
ты могла его задобрить...

— Могла бы и задобрить. Он меня тогда чуть живь-
ем не сожрал...

— Задобрила?

— Сколько раз тебе говорить одно и то же. Нет!..

— А раньше?

— Да, было...

— И как он с тобой, а? Так?

Распираемый взбунтовавшейся кровью, Василий
подошел к Стелле, разорвал на ней ночную рубашку.

— Так он делал?

Она знала, что в таких случаях лучше ничего не говорить, и потому молчала. К тому же ей нравилась такая игра. Опасная игра, но возбуждающая...

Волынок швырнул Стеллу на кровать, как на татами; сначала поставил в партер, затем уложил на лопатки... Выплеснул в нее всю свою злобу. И снова на душе стало хорошо и раздольно.

Все-таки заставил он битовских ментов ополчиться на Матвея. Стрельба по Сафронову, Троха... Наехали менты на Битка да, видимо, очень удачно к нему зашли, что повязали его с контрабандным золотом. Троху ему пришьют... Жаль, что Головастика не удалось на него списать. Но ничего, и без этого есть результат.

— О чем думаешь? — умиротворенно спросила Стелла.

— Думаю, что хорошую квартиру купил.

Еще в начале осени он приехал в этот город, нашел здесь бомжа с паспортом, умыл его, причесал, одел, через него и была оформлена сделка с квартирой. Бомжа уже нет в живых, паленой водкой «случайно» отравился... Квартира хорошая, двухкомнатная, с ремонтом и обстановкой. Универсам под боком, Стелла ходит туда под париком и в гриме... Никто не знает про этот дом, поэтому здесь безопасно. И комфортно.

— И долго мы здесь будем жить? — спросила она.

— Пока в Битово не вернемся.

— Неужели это для тебя так важно?

— Да, мне нужен «Пьедестал». И если менты меня не ищут, то вернусь...

— Упертый ты. У нас так много бабла, что три таких «Пьедестала» можно построить, и не здесь, а за границей...

— Было бы больше, — нахмурился Волынок. — Если бы ты не щелкала... Такой камень потерять, а!

Стелла подавленно замолчала.

— На кой ты его с собой взяла?

— Для фарта, — уныло вздохнула Стелла.

Возле «Реверса» Василию повезло. Он собирался просто пальнуть в сторону клуба, но, подобравшись к нему, заметил подъехавший лимузин. Решил, что машина приехала за Сафроном, и не ошибся... Убивать он никого не собирался, но и не жалел о том, что ранил телохранителя. В общем, неплохо сложился бы пасьянс, если бы Стелла не потеряла карту, то есть дорогущий алмаз. На удачу, идиотка, взяла...

— И кто-то ж нашел эту красоту, — с досадой сказал Волынок.

Некогда было искать камень: ноги нужно было поскорей уносить. А обратно за ним не возвращались — глупо и опасно.

— Нашел, — уныло кивнула Стелла. — И владеет...

— А если менты нашли?

— Будь я ментом, я бы прикарманила такую находку...

— А если не прикарманили?.. Отпечатки пальцев на камне могли остаться.

— Я же тебе говорила, нет моих пальчиков у ментов, не с чем сверять... И в квартире у Трохи я тщательно убралась...

— Убралась, — кивнул в раздумье Волынок.

С Трохой он дружил постольку-поскольку. Тот на баб был падок, а у Стеллы подруга была, из Каширы. Маша к ней летом приезжала, Троха с ней познакомился, хотел с ней любовь закрутить, а она хвостом вильнула. Расстроился тогда Троха, на том Волынок и сыграл. Сказал Трохе, что с Машей к нему в гости придет, а тот, дурень, с вахты сорвался... Очень хотел Василий Малчу подставить, которого Матвей приблизил к себе несправедливо. И самого Матвея подставил, когда Трохе передоз организовал, а засвеченный автомат под ванну ему сунул... Наехали на Матвея менты, на контрабанде повязали. Туго ему придется, если не менты к стенке прижмут, то московские воры постараются...

— В Битово я хочу, — обняв Стеллу, сказал Волынок.

Волынок уже давно мог бы сбежать за границу, но душа лежала к Битову. Нравился ему этот богатый и развеселый городок. Поэтому он и выжил оттуда Матвея. И Сафронова он тоже задвинет... Может, он и упертый, но сама фортуна благоволила ему. И если она будет улыбаться ему и дальше, он обязательно вернется в Битово и приберет к рукам «Пьедестал». Он знал, как найти людей, на которых оформлены учредительные документы...

* * *

Колыванову не терпелось забрать Биткова и этапировать его в Сибирь, но подполковник Круча держал его на привязи.

— Да пойми ты, Волынок очень много знает про Биткова. И, главное, он его боится и ненавидит. Он сдаст его с потрохами! Тогда ты, Дима, намертво прижмешь его к стенке.

Степан знал, что говорит. Никто из приспешников Биткова даже рта не открыл, чтобы сказать хоть одно слово против него. Хоть огнем их пытай, не выдадут они своего босса, и Колыванов это понимал.

— Да, хотелось бы взять Волынка, — кивнул Колыванов. — Но как? Он же в бегах.

— Работаем, заманиваем...

Степану пришлось убеждать высшее начальство в том, что Волынка нужно водить за нос посредством дезинформации. Битков, Касьянец и Косач — арестованы, Вакулин, Артюхов — в розыске. Еще несколько человек из банды Биткова как бы вне подозрений, среди них и Волынок. Его не подавали в федеральный розыск, создавалась видимость, что он и Стелла Сидорец чисты перед законом. На днях на телевидении выйдет сюжет о таежной банде Биткова, нашедшей себе уютное и сытное пристанище на московской земле, о Волынке там не будет сказано ни слова...

В своем стремлении дезинформировать преступника Степан зашел так далеко, что запустил утку, будто Антипов погиб при задержании. А именно он знал, кто убил Головастика, он же и обличил Волынка.

— Заманиваете?

— Думаю, должно сработать, — с уверенным видом сказал Круча. — Битков считает, что Волынок метил на его место, потому и подставлял. Я думаю, что Волынок хотел избавиться от Биткова, чтобы жить затем спокойно с украденными деньгами. А жить он, по всей видимости, хотел здесь, у нас... Скорей всего Волынок сейчас просто затаился. Выжидает момент. И если мы его не вспугнем, рано или поздно он будет здесь, чтобы разведать обстановку. Или он заявится, или его Стелла, а может, и оба сразу. Хотелось бы его взять, как только он появится...

— Хотелось бы.

— Мы можем держать под контролем квартиру Стеллы... Хотелось бы, чтобы и в «Пьедестале» ситуация была под контролем. Для этого нам и нужен Битков. Он должен находиться здесь, в нашем изоляторе. Тогда клубом будет управлять его человек. Вернее, женщина, которую он считает своей...

Конечно же, Колыванов понял, о ком шла речь. Степан не знал всей подоплеки с внедрением Риты в окружение Биткова, но был уже извещен о том, что девушка работала на федеральную безопасность. А вот

Битков о том даже не догадывался. Более того, незадолго перед тем, как его взяли, он назначил Риту своим заместителем. И сейчас она руководила клубом на правах зама и любовницы директора...

— Пусть управляет, — пожал плечами Колыванов.

— Она не хочет.

— Уговорим.

— Уже уговорил. Но Битков должен находиться у нас или в Москве, тогда Рита сможет управлять клубом. Не будет его, здесь начнется борьба за власть... И еще, если вы увезете его в Сибирь, Волынок может заподозрить, что в деле участвуют федералы, то есть вы. А у него, я так понимаю, рыльце в пушку...

— В пушку, — кивнул Колыванов. — Но как он узнает, что мы Биткова увезем?

— Кто знает, с какой высоты он отслеживает обстановку. Как говорится, лучше перебдеть...

— Да, рыльце у него в пушку, — повторил майор. — Оперативная информация есть, но доказательств нет.

— У вас нет, а мы кое-что имеем. Думаю, хватит Толстухина, Трофименкова и Головастика, чтобы на всю катушку ему впаять... Возможно, не только их...

Степан не знал, что случилось с Вершининой и Балабакиным, но с каждым днем все больше склонялся к мнению, что их уже нет в живых...

— Да, пусть Битков пока побудет у вас, — глянул на него Колыванов. — Если Рита здесь, если он ей доверяет, попробуем на этом сыграть.

— Как?

— А пусть она придет к нему на свидание. Он сейчас в таком положении, что не может доверять адвокатам. А ему нужна связь с волей, в частности, с людьми, через которых мы можем выйти на его таежную бригаду. Может, он уполномочит ее связаться с кем-то из своих...

— Ваша воля, — кивнул Степан.

Его по-прежнему мало волновали таежные «подвиги» Биткова. Тем более сейчас, когда его самого посетила, может, и не очень разумная, но, несомненно, интересная мысль...

* * *

Рита сурово смотрела на девушку, стоявшую перед ней с поникшей головой. Увидела Косыгина, еще больше насупилась.

— Вы не могли бы немного подождать? — с досадой спросила она.

Ей уже сообщили, что с ней желает встретиться сотрудник милиции, отказать она ему не посмела, но недовольство выразила. Но все это игра на публику. Хотя...

— Увы, времени в обрез, — сочувствующе развел руками Косыгин.

— Тогда проходи.

Она показала ему на свободное кресло за приставным столом.

— И смотри, Орлова, пока Стеллу не найдешь, не возвращайся.

— Ну, я не знаю, где она, — скуксилась девушка.

— А мне все равно... И заруби себе на носу, когда Стелла найдется, она будет уволена, а ты займешь ее место. Если через два дня ее не будет, ее место займет Гончарская. Вопросы?

Девушка ничего не сказала. Нервно поджав губы, порывисто повернулась к ней спиной и ушла.

— Круто вы, Маргарита Владимировна, — полуофициальным тоном заметил Юрий.

— Стараемся. Пока начальство э-э... временно отсутствует, надо кому-то управляться. А хозяйство большое, сами должны понимать, товарищ старший лейтенант...

Она смотрела на него с отрешенной улыбкой, в глазах колкие хрусталики льда. И это элемент игры. Но в то же время в действительности отношения между ней и Косыгиным оставались напряженными. Он тянулся к ней, но его что-то сдерживало. Ему катастрофически не хватало искренности в общении с ней, а ей казалось, будто он винит ее в том, что она спала с Битковым...

Глупая ситуация, осложненная игрой, которую навязал им обоим подполковник Круча. Он хотел заманить Волынка в клуб, которым руководила Рита. Не хотела, но пришлось. А Косыгин должен был прикрывать ее. Сценарий утвержден начальством, по нему они сейчас и действуют. Нужно быть осторожным: у стен в клубе могут быть уши.

— Большое, — кивнул он. — А насчет временного отсутствия вы, пожалуй, перегнули. Матвей Кириллович в сложной ситуации. Он человека ранил, покушение на убийство, дело серьезное. И его сотоварищи оказали сопротивление при аресте. Антипов убит, пострадали два наших сотрудника...

Это был разговор для чужих ушей.

В клубе почти не осталось людей, которых Битков привез с собой в Москву из тайги. Начальник охраны из них и с ним еще три-четыре колымских молодца. Но не исключалось, что Волынок мог поддерживать с кем-то из них связь. Как не исключалось, что кабинет и.о. директора клуба прослушивался. Поэтому приходилось хитрить.

— И насколько все серьезно?

— Завтра Биткова с компанией переводят в «Матросскую Тишину».

— Я могу с ним встретиться?

— Адвокаты с ним работают. Зачем тебе с ним видеться?

Косыгин имел право обращаться к Рите на «ты». Волынок мог знать, в каких отношениях она с ним состояла.

— Но ты бы мог устроить мне встречу?

— Вообще-то я к вам по делу, Маргарита Владимировна. Меня интересует Головастиков Лев Михайлович, — официально-будничным тоном сказал Юрий.

И он, и она знали, что Головастикова больше нет. Его тело пока не нашли, но «покойный» Антипов дал показания против Волынка.

— Опять двадцать пять, — для видимости возмутилась Рита. — Сколько говорить, что нет его здесь...

— Но, может, объявлялся...

— Юра, хватит ходить вокруг да около. Скажи, сколько ты хочешь?

— Не понял.

— Двадцать тысяч рублей тебя устроит?

— За что?

— Я же говорю, что мне нужно встретиться с Матвеем...

— Двадцать тысяч? Надо подумать...

— Да или нет?

— Не надо на меня давить... Да!

— Когда?

— Могу прямо сейчас.

— Поехали.

Расслабиться они смогли только в машине, которую Косыгин одолжил у Бори Климентьева. Своему автомобилю Рита не доверяла, прослушка могла быть и там.

— У меня такое ощущение, будто мы бежим, выбиваясь из сил, но это бег на месте, — сказала она. — Не появится Волынок, зря стараемся...

— Начальству видней.

— У меня свое начальство...

— Ты можешь отказаться.

— Не могу. Я обещала твоему шефу. Он очень убе-

дительно меня просил... И устроил все грамотно... Но
вдруг Загоров догадается, что я подсадная?

— Битков не догадался, а какая-то шестерка догадается...

— Он ко мне уже приставать пытался.

— Отлично. Значит, он видит в тебе будущего пол-
новластного начальника...

— Отлично? — сдержанно возмутилась Рита. — Тебе
все равно, что ко мне пристают?

— Нет... То есть... Э-э, ну ты же послала его, — в
смятении махнул рукой Косыгин.

— Может, и послала. А может, и нет... Но тебе, я вижу, все равно...

— Да нет, не все равно, — пожал он плечами.

— Зато мне все равно. Скорей бы все это закончилось, и домой...

— Закончится, — кивнул он. — Когда-нибудь закончится...

— И я уеду?

— И ты уедешь...

Машина остановилась перед зданием ОВД.

— Все? — спросила она.

— Пока все, — кивнул он.

— Ты ничего не хочешь мне сказать? — оскорблен-
но спросила она.

— Удачи!

— Ну, спасибо тебе! — язвительно усмехнулась она.

И с отчаянной какой-то решительностью открыла
дверцу, чтобы выйти из машины.

Она действительно собиралась встретиться с Битковым, но, как понял Косыгин, по заданию своего начальника. Для этого он и привез ее сюда...

Только когда за Ритой закрылись двери изолятора,
до него дошло, что ее так оскорбило в его поведении.
Он даже не попытался остановить ее, не пустить к Бит-

кову. А ведь тот мужчина, ему требуется женщина, и, чтобы заслужить его нужную для дела милость, Рита могла лечь под него... А ему как будто было все равно. Как будто...

ГЛАВА 24

На Матвея противно было смотреть. Взгляд опущен, голова поникшая, руки за спиной. Хоть бы плюнул сгоряча в объектив телекамеры, нет, стоит, как в штаны навалявши... А за кадром надрывался диктор. «Задержана банда преступников, занимавшихся нелегальной золотодобычей в районе Колымы... На преступные деньги в административном округе Москвы был построен и открыт клуб-казино... Благодаря бдительности сотрудников ОВД «Битово» главарь криминальной структуры был взят с поличным в момент получения контрабандного золота... В ходе широкомасштабной операции по задержанию преступной группировки погиб один преступник и ранены двое сотрудников правоохранительных органов...»

Волынок невольно вздрогнул, когда на экране появился мертвый Толик. Волосы, слипшиеся от крови, голова неестественно завалена набок...

— Точно, завалили Антипа! — радостно потер он ладони.

На экране появились живые Сева, Дема, Малча. И эти пол уныло рассматривают...

— Ну никакой гордости! — возмутился Волынок.

Он очень волновался. Он боялся увидеть на экране свое фото. Но страхи его оказались напрасными. Среди лиц, разыскиваемых милицией, он не обнаружил своего. И в неполном перечне участников преступной группировки не услышал своей фамилии.

— Кажись, пронесло!

«А клуб, который основали представители сибирского криминалитета, заслуживает особого внимания...»

На экране телевизора появился кадр с изображением парадного входа в «Пьедестал». Охранник на входе, очередь из желающих попасть в клуб. Музыка, лазеры, девочка у шеста... Все быстро, мельком. И только новая хозяйка клуба была удостоена более пристального внимания.

— Марго! Хозяйка клуба?! — возмущенно протянула Стелла.

— Ничего себе!!! — взвыл он.

Его вниманием завладел крупных размеров бриллиант, красовавшийся на груди Марго в качестве кулона. Это был тот самый «Олений глаз», который потеряла Стелла. Он был вделан в золотую оправу, но Волынок все равно его узнал. Как узнал и стоявшего рядом с ней Витька Загорова.

Передача закончилась, а он продолжал смотреть в телевизор с открытым ртом.

— Откуда у нее наш алмаз? — наконец спросил он.

— Может, кто-то нашел и продал ей по дешевке, — пожала плечами Стелла.

— По дешевке? Идиотом нужно быть, чтобы продать это чудо меньше чем за «лимон»... Откуда у нее такие деньги?

— У нее роман с ментом был, — вспомнила Стелла.

— Да не роман, — покачал головой Волынок. — Матвей под мента хотел ее сунуть... А может, и роман?

— Матвей в тюрьме, а мент на воле. Может, он ей алмаз подарил?.. Он же из уголовки, осматривал место, где мы стояли, нашел камень... Я же говорила, что брюлик могли прикарманить...

— Если так, то мент чужое взял, — набычившись, сказал Волынок.

— С ментами лучше не связываться.

— А кто с ними связываться собирается? Марго, сука, за все ответит...

— Новая хозяйка клуба, офонареть!

— Все верно, Матвей на нее все перекинул. Она же знает, как буферами трясти, — презрительно скривился Волынок.

— Я тоже умею! — вздыбилась Стелла.

— И что? Тоже хозяйкой клуба хочешь стать?

— А почему бы и нет! Ты и я — вместе дружная семья.

— Не вопрос... Витька Загорова видела?

— Видела. Деловой, в костюмчике...

— Под Матвея косит... А почему он под него косит, а?

— Почему?

— Потому что худо с Матвеем. Сожрут его менты, а клуб останется. И Марго тоже. Витек в центровые метит. И на Марго глаз положил... Улавливаешь момент, а?

— Кизяк ему вместо масла!

— Это само собой... Витек из наших, его вместе со всеми могли замести. А не замели. Нигде про него ни слова. Потому и остался он в клубе, при делах... И про нас с тобой ни слова. Как будто и не было нас...

— Так и я ж о том! — торжествующе улыбнулась Стелла. — Не спалились мы! И Витек по сравнению с тобой — ничто!

— Ну так и какого черта мы здесь с тобой делаем? — вдохновенно улыбнулся Волынок.

Его тянуло в Битово, в клуб, хотелось поскорей окунуться в эйфорию шумного праздника. И раз уж он такой гений, что сумел выйти сухим из воды, надо ехать в «Пьедестал» и навести там свой, новый порядок. И, конечно же, надо вернуть потерянный алмаз...

* * *

— Виктор, ты должен понимать, что дела наши не очень хороши, — с милой улыбкой, но начальственным голосом сказала Рита. — Матвея, Севу, Дему и Малчу перевели в «Матросскую Тишину», как скоро их оттуда выпустят, неизвестно.

— Могут и не выпустить, — усмехнулся Загоров.

Судя по выражению его лица, он был совсем не против, если бы Матвей Битков с компанией исчез с лица земли раз и навсегда. Ему самому хотелось занять директорское кресло.

— Выпустят, — небрежно махнул рукой Косыгин.

Он выступал в роли мента, прикормленного Ритой. И, надо сказать, ему эта роль нравилась.

— Не переживай, Витя, рано или поздно выпустят, — вальяжно глянув на начальника охраны, сказал он.

Загоров его не пугал. За парнем установлено наблюдение, и если вдруг зародится в его глупой голове крамольная мысль, вряд ли он сможет привести ее в исполнение. А он, похоже, уже сейчас готов был разорвать Косыгина на части, если судить по его злобному взгляду.

— Да, если Юрий Витальевич так сказал, значит, так и будет...

— Юрий Витальевич? — скривился Загоров.

— Ты, Витек, не шали, — нахмурился Косыгин. — Если я помогаю вам, то это не значит, что ты должен мне нравиться... Ты, кажется, тоже по тайге с Битковым лазил, а?..

— Нет, — стушевался парень.

— А мне кажется, что да... Знаешь, а я тебя сейчас в отдел заберу, завтра тебя на очную ставку к Биткову отправим...

— Юрий Витальевич, вы это, извиняйте, если что не так...

Метнув на Риту осуждающий взгляд, Загоров покинул директорский кабинет.

— Ревнует, — поделился своими соображениями Косыгин.

Но Рита даже ухом не повела в его сторону.

— Ревнует, говорю, — раздраженно повторил он.

Она по-прежнему делала вид, что не замечает его.

— Почему ты молчишь? — не выдержал он.

— Потому что ревнует, — лаконично ответила она.

И снова замолчала.

Косыгин пытался ее разговорить, но так и не смог вытянуть у нее ни слова.

* * *

Волынок считал себя знатным охотником. На медведя ходил, на лося, на кабана и дичи много на своем веку побил. Может, потому в свое время его удивляла поговорка, что на ловца зверь бежит. В лесу все наоборот... Но среди людей народная мудрость имела смысл. Нужна была ему Лиза, чтобы деньги у Толстухина отобрать, так сама же баба на него и набежала... Сейчас он думал, как связаться с Загоровым напрямую, без посредников, а тот сам вышел к розыгрышному джипу с красной ленточкой, машину осматривает, не оцарапал ли кто. Ничто не помешало Волынку к нему подойти.

— Привет, Витек! — задиристо хлопнув его по плечу, поздоровался он.

— Васек?! — удивленно вытаращился на него Загоров.

— Отойдем?

Витек с опаской вышел из освещенной зоны в темноту.

— Ты чего боишься, братан? Что тебя пугает? — спросил Волынок, всматриваясь в его глаза.

— Да нет, ничего. Просто я думал, что ты в бегах...

— А что, менты сторожок на меня повесили?

— Да нет. Даже не спрашивали про тебя...

— Точно не спрашивали?

— Точно. И меня тоже не тронули...

— А может, не тронули, потому что ты на ментов работал?

— Васек, да ты чего?

От страха Витек слегка просел в коленях.

— Да не шугайся ты, нормально все, — успокоил его Волынок.

— Васек, ну как ты мог подумать? — возмущенно хватая ртом воздух, спросил Загоров.

— Говорю же, нормально все... Я смотрю, ты у нас телезвездой заделался, да?.. Видел я тебя на экране, вместе с Марго...

— А-а, это... Манал я такую телезвездень...

— Плохо, что клуб с криминалом смешали. Плохо... Народу, поди, поубавилось?

— Да нет вроде...

— Алмаз у Марго не хилый был.

— Алмаз?! Ну да, был алмаз...

— Откуда он взялся?

— Ну, может, Матвей подарил?

— Если бы он ей подарил, я бы знал...

— Ну, может, после того подарил, как его закрыли. Марго на кич к нему ходила, может, он ей и дал...

— Если он ей что-то и дал, то не брюлик, — пренебрежительно хмыкнул Волынок. — Если в закрытом был, откуда камень?

— А-а.

— На! Баранья твоя башка!.. Так откуда алмаз?

— Без понятия...

— Где она сейчас?

— В кабинете. С ментом закрылась.

— С кем? — насторожился Волынок.

— С ментом. Из уголовки.

— Что он у нее делает?

— Делает. «Крышу» ей делает.

— «Крышу»?

— Ну, я так понял... Она раньше с ним зналась. Сам лично выслеживал, где он живет, чтобы под Марго подставить. Ну, его Матвей под нее подставлял...

— Слышал, слышал про этого мента. И что он у Марго делает?

— Она с Матвеем связь через него держит.

— Какую связь? Половую? — сострил Волынок.

Но Загоров отнесся к вопросу со всей серьезностью.

— Может, и половую. Кабинет большой, диван широкий... Шуры-муры у них, в натуре...

— А ты чего так разволновался? — усмехнулся Волынок. — Ревнуешь?

— Да не, ты че!

— Ревнуешь... Матвей крепко влип?

— Мент говорит, что вытащит его. Я слышал, Марго ему хорошо заплатила...

— За что, за алмаз?

— При чем здесь алмаз?.. За помощь заплатила.

— Чем? Натурой?

— И этим тоже...

— Значит, Матвей на крытом, а она с ментами. Ну не сука, а!

— Сука!.. О, смотри, легок на помине!

Загоров показал Волынку на человека, с понурой головой бредущего к стоянке такси.

* * *

Рита объявила бойкот. Юрий терпел долго, но в конце концов не выдержал. И ушел. Время — половина второго ночи, Загоров под контролем, так что если вдруг объявится Волынок... Да и не объявится он. Уж сегодня точно его не будет... А если вдруг, не было команды караулить бандита сутками напролет. По мере сил и возможностей, как сказал майор Кулик. А не было у Юрия сил смотреть, как глумится над ним Рита.

— Куда надо, парень? — спросил подошедший таксист в потрепанной меховой кепке.

Косыгин назвал адрес, сел в машину.

— Чего такой смурной? — поинтересовался водитель.

На вид ему было лет сорок, худой, невзрачный, а глаза светятся, живой огонь в них.

— Да так.

— Несчастная любовь?

— Почему любовь?

— Вид у тебя, как у несчастного влюбленного.

— Ну, может, и любовь, — пожал плечами Косыгин. И, немного подумав, добавил: — Да, любовь...

Он любил Риту, какие уж тут могли быть сомнения.

— С девушкой поссорился?

— Может, и поссорился.

Косыгин не ощущал в себе потребности высказать все, что лежит на душе, но все же втянулся в разговор.

— Оставил ее в клубе. А если она одна домой пойдет? Ночь, дураков много, может и не дойти...

— Не пойдет. Она там работает.

— В клубе? Стриптизерша?

— Почему сразу стриптизерша? — удивился Юрий.

— Не знаю, почему-то подумал, — пожал плечами таксист.

— Работала стриптизершей...

— Я так и подумал. Взгляд у тебя смурной. Не знаешь, нужна ли она тебе такая...

— Какая такая?

— Да такая... Я тебе вот что, парень, скажу. Жизнь

такая штука, не знаешь, где найдешь, где потеряешь. У меня, э-э... один знакомый на проститутке женился. Ну, на бывшей, понятное дело. А его брат женился на порядочной — библиотекарша в очках, тихая, мерси-пардон, все такое... Ну и что? Та, которая проституткой была, на других мужиков даже не смотрит. А хозяйка какая — у-у, готовит — пальчики оближешь... А библиотекарша сама, ля, пальчики облизывает, у чужих мужиков. Но вежливо! Вилкой берет!.. Да, брат, такая она штука, жизнь. А то, что было у нее раньше... Так у библиотекарши это и до замужества было, Ленька об этом только недавно узнал...

— Мне все равно, что у нее было, — мотнул головой Косыгин.

— Тогда вернись, если все равно.

— Дело не в том.

— А в чем?

— В том, что я дурак...

Он вспомнил, как Рита просила его, почти умоляла сказать, что нужна ему. Не сказал, и она ушла с Битковым... А недавний случай — ему же не все равно было, что какой-то Загоров пристает к ней. И сердце сжималось, когда она в камеру к Биткову шла... Ну почему он такой нелепый?..

— Поворачивай!

В клуб Косыгин попал через рабочий вход. Охранник его уже знал — недобро покосился на него, но пропустил. Лифт, приемная. Дверь в кабинет открыта. В кресле, спиной к нему, человек, перед ним — Рита, в руке у нее малогабаритный спецназовский «ПСС».

— Рита, я хотел сказать... — по инерции проговорил Косыгин, хотя уже догадался, что пистолет она достала неспроста.

Она бросила взгляд в его сторону, но увидела не только его.

— Юра!

Он обернулся и увидел несущегося на него Загорова. Сорвавшийся с цепи пес; злой, но не совсем уверенный в себе. Он мог бы сбить Косыгина с ног, но в самый последний момент решимость оставила его. Он замер в шаге от Юрия, не зная, что ему делать. Зато Косыгин не оплошал — ударил его кулаком в солнечное сплетение; сложив пополам, заломил руки за спину. Наручники на месте, раз-два... Пистолет свой он тоже достал.

— Браво! — услышал он мужской голос.

Обернулся и увидел Риту. Она стояла лицом к нему, а за спиной у нее находился мужчина — одной рукой он плотно захватил ее шею, а другой вдавливал ей в ухо ствол спецназовского пистолета.

Косыгин обомлел. Во-первых, ему не могло понравиться столь резкое изменение обстановки. А во-вторых, он узнал в мужчине Волынка. Пока он проветривал свои чувства на улице, бандит пробрался в клуб, к Рите. Пока он укладывал на пол Загорова, Волынок, воспользовавшись суматохой, разоружил девушку, взял ее в заложницы. А ведь победа была так близка...

— Брось пушку! — потребовал Волынок.

Пистолет к бою готов: патрон в патроннике, предохранитель в нижнем положении. Но рука опущена, ствол «макарова» смотрит в пол. А Волынок держит палец на спусковом крючке.

— А если нет? — с неожиданным для себя спокойствием спросил Косыгин.

— Если нет, я кончу Марго!

— Я тебе только спасибо скажу.

— Чего? — растерянно протянул Волынок.

— А я сам пришел, чтобы кончить эту шлюху!

Сбитый с толку бандит отвел пистолет от ее головы.

И Косыгин вмиг этим воспользовался — быстро, но плавно поднял руку с пистолетом.

— Давай вместе это сделаем!

Ствол «ППС» уже смотрел на него, но преимущества у Волынка больше не было.

— Что, стоило мне уйти, как ты мужика привела? — в показном гневе спросил Косыгин у Риты.

— Юра, ты чего?

Он был так убедителен в своей ярости, что Рита испугалась не на шутку.

— Ничего! Стриптиз танцевала, с Битковым спала! Мне голову морочишь! Пора с этим кончать!.. Ну чего ты, мужик, давай...

Волынок ждал продолжения, но вместо слов Косыгин предложил ему пулю. В голову.

Бандит тоже выстрелил, но запоздало, уже после того, как вскинул руку вверх. После громобойного «макарова» выстрел «ППС» прозвучал, как пшик из пневматического ружья. Но бесшумность этого пистолета обманчива, с расстояния в пять метров пуля из него пробивает стальную каску. К счастью, она ушла высоко вверх, потушив лампочку в подвесном потолке. Косыгин же своим выстрелом потушил самого Волынка.

— Ты его убил! — возмутилась Рита.

Падая, бандит увлек ее за собой, но все же она удержалась на ногах. А он лежал на полу, одной рукой схватившись за голову.

— Может, да, — кивнул Косыгин. — А может, и нет.

Рита ударила его коротко, без размаха, раскрытой ладонью по щеке.

— Это тебе за шлюху!

— Это дезинформация. Для него...

Она снова ударила его, но уже не так сильно.

— Это тебе за Биткова!

— Я же сказал, пора с этим кончать... Я пришел сказать, что люблю тебя и хочу, чтобы мы были вместе...

— Я так и поняла, — сардонически усмехнулась Рита.

Но вот сарказм в ее глазах исчез, на губах заиграла нежная улыбка.

— Это правда?

— Да.

Он мог бы обнять ее, прижать к себе, поцеловать. Была уверенность, что Рита ответит ему тем же. Но они всего лишь взялись за руки. Волынок подал признаки жизни, а где-то рядом находилась Стелла, ее нельзя было сбрасывать со счетов...

* * *

Стелла вошла в кабинет, как приговоренная к смерти на плаху, а на предложенный стул села, как будто он был электрический. Красивая девушка, но нет в ней женственной нежности, зато легко угадывается червоточина порочной натуры. Степан пододвинул к ней пачку «Мальборо». Стелла взяла сигарету. Он щелкнул зажигалкой, она жадно затянулась.

— Несладко в камере? — спросил он.

— Да нет, ничего, — вяло пожала она плечами.

— Холодно?

— Нет, батарея горячая.

— Я спрашиваю, на душе не холодно?

— А, это... Я ничего такого не делала. Это все Василь.

— Что все?

— Ну, все...

— Биткова он подставил, да?

— Не знаю. Если что-то и было, то я не знаю...

— А в Сафронова кто стрелял, возле «Реверса»?

— Не знаю.

— Зато я знаю. Волынок в него стрелял.

— Может быть, я не знаю.

— А кто в машине его ждал?

— В какой машине?

— В той, которая увезла его с места преступления. Девушка с ним была.

— Вот сволочь, — возмутилась Стелла.

— Кто сволочь, он или она?

— Он. И она.

— Ну зачем же ты на себя наговариваешь? — усмехнулся Круча.

— Почему на себя?

— Потому что ты с Волынком была. Потому что ты алмаз потеряла. Большой бриллиант, а на нем отпечатки твоих пальцев. Есть результаты экспертизы... Не отвертишься ты, Стелла, и не пытайся. Давай начистоту, кто в Сафронова стрелял?

— Василь стрелял. Но он не хотел никого убивать.

— Ты была с ним?

— Да, но я не хотела, он меня заставил...

— Такой строгий, что заставить мог?

— Да зверь.

— Вместе жили, вместе хозяйство вели?

— Да.

— Наверное, сам он никогда есть не готовил, тебя заставлял.

— Заставлял.

— И в доме ты убиралась?

— Да.

— И в квартире Трофименкова порядок навела?

— Какого Трофименкова?

— Троха его зовут.

— А, да, наводила порядок...

— Хорошо убралась, мы там ни одного отпечатка пальцев не обнаружили. Василий заставил?

— Да, он.

— А кто укол Трохе делал?

— Первый он сам, а потом... Какой укол? — спохватилась Стелла.

— А ты не знаешь? Врешь, знаешь. Но мы квиты: я тебе тоже наврал. Что ни одного отпечатка пальцев не нашли на квартире у Трофименкова. Были там отпечатки пальцев. Твоих пальцев...

— А, ну я была там...

— С подругой или нет?

— Не было подруги...

— А Малча говорит, что была.

— Малча говорит?.. Так он не знает. И Троха думал, что мы подругу привели... А Вася сказал ему, что не захотела она, предложил уколоться. Троха на игле сидел, а тут душевное расстройство... Короче, недолго уговаривали... Но я здесь ни при чем. Что Вася говорил, то я и делала, и никого не убивала...

— Погоди немного.

Степан сделал вид, что вчитался в содержание лежащих перед ним бумаг.

— Так... Так... Пока совпадает...

— Что совпадает? — не поняла Стелла.

— Показания Волынка совпадают с твоими.

— Его показания?!

— А что ты удивляешься? Ты думала, что Волынок погиб? Нет, он всего лишь ранен. Пуля прошла по касательной, легкая контузия, не более того. В больнице он, в полном здравии. И показания дает...

Круча не врал, он лишь слегка преувеличивал. Косыгин стрелял на поражение, но, видно, из страха промазать и попасть в Риту рука его дрогнула, поэтому пуля чиркнула по голове бандита, вырвав из нее небольшой кусок черепной кости. Волынок сейчас в реанимации, состояние тяжелое, но стабильное. Не было у Степана его показаний и быть не могло. Но ведь когда-нибудь будут...

— Что, правда? — ужаснулась Стелла.

— А ты не бойся. Он тебя любит, лишнего против тебя не скажет. Но и твои грехи на себя брать не станет...

— Какие грехи?

— Ты сама знаешь. И я знаю. Мы оба знаем. Поэтому не будем делать друг из друга дураков. Толстухина кто убил? — после мягкого перехода жестко спросил Круча.

— Василь! — встрепенувшись, ответила Стелла. — Я здесь ни при чем.

— Но в квартире Толстухина после убийства ты убиралась?

— Нет, меня там даже не было...

— А где ты была?

— Дома. Василь все сам сделал.

— Что сделал?

— Он к Гене заехал, ночью, поговорить с ним хотел. Просто заехал, а тут Лизка. С чемоданами. И Балабакин с ней... Ну...

— Что, ну?

— Он им помог чемоданы загрузить...

— Куда?

— В машину.

— В чью?

— Не знаю, он не говорил.... Он вообще мало что говорил про это.

— Про что про это?

— Ну, как он Толстухина убил. Просто сказал, что убил...

— А куда Вершинина и Балабакин делись, не говорил?

— Говорил. Сказал, что уехали.

— Куда?

— Сказал, что далеко. Очень далеко.

— А деньги где?

— Какие деньги? — сфальшивила Стелла.

— Девять миллионов долларов.

— Не знаю.

— А бриллианты?

— Тоже не знаю.

— А как тогда к тебе попал «Олений глаз»?

— Василь подарил...

— Верю. А что не знаешь, где остальные бриллианты, не верю. И про деньги ты знаешь...

— Не знаю.

— Что ж, если не знаешь, придется тебя отпустить. Если ты ни в чем не виновата, зачем тебя взаперти держать? Незаконно это... Биткова еще вчера выпустили.

— Биткова?! Выпустили? — занервничала Стелла.

— Да.

Круча подошел к окну, глянул вниз.

— Машина его стоит. Тебя, наверное, ждут.

— Вы это серьезно?

— Серьезно.

— Но вы не имеете права меня выпускать!

— Имею.

— Он же меня убьет!

— Скорее всего да. Но ты не волнуйся, твоя смерть не останется безнаказанной. За Битковым наблюдают, и, как только он тебя убьет, мы наденем на него наручники. И тогда наконец мы сможем посадить его так крепко, что никакие адвокаты ему не помогут. Ты меня понимаешь?

Насчет Биткова Степан обманывал. Наглая оперативно-тактическая ложь. Битков сейчас в Лефортове, там им всерьез занимаются федералы. Но Стелле этого знать вовсе не обязательно.

— Понимаю. Но я не хочу умирать.

— Не хочешь, а придется...

— А если я скажу, где деньги?

— Тогда будешь отвечать за соучастие в преступлениях. Но, поверь, суд учтет твое раскаяние и готовность работать на следствие...

— Я скажу. Я все скажу!

Три чемодана с деньгами и пакет с алмазами были доставлены в отделение уже на следующий день. А Вершинину с Балабакиным Степан найти не смог: Стелла только могла догадываться, куда они подевались...

* * *

Там, наверху, все было легко и просто. Душа раздольная, свободная, ни злости в ней, ни страхов. Душа, только душа... А здесь, на земле, так мучительно тяжело...

Но все же на земле лучше, чем на небесах. Волынок не успел подняться на седьмую высоту, земное притяжение втянуло его душу обратно в телесную оболочку. Но он слышал голоса. Слышал проклятья людей, которых убивал. И еще он успел понять, что никто не впустит его на облака седьмого неба, белые ангелы с золотыми нимбами сбросят его в ад. Но если он раскается, если он замолит свои грехи...

Подполковник Круча грозно смотрел на него. Он не делал никаких скидок на его болезненную слабость и плохое самочувствие, давил на психику со всей своей ментовской ненавистью...

— Не буду тебе врать, Волынок. Даже если ты чистосердечно во всем признаешься, это тебе уже не поможет. Столько трупов на тебе, что пожизненное заключение тебе гарантировано...

— Много трупов, — кивнул Волынок. — И пусть будет пожизненное...

Теперь он точно знал, что за смертью есть другая жизнь. И он не хотел гореть в аду.

— Кто убил Толстухина?

— Я.

— Где Вершинина и Балабакин?

— Я покажу...

Со временем он сможет показать, куда подевались беглецы. Но сейчас он мог только вспоминать.

* * *

Лиза и Балабакин сгибались под тяжестью чемоданов. Волынок перегородил им путь.

— И далеко собрались?

Балабакин дернулся от страха, выпустил из рук чемоданы. Хотел убежать, но Волынок вовремя наставил на него пистолет.

— Казну взяли? — спросил он у побледневшей Лизы.

— Да, — жалко пролепетала она.

— Да ты не колотись, нормально все. Мне тоже казна нужна.

Знал Волынок, что Лиза задружила с Балабакиным, спасибо Стелле за информацию. Как чувствовал он, что эта дружба закончится побегом. Не зря следил он за доморощенным композитором, не зря оказался здесь этой ночью.

Стелла давно уже подбивала клинья к Лизе, выспрашивала о тайнике. Но Лиза так и не проговорилась... Но все это в прошлом. В настоящем денежки сами приплыли к Волынку...

— Не трону я вас. На четверых поделим, идет?

— Идет, — растерянно кивнул Балабакин.

— Мы поделимся, — согласилась Лиза.

Они втроем сели к ней в машину: она за руль, Сеня спереди, а Волынок сзади, чтобы обоих держать под контролем.

Они поехали к озеру, к месту, которое он им показал. Ночь, вокруг ни души, а пистолет с глушителем...

* * *

— Я их там и оставил, — рассказывал Волынок. — Чисто все сделал, сначала ее, потом его. Они даже понять ничего не успели. Трупы ветками забросал, деньги спрятал, а сам на машине обратно в город. Гена спал: Лизка его усыпила. Я разулся, тихонько подошел к нему и...

— Гильзу зачем забрал? — спросил Круча.

Он смотрел на него, как на последнее ничтожество. Волынок прекрасно его понимал.

— Привычка.

— Трупы где?

— Следующей ночью закопал. И его, и ее... Любовь у них была, на том свете они сейчас любятся. Я был там, есть там жизнь. Только мне туда путь заказан...

— Хорошо, что ты это осознаешь. Ублюдок ты, Вася, еще тот ублюдок...

— Согласен.

— Согласен он, — презрительно скривился Круча. — Противно слушать... Трофименкова ты убил?

— Я.

— Головастикова?

— Тоже я. Убил, вывез в лес, закопал. В чем искренне раскаиваюсь...

— И в том, что в тайге творил, тоже раскаиваешься?

— Да.

— Эка тебя пробрало.

— Пробрало. До самых печенок. Я ж на том свете побывал, оттуда все видно, что да как...

— Лучше бы тебя мама в детстве убила.

— Да, было бы лучше, — кивнул Волынок.

— В том, что в тайге вытворял, тоже раскаиваешься? — наседал Круча.

— Да.

— А Битков не раскаивается.

— Он тоже на пожизненное себе намотал. Такая же сволочь, как я...

— Свидетельствовать против него будешь?

— Да. Все расскажу.

— И на суде выступишь?

— Да. Только наказание мне смягчать не надо.

— Никто и не собирается.

— Я всю жизнь буду каяться.

— Кайся... — Круча немного помолчал. И добавил: — Только тебе это не поможет...

Волынок закрыл глаза, с ужасом осознавая, что всей его жизни не хватит, чтобы замолить грехи. Слишком много крови на нем, чтобы надеяться на прощение. Он умрет, и миллион против одного, что не попадет он в рай... Но попробовать все же нужно. Он признается в своих преступлениях, он даст показания против Биткова, он покажет, где зарыты трупы...

Литературно-художественное издание

Колычев Владимир Григорьевич

НЕ ЖДИ МЕНЯ, МАМА, ХОРОШЕГО СЫНА

Ответственный редактор *А. Дышев*
Редактор *В. Ротов*
Художественный редактор *Н. Никонова*
Технический редактор *О. Куликова*
Компьютерная верстка *И. Ковалева*
Корректор *С. Горшкова*

ООО «Издательство «Эксмо»
127299, Москва, ул. Клары Цеткин, д. 18/5. Тел. 411-68-86, 956-39-21.
Home page: **www.eksmo.ru** E-mail: **info@eksmo.ru**

Подписано в печать 19.05.2008.
Формат 84x108 $^1/_{32}$. Гарнитура «Таймс». Печать офсетная.
Бумага тип. Усл. печ. л. 18,48.
Тираж 10100 экз. Заказ 3985.

Отпечатано в ОАО «Можайский полиграфический комбинат».
143200, г. Можайск, ул. Мира, 93.